2025年版

出る順

社労士

一問一答過去10年問題集

②雇用保険法・労働保険の保険料の徴収等に関する法律・
労務管理その他の労働に関する一般常識

Certified Social Insurance and Labor Consultant

JN111451

は　し　が　き

　本書は、社労士試験の択一式過去問（過去10年分）を一問一答形式で科目別・項目別に編集した問題集である。近年の社労士試験においては、「過去問の焼き直し」とはいえない問題が増えつつあるが、そのような出題に対しても、過去問をベースとした正確な知識は有用となることが多い。今も昔も、過去問をきちんと検討することは、社労士試験合格への「王道」といえる。一問一答形式での択一式過去問の検討は、一肢一肢の根拠（正誤の理由）をきちんと押さえ、知識の定着化を図るという点で有効性が高い。

　ただ、他方で、本試験は5肢択一式であるため、試験会場では、「他の肢との相対的な比較」により正答を導く手法も必要となる。このニーズに応えるためには、本試験と同一の5肢択一形式の過去本試験問題集も必要であり、LEC東京リーガルマインドでは、このニーズに応えるものとして、「出る順社労士 必修過去問題集」を用意している。

　過去問学習の流れとしては、まず、本書で知識のチェックを行い、その後「出る順社労士 必修過去問題集」で実戦感覚を磨く、これがオーソドックスな進め方であろう。

　本書と姉妹編である「出る順社労士 必修過去問題集」を有効に活用し、是非、2025年の本試験（第57回社会保険労務士試験）合格も勝ち取っていただきたい。

　なお、本書は、2024年8月31日時点において、2025年4月1日までに施行される法令を基準として作成されたものである。

※発行日以後における法令の改正情報については、「インターネット情報提供サービス」にてご提供いたします。

※本書は過去の本試験問題を一問一答形式で掲載しているため、出題当時の問題文と異なる場合がございます。あらかじめご了承ください。

2024年10月吉日

株式会社東京リーガルマインド
LEC総合研究所
社会保険労務士試験部

左ページ
問題

❽ 傷病手当

学習項目を表示。

183 □□□ 普通　　　　　　　　　　　R2.4-E

求職の申込みの時点においては疾病又は負傷にもかかわらず職業に就くことができる状態にあった者が、その後疾病又は負傷のため職業に就くことができない状態になった場合は、他の要件を満たす限り傷病手当が支給される。

184 □□□ 易　　　　　　　　　　　H28.2-イ

求職の申込後に疾病又は負傷のために公共職業安定所に出頭することができない　　が継続して15日未満のときは、証明書により失業の認定　　を受けることができるので、傷病手当は支給されない。

本書は、過去10年分の本試験問題を各選択肢ごとに掲載し、過去の本試験の出題実績は下記のように表記しています（法改正等により、問題として成立しなくなったものについては掲載しておりません）。

【例】R2.4-A → 令和2年本試験において、問4のA肢として出題されています。

R2.4-A

に就くことができない状態が当該受給資格に係る離職前　　は、他の要件を満たす限り傷病手当が支給される。

R2.4-D

手当を受給中の受給資格者が疾病又は負傷のため公共職　　できなくなった場合、傷病手当が支給される。

「正解チェック欄」をつけました。直前期の総復習に、有効活用してください。

187 □□□ 普通　　　　　　　　　　　H28.2-ウ

広域延長給付に係る基本手当を受給中の受給資格者が疾病又は負傷のために公共職業安定所に出頭することができない場合、傷病手当が支給される。

188 □□□ 易　　　　　　　　　　　H29.5-B

疾病又は負傷のため労務に服することができない高年齢被保険者は、傷病手当を受給することができる。

189 □□□ 難　　　　　　　　　　　R2.4-B

有効な求職の申込みを行った後において当該求職の申込みの取消し又は撤回を行い、その後において疾病又は負傷のため職業に就くことができない状態となった場合、他の要件を満たす限り傷病手当が支給される。

3段階に難易度を表示！

難 高得点で合格を目指す受験生には、正解したい問題

普通 本試験に合格するためには、落とすことができない問題

易 本試験を受験する上で、正解しなければならない問題

右ページ

解答・解説

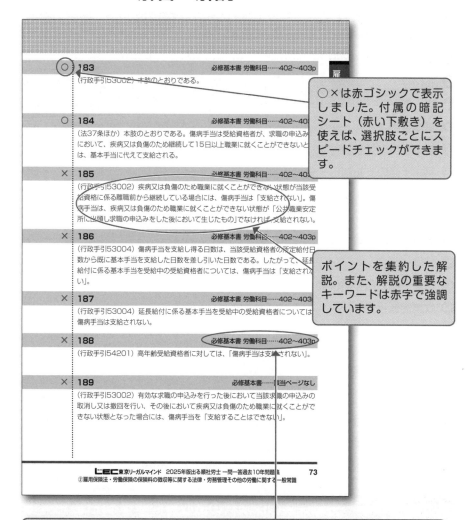

○ **183** 必修基本書 労働科目……402~403p
（行政手引53002）本肢のとおりである。

○ **184** 必修基本書 労働科目……402~40_
（法37条ほか）本肢のとおりである。傷病手当は受給資格者が、求職の申込み_
において、疾病又は負傷のため継続して15日以上職業に就くことができないと_
は、基本手当に代えて支給される。

× **185** 必修基本書 労働科目……402~403_
（行政手引53002）疾病又は負傷のため職業に就くことができない状態が当該受_
給資格に係る離職前から継続している場合には、傷病手当は「支給されない」。傷
病手当は、疾病又は負傷のため職業に就くことができない状態が「公共職業安定
所に出頭し求職の申込みをした後において生じたもの」でなければ支給されない。

× **186** 必修基本書 労働科目……402~403p
（行政手引53004）傷病手当を支給し得る日数は、当該受給資格者の所定給付日
数から既に基本手当を支給した日数を差し引いた日数である。したがって、延_
給付に係る基本手当を受給中の受給資格者については、傷病手当は「支給され_
い」。

× **187** 必修基本書 労働科目……402~403_
（行政手引53004）延長給付に係る基本手当を受給中の受給資格者については_
傷病手当は支給されない。

× **188** 必修基本書 労働科目……402~403p
（行政手引54201）高年齢受給資格者に対しては、「傷病手当は支給されない」。

× **189** 必修基本書……該当ページなし
（行政手引53002）有効な求職の申込みを行った後において当該求職の申込みの
取消し又は撤回を行い、その後において疾病又は負傷のため職業に就くことがで
きない状態となった場合には、傷病手当を「支給することはできない」。

○×は赤ゴシックで表示
しました。付属の暗記
シート（赤い下敷き）を
使えば、選択肢ごとにス
ピードチェックができま
す。

ポイントを集約した解
説。また、解説の重要な
キーワードは赤字で強調
しています。

出題箇所の復習を効率的に行うことができるよう、「2025年版出る順社労士　必修
基本書」の該当ページを掲載しました。復習時に是非、お役立てください。
なお、該当ページの各略称は、以下の書籍に対応しています。

必修基本書 労働科目………2025年版出る順社労士　必修基本書 ①労働科目
必修基本書 社会保険科目…2025年版出る順社労士　必修基本書 ②社会保険科目

CONTENTS

第3編　労務管理その他の労働に関する一般常識

参考　選択式問題・解答

法令名略語表

出る順社労士シリーズにおける法令名の記載については、以下の表に基づいた略称を原則使用しています。また、略称を使用している法律名にかかる施行令および施行規則についてもこれに準じ令または則と略しておりますので、あらかじめ確認のうえ学習を進めてください。

略　称	正式名称
労基法	労働基準法
預金令	労働基準法第18条4項の規定に基づき使用者が労働者の預金を受け入れる場合の利率を定める省令
寄宿舎規程	事業附属寄宿舎規程
年少則	年少者労働基準規則
女性則	女性労働基準規則
安衛法	労働安全衛生法
クレーン則	クレーン等安全規則
鉛則	鉛中毒予防規則
高圧則	高気圧作業安全衛生規則
ゴンドラ則	ゴンドラ安全規則
粉じん則	粉じん障害防止規則
ボイラー則	ボイラー及び圧力容器安全規則
有機則	有機溶剤中毒予防規則
特化則	特定化学物質障害予防規則
石綿則	石綿障害予防規則
労災保険法 （労災法）	労働者災害補償保険法
支給金則	労働者災害補償保険特別支給金支給規則
雇用法	雇用保険法
徴収法	労働保険の保険料の徴収等に関する法律
整備法	失業保険法及び労働者災害補償保険法の一部を改正する法律及び労働保険の保険料の徴収等に関する法律の施行に伴う関係法律の整備等に関する法律
報奨金令	労働保険事務組合に対する報奨金に関する政令
労審法	労働保険審査官及び労働保険審査会法
行審法	行政不服審査法
健保法	健康保険法
国年法	国民年金法
国年基金令	国民年金基金令
厚年法	厚生年金保険法
旧基金令	旧厚生年金基金令
沖縄措置法	沖縄の復帰に伴う特別措置に関する法律

略　称	正式名称
社審法	社会保険審査官及び社会保険審査会法
労働施策総合推進法	労働施策の総合的な推進並びに労働者の雇用の安定及び職業生活の充実等に関する法律
職安法	職業安定法
労働者派遣法 （派遣法）	労働者派遣事業の適正な運営の確保及び派遣労働者の保護等に関する法律
高年齢者雇用安定法 （高年齢者法）	高年齢者等の雇用の安定等に関する法律
障害者雇用促進法 （障害者法）	障害者の雇用の促進等に関する法律
男女雇用機会均等法 （均等法）	雇用の分野における男女の均等な機会及び待遇の確保等に関する法律
育児介護休業法 （育介法）	育児休業、介護休業等育児又は家族介護を行う労働者の福祉に関する法律
個別労働紛争解決促進法 （個紛法）	個別労働関係紛争の解決の促進に関する法律
ADR法	裁判外紛争解決手続の利用の促進に関する法律
パートタイム・有期雇用労働法	短時間労働者及び有期雇用労働者の雇用管理の改善等に関する法律
職能法	職業能力開発促進法
時改法	労働時間等の設定の改善に関する特別措置法
最賃法	最低賃金法
賃確法	賃金の支払の確保等に関する法律
中退金法	中小企業退職金共済法
財形法	勤労者財産形成促進法
労組法	労働組合法
労調法	労働関係調整法
出入国管理法	出入国管理及び難民認定法
国保法	国民健康保険法
高医法	高齢者の医療の確保に関する法律
介保法	介護保険法
船保法	船員保険法
児手法	児童手当法
確拠法	確定拠出年金法
確給法	確定給付企業年金法
社労士法	社会保険労務士法

雇用保険法

■…選択式　●…択一式

出題項目 / 年度	平成27年	平成28年	平成29年	平成30年	令和元年	令和2年	令和3年	令和4年	令和5年	令和6年
総則	●	■								
適用事業等		●						●		
被保険者	●					■●	●		●	■●
雇用保険事務			●		●	■●		●		●
失業等給付（通則）	■	●	●		●		●			
一般被保険者の求職者給付	●	■●	■●	■●	■●	●	■●	■●	■●	■●
給付制限				●		●				●
高年齢継続被保険者の求職者給付	■		●					●		
短期雇用特例被保険者の求職者給付						■	●			
日雇労働被保険者の求職者給付	■		■			●			■	
就職促進給付					●	●			●	
教育訓練給付	■●	●			●		●	■	●	
雇用継続給付	●		●		■●	■●		●		●
育児休業等給付						●	●	●	●	■
雇用保険二事業		■●			●	●				●
費用の負担〜罰則		■●		●	●	●		●		

●LEC専任講師からのアドバイス

　雇用保険法の学習のポイントとしては、①被保険者や給付など類似している用語が多いことから各用語をしっかりと区別すること、②特に一般被保険者の求職者給付は出題頻度が高いことから様々な角度からの出題に対応できるようにすること、③数字に関する出題が多くみられるため、特に数字を正確に覚えること、④改正箇所からの出題も多いため、法改正事項をしっかり押さえることなどがあげられる。

労働保険の保険料の徴収等に関する法律

●…択一式

出題項目 ＼ 年度	平成27年	平成28年	平成29年	平成30年	令和元年	令和2年	令和3年	令和4年	令和5年	令和6年
総則			●		●	●			●	
保険関係の成立・消滅	●	●	●		●		●	●		●
保険関係の一括	●	●		●	●	●	●	●	●	●
労働保険料の種類と保険料率				●	●		●			
概算保険料	●		●		●			●		
延納	●		●		●				●	
概算保険料の申告・納付場所					●			●		
確定保険料	●				●	●		●	●	●
口座振替による納付等	●				●		●			●
メリット制		●					●	●		
印紙保険料		●		●			●		●	●
特例納付保険料	●						●			
追徴金、督促・延滞処分、延滞金、先取特権の順位			●		●			●	●	
労働保険料の負担						●	●		●	
労働保険事務組合	●		●	●	●			●	●	
不服申立て・訴訟		●					●			
雑則・罰則	●	●			●			●	●	●

●LEC専任講師からのアドバイス

　労働保険徴収法は、過去出題された項目が、繰り返し出題されている。したがって、過去問をベースにしているこの問題集を有効活用することで効率的に学習をすすめることが可能である。

　択一式では、事例問題として、概算（確定）保険料の計算問題、延納の納期限・納付額などが出題される可能性がある。概算（確定）保険料算定の方法、延納の仕方などをしっかり理解しておくこと。

労務管理その他の労働に関する一般常識

■…選択式　●…択一式

出題項目 ＼ 年度	平成27年	平成28年	平成29年	平成30年	令和元年	令和2年	令和3年	令和4年	令和5年	令和6年
労働契約法	●	●	●	●	●		●	■	■	●
有期雇用特別措置法	●									
パートタイム・有期雇用労働法						●	●	●		●
待遇確保推進法										
男女雇用機会均等法	●			●			●			■
女性活躍推進法			●		■					
次世代育成支援対策推進法	●			■						
育児介護休業法		●	●			●		●	●	
最低賃金法			●		●				■	●
賃金の支払の確保等に関する法律										
中小企業退職金共済法										
時改法										
過労死等防止対策推進法					●					
労働施策総合推進法			■				■●			
職業安定法					●	●			●	●
労働者派遣法		●		●				●	■	
高年齢者雇用安定法					●	●				
障害者雇用促進法	●	●			●	●	●	■●		●
職業能力開発促進法					■					
求職者支援法										
労働組合法		●	●	●			●		●	■
労働関係調整法										
個別労働紛争解決促進法			●				●			
社会保険労務士法※	■●	●	●	●	●	●	●	●	●	●
労務管理										
労働経済	■●	■●	■●	■●	■●	■●	●	●	●	■●

※社会保険に関する一般常識から出題されたものを含む。

●LEC専任講師からのアドバイス

　労働一般常識は、労働関係法令と労働経済とを関連づけて学習すると視野が広がり効果的だが、学習の初期の段階では、まずは法令の知識と理解の定着に努めるとよい。労務管理に関しては、基本用語が理解できていれば足りる。

第1編
雇用保険法

① 総則・適用等

001 □□□ 普通　　　　　　　　　　　　　　　　　　　　　R元.4-A

雇用保険に関する事務（労働保険徴収法施行規則第1条第1項に規定する労働保険関係事務を除く。）のうち都道府県知事が行う事務は、雇用保険法第5条第1項に規定する適用事業の事業所の所在地を管轄する都道府県知事が行う。

002 □□□ 普通　　　　　　　　　　　　　　　　　　　　　R4.2-E

事業とは、経営上一体をなす本店、支店、工場等を総合した企業そのものを指す。

003 □□□ 普通　　　　　　　　　　　　　　　　　　　　　R4.2-A

法人格がない社団は、適用事業の事業主とならない。

004 □□□ 普通　　　　　　　　　　　　　　　　　　　　　R4.2-D

日本国内において事業を行う外国会社（日本法に準拠してその要求する組織を具備して法人格を与えられた会社以外の会社）は、労働者が雇用される事業である限り適用事業となる。

005 □□□ 易　　　　　　　　　　　　　　　　　　　　　　H30.7-ウ

雇用保険法の適用を受けない労働者のみを雇用する事業主の事業（国、都道府県、市町村その他これらに準ずるものの事業及び法人である事業主の事業を除く。）は、その労働者の数が常時5人以下であれば、任意適用事業となる。

001

必修基本書 労働科目……354p

（則1条3項）本肢のとおりである。なお、雇用保険の事務の一部は、政令で定めるところにより、**都道府県知事**が行うこととすることができるものとされており、具体的には、雇用保険二事業のうち**能力開発事業**の一部の事業の実施に関する事務は、**都道府県知事**が行うこととされている（法2条2項、令1条）。

002

必修基本書……該当ページなし

（行政手引20002）事業とは、**反復継続する意思**をもって業として行われるものをいうが、雇用保険法において事業とは、一の経営組織として独立性をもったもの、すなわち、一定の場所において一定の組織のものに有機的に相関連して行われる一体的な経営活動がこれに当たる。したがって、事業とは、経営上一体をなす本店、支店、工場等を総合した企業そのものを指すもの「ではなく」、「個々の本店、支店、工場、鉱山、事務所のように、一つの経営組織として**独立性をもった経営体**をいう」。

003

必修基本書 労働科目……354p

（法5条1項、行政手引20002）事業主は、自然人であると、法人であると又は法人格がない社団若しくは財団であるとを問わないものとされ、法人格がない社団の場合は、その社団そのものが事業主であることから、当該社団は要件を満たせば「適用事業の事業主となる」。なお、雇用保険の適用事業とは、**労働者が雇用される事業**をいう。

004

必修基本書 労働科目……354p

（法5条1項、行政手引20051）本肢のとおりである。

005

必修基本書 労働科目……355p

（法附則2条、令附則2条、行政手引20105）任意適用事業とされるのは、一定の農林水産の事業であって、常時5人未満の労働者を雇用する事業である。したがって、「農林水産の事業以外の事業については、任意適用事業とはされない」。また、農林水産の事業についての任意適用事業の要件「5人」の計算に当たっては、雇用保険法の適用を受けない労働者も含まれるが、雇用保険法の適用を受けない労働者のみを雇用する事業主の事業は、「その労働者数のいかんにかかわらず」適用事業として取り扱う必要はないとされている。

006 □□□ 難   H30.7-イ

事業主が適用事業に該当する部門と任意適用事業に該当する部門を兼営している場合、それぞれの部門が独立した事業と認められるときであっても、すべての部門が適用事業となる。

007 □□□ 普通   R4.2-C

事業主が適用事業に該当する部門と暫定任意適用事業に該当する部門とを兼営する場合、それぞれの部門が独立した事業と認められるときであっても当該事業主の行う事業全体が適用事業となる。

008 □□□ 易   R6.1-B

適用事業の事業主に雇用されつつ自営業を営む者は、当該適用事業の事業主の下での就業条件が被保険者となるべき要件を満たす限り被保険者となる

009 □□□ 易   R6.1-A

報酬支払等の面からみて労働者的性格の強い者と認められる株式会社の代表取締役は被保険者となるべき他の要件を満たす限り被保険者となる。

010 □□□ 易   H30.2-C

株式会社の取締役であって、同時に会社の部長としての身分を有する者は、報酬支払等の面からみて労働者的性格の強い者であって、雇用関係があると認められる場合、他の要件を満たす限り被保険者となる。

011 □□□ 普通   R5.1-A

名目的に就任している監査役であって、常態的に従業員として事業主との間に明確な雇用関係があると認められる場合は、被保険者となる。

✕ 006
必修基本書……該当ページなし

（行政手引20106）事業主が適用事業に該当する部門（適用部門）と暫定任意適用事業に該当する部門（非適用部門）とを兼営している場合であって、それぞれの部門が独立した事業と認められる場合は、「適用部門のみ」が適用事業となる。なお、事業主が適用部門と非適用部門とを兼営している場合において、一方が他方の一部門にすぎず、それぞれの部門が独立した事業と認められない場合であって、主たる業務が適用部門であるときは、当該事業主の行う事業全体が適用事業となる。

✕ 007
必修基本書……該当ページなし

（行政手引20106）事業主が適用事業に該当する部門と暫定任意適用事業に該当する部門とを兼業している場合であって、それぞれの部門が独立した事業と認められる場合は、「**適用部門のみ**」が適用事業となる。

◯ 008
必修基本書 労働科目……355p

（法4条1項、行政手引20352）本肢のとおりである。なお、他の事業主の下で委任関係に基づき事務を処理する者（雇用関係にない法人の役員等）は、本肢の者と同様に、当該適用事業の事業主の下での就業条件が被保険者となるべき要件を満たす限り被保険者となる。

✕ 009
必修基本書 労働科目……355p

（行政手引20351）代表取締役は「被保険者とならない」。

◯ 010
必修基本書 労働科目……355p

（行政手引20351）本肢のとおりである。なお、株式会社の代表取締役は、**被保険者**とならない。

◯ 011
必修基本書 労働科目……355p

（行政手引20351）本肢のとおりである。なお、雇用保険法における「雇用関係」とは、労働者が**事業主の支配**を受けて、その規律の下に労働を提供し、その提供した**労働の対償**として**事業主**から賃金、給料その他これらに準ずるものの支払を受けている関係をいう（行政手引20004）。

012 □□□ 普通   H27.1-A

農業協同組合、漁業協同組合の役員は、雇用関係が明らかでない限り雇用保険の被保険者とならない。

013 □□□ 普通   H30.2-D

特定非営利活動法人（NPO法人）の役員は、雇用関係が明らかな場合であっても被保険者となることはない。

014 □□□ 普通   R6.1-D

中小企業等協同組合法に基づく企業組合の組合員は、組合との間に同法に基づく組合関係があることとは別に、当該組合との間に使用従属関係があり当該使用従属関係に基づく労働の提供に対し、その対償として賃金が支払われている場合、被保険者となるべき他の要件を満たす限り被保険者となる。

015 □□□ 普通   H27.1-E

生命保険会社の外務員、損害保険会社の外務員、証券会社の外務員は、その職務の内容、服務の態様、給与の算出方法等からみて雇用関係が明確でないので被保険者となることはない。

016 □□□ 易   R5.1-B

専ら家事に従事する家事使用人は、被保険者とならない。

017 □□□ 普通   R5.1-C

個人事業の事業主と同居している親族は、当該事業主の業務上の指揮命令を受け、就業の実態が当該事業所における他の労働者と同様であり、賃金もこれに応じて支払われ、取締役等に該当しない場合には、被保険者となる。

◯ 012　　　　　　　　　　　必修基本書……該当ページなし

（行政手引20351）本肢のとおりである。なお、その他の法人又は法人格のない社団若しくは財団（例えば、特定非営利活動法人（ＮＰＯ法人））の役員についても、**雇用関係が明らかでない限り被保険者とならない**。

✕ 013　　　　　　　　　　必修基本書 労働科目……355p

（行政手引20351）ＮＰＯ法人の役員は、**雇用関係が明らかな場合には**、「被保険者となり得る」。

◯ 014　　　　　　　　　　　必修基本書……該当ページなし

（行政手引20351）本肢のとおりである。

✕ 015　　　　　　　　　　必修基本書 労働科目……355p

（行政手引20351）生命保険会社の外務員、損害保険会社の外務員、証券会社の外務員は、その職務の内容、服務の態様、給与の算出方法等の実態により判断し、**雇用関係が明確と認められる者は被保険者となる**。

◯ 016　　　　　　　　　　必修基本書 労働科目……356p

（行政手引20351）本肢のとおりである。なお、適用事業の事業主に雇用され、**主として家事以外の労働に従事することを本来の職務とする者**は、例外的に家事に使用されることがあっても被保険者となる。

◯ 017　　　　　　　　　　必修基本書 労働科目……356p

（行政手引20351）本肢のとおりである。なお、就業の実態が当該事業所における他の労働者と同様であり、賃金もこれに応じて支払われているかについては、特に①始業及び終業の時刻、休憩時間、休日、休暇等及び②賃金の決定、計算及び支払の方法、賃金の締切り及び支払の時期等について、**就業規則その他これに準ずるものに定めるところにより**、その管理が**他の労働者と同様**になされているかが条件となっている。

018 □□□ 難 　　　　　　　　　　　　　　　　　　　　　H30.2-E

身体上若しくは精神上の理由又は世帯の事情により就業能力の限られている者、雇用されることが困難な者等に対して、就労又は技能の習得のために必要な機会及び便宜を与えて、その自立を助長することを目的とする社会福祉施設である授産施設の職員は、他の要件を満たす限り被保険者となる。

019 □□□ 普通 　　　　　　　　　　　　　　　　　　　　　H30.2-B

一般被保険者たる労働者が長期欠勤している場合、雇用関係が存続する限り賃金の支払を受けていると否とを問わず被保険者となる。

020 □□□ 普通 　　　　　　　　　　　　　　　　　　　　　　R6.1-C

労働者が長期欠勤して賃金の支払を受けていない場合であっても、被保険者となるべき他の要件を満たす雇用関係が存続する限り被保険者となる。

021 □□□ 易 　　　　　　　　　　　　　　　　　　　　　　H30.2-A

労働日の全部又はその大部分について事業所への出勤を免除され、かつ、自己の住所又は居所において勤務することを常とする在宅勤務者は、事業所勤務労働者との同一性が確認できる場合、他の要件を満たす限り被保険者となりうる。

022 □□□ 普通 　　　　　　　　　　　　　　　　　　　　　　R5.1-D

ワーキング・ホリデー制度による入国者は、旅行資金を補うための就労が認められるものであることから、被保険者とならない。

023 □□□ 普通 　　　　　　　　　　　　　　　　　　　　　　R5.1-E

日本の民間企業等に技能実習生（在留資格「技能実習1号イ」、「技能実習1号ロ」、「技能実習2号イ」及び「技能実習2号ロ」の活動に従事する者）として受け入れられ、講習を経て技能等の修得をする活動を行う者は被保険者とならない。

○ **018** 必修基本書……該当ページなし

（行政手引20351）本肢のとおりである。なお、本肢の授産施設の職員以外の作業員は、原則として、被保険者とならない。

○ **019** 必修基本書 労働科目……356p

（行政手引20352）本肢のとおりである。なお、本肢の長期欠勤している期間は、基本手当の所定給付日数等を決定するための基礎となる算定基礎期間に算入される。

○ **020** 必修基本書 労働科目……356p

（行政手引20352）本肢のとおりである。なお、本肢の長期欠勤している期間は、基本手当の所定給付日数等を決定するための基礎となる算定基礎期間に算入される。

○ **021** 必修基本書……該当ページなし

（行政手引20351）本肢のとおりである。なお、本肢の「事業所勤務労働者との同一性」とは、所属事業所において勤務する他の労働者と同一の就業規則等の諸規定（その性質上在宅勤務者に適用できない条項を除く）が適用されること（在宅勤務者に関する特別の就業規則等（労働条件、福利厚生が他の労働者とおおむね同等以上であるものに限る）が適用される場合を含む）をいう。

○ **022** 必修基本書……該当ページなし

（行政手引20352）本肢のとおりである。本肢の者は、主として休暇を過ごすことを目的として入国し、その休暇の付随的な活動として旅行資金を補うための就労が認められるものであることから、被保険者とならない。

× **023** 必修基本書……該当ページなし

（行政手引20352）日本の民間企業等に技能実習生として受け入れられ、技能等の修得をする活動を行う場合には、受入先の事業主と雇用関係にあるので、原則として、「被保険者となる」。

024 ■■■ 普通 R3.1-A

被保険者資格の有無の判断に係る所定労働時間の算定において、雇用契約書等により1週間の所定労働時間が定まっていない場合やシフト制などにより直前にならないと勤務時間が判明しない場合、勤務実績に基づき平均の所定労働時間を算定する。

025 ■■■ 難 R3.1-B

被保険者資格の有無の判断に係る所定労働時間の算定において、所定労働時間が1か月の単位で定められている場合、当該時間を12分の52で除して得た時間を1週間の所定労働時間として算定する。

026 ■■■ 難 R3.1-C

被保険者資格の有無の判断に係る所定労働時間の算定において、1週間の所定労働時間算定に当たって、4週5休制等の週休2日制等1週間の所定労働時間が短期的かつ周期的に変動し、通常の週の所定労働時間が一通りでないとき、1週間の所定労働時間は、それらの加重平均により算定された時間とする。

027 ■■■ 難 R3.1-D

被保険者資格の有無の判断に係る所定労働時間の算定において、労使協定等において「1年間の所定労働時間の総枠は○○時間」と定められている場合のように、所定労働時間が1年間の単位で定められている場合は、さらに、週又は月を単位として所定労働時間が定められている場合であっても、1年間の所定労働時間の総枠を52で除して得た時間を1週間の所定労働時間として算定する。

028 ■■■ 普通 R3.1-E

被保険者資格の有無の判断に係る所定労働時間の算定において、雇用契約書等における1週間の所定労働時間と実際の勤務時間に常態的に乖離がある場合であって、当該乖離に合理的な理由がない場合は、原則として実際の勤務時間により1週間の所定労働時間を算定する。

029 ■■■ 普通 H27.1-B

当初の雇入れ時に31日以上雇用されることが見込まれない場合であっても、雇入れ後において、雇入れ時から31日以上雇用されることが見込まれることとなった場合には、他の要件を満たす限り、その時点から一般被保険者となる。

○ **024**　　　　　　　　　　　　　　　　必修基本書……該当ページなし

（行政手引20303）本肢のとおりである。なお、本肢の「1週間の所定労働時間」
とは、就業規則、雇用契約書等により、その者が**通常の週に勤務すべき**こととさ
れている時間をいう。この場合の「通常の週」とは、祝祭日及びその振替休日、
年末年始の休日や夏季休暇等の特別休日（すなわち、週休日その他概ね1か月以
内の期間を周期として規則的に与えられる休日以外の休日）を含まない週をいう。

○ **025**　　　　　　　　　　　　　　　　必修基本書……該当ページなし

（行政手引20303）本肢のとおりである。なお、本肢の場合において、夏季休暇
等のため、特定の月の所定労働時間が例外的に長く又は短く定められているとき
は、当該特定の月以外の通常の月の所定労働時間を**12分の52**で除して得た時間
を1週間の所定労働時間とする。

○ **026**　　　　　　　　　　　　　　　　必修基本書……該当ページなし

（行政手引20303）本肢のとおりである。

× **027**　　　　　　　　　　　　　　　　必修基本書……該当ページなし

（行政手引20303）本肢の場合、「当該**週又は月**を単位として定められた所定労
働時間により」1週間の所定労働時間を算定する。

○ **028**　　　　　　　　　　　　　　　　必修基本書……該当ページなし

（行政手引20303）本肢のとおりである。なお、本肢の1週間の所定労働時間の
算定について、具体的には、事業所における入職から離職までの全期間を平均し
て1週間あたりの通常の実際の勤務時間が概ね20時間以上に満たず、そのことに
ついて合理的な理由がない場合は、原則として1週間の所定労働時間は20時間未
満であると判断し、被保険者とならない。

○ **029**　　　　　　　　　　　　　　　必修基本書 労働科目……357p

（法6条）本肢のとおりである。

030 □□□ 普通 　　　　　　　　　　　　　　　　　　　　　　　H27.1-C

学校教育法第1条、第124条又は第134条第1項の学校の学生又は生徒であって
も、休学中の者は、他の要件を満たす限り雇用保険法の被保険者となる。

031 □□□ 普通 　　　　　　　　　　　　　　　　　　　　　　　R6.1-E

学校教育法に規定する大学の夜間学部に在籍する者は、被保険者となるべき他の
要件を満たす限り被保険者となる。

032 □□□ 普通 　　　　　　　　　　　　　　　　　　　　　　　H27.1-D

国家公務員退職手当法第2条第1項に規定する常時勤務に服することを要する者
として国の事業に雇用される者のうち、離職した場合に法令等に基づいて支給を
受けるべき諸給与の内容が、求職者給付、就職促進給付の内容を超えると認めら
れる者は、雇用保険の被保険者とはならない。

033 □□□ 普通 　　　　　　　　　　　　　　　　　　　　　　　R2.1-C

雇用保険の被保険者が国、都道府県、市町村その他これらに準ずるものの事業に
雇用される者のうち、離職した場合に、他の法令、条例、規則等に基づいて支給
を受けるべき諸給与の内容が法の規定する求職者給付及び就職促進給付の内容を
超えると認められるものであって雇用保険法施行規則第4条に定めるものに該当
するに至ったときは、その日の属する月の翌月の初日から雇用保険の被保険者資
格を喪失する。

○ 030　　　　　　　　　　　　　　　　　　　必修基本書 労働科目……358p

（法6条、則3条の2）本肢のとおりである。なお、本肢のほか、卒業を予定している者であって、適用事業に雇用され、卒業した後も引き続き当該事業に雇用されることとなっているもの、定時制の課程に在学する者や職業安定局長が定める一定のものについても被保険者となる。

○ 031　　　　　　　　　　　　　　　　　　　必修基本書 労働科目……358p

（行政手引20303）本肢のとおりである。なお、卒業見込証明書を有する者であって、卒業前に就職し、卒業後も引き続き当該事業に勤務する予定のある者は、所定の要件を満たす限り、被保険者となる。

○ 032　　　　　　　　　　　　　　　　　　　必修基本書 労働科目……358p

（法6条、則3条の2）本肢のとおりである。

× 033　　　　　　　　　　　　　　　　　　　必修基本書 労働科目……358p

（行政手引20604）本肢の場合、本肢の事由に該当するに至った「その日」から雇用保険の被保険者とされないため、当該「その日」に被保険者の資格を喪失したものとして取り扱う。

034 □□□ 難　　　　　　　　　　　　　　　　　　　　　　H30.7-ア

適用事業の事業主は、雇用保険の被保険者に関する届出を事業所ごとに行わなければならないが、複数の事業所をもつ本社において事業所ごとに書類を作成し、事業主自らの名をもって当該届出をすることができる。

035 □□□ 普通　　　　　　　　　　　　　　　　　　　　　R2.1-E

暫定任意適用事業の事業主がその事業について任意加入の認可を受けたときは、その事業に雇用される者は、当該認可の申請がなされた日に被保険者資格を取得する。

036 □□□ 普通　　　　　　　　　　　　　　　　　　　　　R2.1-D

適用事業に雇用された者で、雇用保険法第6条に定める適用除外に該当しないものは、雇用契約の成立日ではなく、雇用関係に入った最初の日に被保険者資格を取得する。

037 □□□ 易　　　　　　　　　　　　　　　　　　　　　　R4.3-C

事業主は、その雇用する労働者が当該事業主の行う適用事業に係る被保険者でなくなったことについて、当該事実のあった日の属する月の翌月10日までに、雇用保険被保険者資格喪失届に必要に応じ所定の書類を添えて、その事業所の所在地を管轄する公共職業安定所の長に提出しなければならない。

○ **034** 　　　　　　　　　　　　　　必修基本書……該当ページなし

（則3条、行政手引22001）本肢のとおりである。事業主は、雇用保険法の規定により行うべき被保険者に関する届出その他の事務を、その事業所ごとに処理しなければならないが、この場合の「事業所ごとに処理する」とは、例えば、資格取得届、資格喪失届等を事業所ごとに作成し、これらの届出等は個々の事業所ごとにその事業所の所在地を管轄する公共職業安定所の長に提出すべきであるという趣旨である。したがって、現実の事務を行う場所が個々の事業所である必要はなく、例えば、本社において事業所ごとに書類を作成し、事業主自らの名をもって提出することは差し支えないとされている。

× **035** 　　　　　　　　　　　　　　必修基本書……該当ページなし

（行政手引20556）暫定任意適用事業の事業主がその事業について任意加入の認可を受けたときは、その事業に雇用される者は、当該「**認可があった日**」に、被保険者の資格を取得する。

○ **036** 　　　　　　　　　　　　　　必修基本書……該当ページなし

（行政手引20551）本肢のとおりである。適用事業に雇用された者で適用除外に該当しないものは、原則として、その適用事業に雇用されるに至った日から被保険者の資格を取得するものとされており、この場合、「雇用されるに至った日」とは、雇用契約の成立日を意味するものではなく、**雇用関係に入った最初の日**（一般的には、被保険者資格の基礎となる当該雇用契約に基づき労働を提供すべきこととされている最初の日）をいう。

× **037** 　　　　　　　　　　　　必修基本書 労働科目……359p

（則7条1項）本肢の雇用保険被保険者資格喪失届及び所定の添付書類は、「当該事実のあった日の翌日から起算して10日以内」に提出しなければならない。その他の記述は正しい。

038 ☐☐☐ 難 　　　　　　　　　　　　　　　　　　　　　　　R6.4-C

雇用する労働者が退職勧奨に応じたことで離職したことにより被保険者でなくなった場合、事業主は、雇用保険被保険者離職証明書及び当該退職勧奨により離職したことを証明する書類を添えて、その事業所の所在地を管轄する公共職業安定所長に雇用保険被保険者資格喪失届を提出しなければならない。

039 ☐☐☐ 易 　　　　　　　　　　　　　　　　　　　　　　　R6.4-A

事業主は、その雇用する労働者が離職した場合、当該労働者が離職の日において59歳未満であり、雇用保険被保険者離職票の交付を希望しないときは、事業所の所在地を管轄する公共職業安定所長に対して雇用保険被保険者離職証明書を添えずに雇用保険被保険者資格喪失届を提出することができる。

040 ☐☐☐ 普通 　　　　　　　　　　　　　　　　　　　　　　R4.3-E

事業主は、59歳以上の労働者が当該事業主の行う適用事業に係る被保険者でなくなるとき、当該労働者が雇用保険被保険者離職票の交付を希望しないときでも資格喪失届を提出する際に雇用保険被保険者離職証明書を添えなければならない。

041 ☐☐☐ 難 　　　　　　　　　　　　　　　　　　　　　　　R6.4-B

基本手当の支給を受けようとする者（未支給給付請求者を除く。）が雇用保険被保険者離職票に記載された離職の理由に関し異議がある場合、管轄公共職業安定所に対し雇用保険被保険者離職票及び離職の理由を証明することができる書類を提出しなければならない。

042 ☐☐☐ 難 　　　　　　　　　　　　　　　　　　　　　　　R6.4-E

公共職業安定所長は、雇用保険被保険者離職票を提出した者が雇用保険法第13条第1項所定の被保険者期間の要件を満たさないと認めたときは、雇用保険被保険者離職票にその旨を記載して返付しなければならない。

× 038 　　　　　　　　　　　　　　必修基本書……該当ページなし

（則7条1項、行政手引21452）本肢の場合、事業主は、雇用保険被保険者離職証明書及び当該退職勧奨により離職したことを証明する書類だけでなく、「賃金台帳その他の離職の日前の賃金の額を証明することができる書類」を添えて、その事業所の所在地を管轄する公共職業安定所長に雇用保険被保険者資格喪失届を提出しなければならない。また、本肢の場合であっても、雇用保険被保険者資格喪失届を提出する際に当該被保険者（59歳未満の者に限る）が雇用保険被保険者離職票の交付を希望しないときは、雇用保険被保険者離職証明書を添えないことができる。

○ 039 　　　　　　　　　　　　必修基本書 労働科目……360p

（則7条3項）本肢のとおりである。なお、事業主は、法7条の規定により、その雇用する労働者が当該事業主の行う適用事業に係る被保険者でなくなったことについて、当該事実のあった日の翌日から起算して10日以内に、雇用保険被保険者資格喪失届に労働契約に係る契約書、労働者名簿、賃金台帳、登記事項証明書その他の当該適用事業に係る被保険者でなくなったことの事実及びその事実のあつた年月日を証明することができる書類を添えてその事業所の所在地を管轄する公共職業安定所の長に提出しなければならない（同条1項）。

○ 040 　　　　　　　　　　　　必修基本書 労働科目……360p

（則7条3項）本肢のとおりである。

○ 041 　　　　　　　　　　　　必修基本書……該当ページなし

（則19条1項）本肢のとおりである。なお、本肢の場合において、その者が2枚以上の雇用保険被保険者離職票を保管するとき、又は所定の規定により受給期間延長等通知書の交付を受けているときは、併せて提出しなければならない。

○ 042 　　　　　　　　　　　　必修基本書……該当ページなし

（則19条4項）本肢のとおりである。

043 □□□ 普通   H28.1-A

事業主は、その雇用する被保険者を当該事業主の一の事業所から他の事業所に転勤させたときは、当該事実のあった日の翌日から起算して10日以内に雇用保険被保険者転勤届を転勤前の事業所の所在地を管轄する公共職業安定所の長に提出しなければならない。

044 □□□ 普通   R4.3-A

事業主は、その雇用する被保険者を当該事業主の1の事業所から他の事業所に転勤させた場合、両事業所が同じ公共職業安定所の管轄内にあっても、当該事実のあった日の翌日から起算して10日以内に雇用保険被保険者転勤届を提出しなければならない。

045 □□□ 普通   H28.1-C

事業主は、その雇用する被保険者（日雇労働被保険者を除く。）の個人番号（番号法第2条第5項に規定する個人番号をいう。）が変更されたときは、速やかに、個人番号変更届をその事業所の所在地を管轄する公共職業安定所の長に提出しなければならない。

046 □□□ 普通   H28.1-D

事業主は、その雇用する被保険者が官民人事交流法第21条第1項に規定する雇用継続交流採用職員でなくなったときは、当該事実のあった日の翌日から起算して10日以内に雇用継続交流採用終了届に所定の書類を添えて、その事業所の所在地を管轄する公共職業安定所の長に提出しなければならない。

047 □□□ 普通   R4.3-D

事業年度開始の時における資本金の額が1億円を超える法人は、その雇用する労働者が当該事業主の行う適用事業に係る被保険者となったことについて、資格取得届に記載すべき事項を、電気通信回線の故障、災害その他の理由がない限り電子情報処理組織を使用して提出するものとされている

048 □□□ 普通   R4.2-B

雇用保険に係る保険関係が成立している建設の事業が労働保険徴収法第8条の規定による請負事業の一括が行われた場合、被保険者に関する届出の事務は元請負人が一括して事業主として処理しなければならない。

×	**043**	必修基本書 労働科目……359p

（則13条1項）事業主は、その雇用する被保険者を当該事業主の一の事業所から他の事業所に転勤させたときは、雇用保険被保険者転勤届を「転勤後」の事業所の所在地を管轄する公共職業安定所の長に提出しなければならない。

○	**044**	必修基本書 労働科目……359p

（則13条1項）本肢のとおりである。なお、本肢の届出に労働者名簿その他の転勤の事実を証明することができる書類を添えなければならない（同条3項）。

○	**045**	必修基本書……該当ページなし

（則14条）本肢のとおりである。

○	**046**	必修基本書 労働科目……360p

（則12条の2）本肢のとおりである。

○	**047**	必修基本書 労働科目……360p

（則6条9項）本肢のとおりである。なお、本肢の法人のことを「特定法人」という。

×	**048**	必修基本書 労働科目……495p

（法7条、行政手引20002）本肢の請負事業の一括が行われた場合であっても、雇用保険の被保険者に関する届出の事務等雇用保険法の規定に基づく事務については、「元請人、下請人がそれぞれ別個の事業主として処理しなければならない」。

049 ▢▢▢ 普通　　　　　　　　　　　　　　　　　　H28.1-B

事業主は、事業所を廃止したときは、事業の種類、被保険者数及び事業所を廃止した理由等の所定の事項を記載した届書に所定の書類を添えて、事業所の所在地を管轄する公共職業安定所の長に提出しなければならない。

050 ▢▢▢ 難　　　　　　　　　　　　　　　　　　　H28.1-E

一の事業所が二つに分割された場合は、分割された二の事業所のうち主たる事業所と分割前の事業所は同一のものとして取り扱われる。

051 ▢▢▢ 普通　　　　　　　　　　　　　　　　　　R4.3-B

事業主は、事業所の所在地を管轄する公共職業安定所の長に提出する所定の資格取得届を、年金事務所を経由して提出することができる。

052 ▢▢▢ 易　　　　　　　　　　　　　　　　　　　R4.7-E

事業主は、雇用保険に関する書類（雇用安定事業又は能力開発事業に関する書類及び労働保険徴収法又は同法施行規則による書類を除く。）のうち被保険者に関する書類を4年間保管しなければならない。

053 ▢▢▢ 易　　　　　　　　　　　　　　　　　　　R元.4-D

雇用保険法第38条第1項に規定する短期雇用特例被保険者に該当するかどうかの確認は、厚生労働大臣の委任を受けたその者の住所又は居所を管轄する都道府県知事が行う。

054 ▢▢▢ 易　　　　　　　　　　　　　　　　　　　H29.3-A

公共職業安定所長は、短期雇用特例被保険者資格の取得の確認を職権で行うことができるが、喪失の確認は職権で行うことができない。

○ 049
必修基本書 労働科目……362p

（則141条）本肢のとおりである。本肢は、雇用保険適用事業所廃止届に関する問題である。なお、当該廃止届は、当該事業所の廃止の日の翌日から起算して10日以内に提出しなければならない。

○ 050
必修基本書……該当ページなし

（行政手引22101）本肢のとおりである。例えば、製造販売の事業を行う事業所から、製造部門が分離され、それぞれ独立した事業所となった場合のように、事業所が二つに分割された場合は、分割された二の事業所のうち主たる事業所と分割前の事業所とを同一のものとして取り扱う。逆に、製造部門の事業所と販売部門の事業所が一の事業所に統合された場合のように、二の事業所が一の事業所に統合された場合は、統合後の事業所と統合前の二の事業所のうち主たる事業所を同一のものとして取り扱う。

○ 051
必修基本書 労働科目……361p

（則6条2項）本肢のとおりである。なお、事業主は、法7条の規定により、その雇用する労働者が当該事業主の行う適用事業に係る被保険者となったことについて、当該事実のあった日の属する月の翌月10日までに、本肢の資格取得届を提出しなければならない（同条1項）。

○ 052
必修基本書 労働科目……362p

（則143条）本肢のとおりである。なお、本肢の被保険者に関する書類以外の雇用保険に関する書類（雇用安定事業又は能力開発事業に関する書類及び労働保険徴収法又は同法施行規則による書類を除く）は、その完結の日から2年間保管しなければならない。

× 053
必修基本書 労働科目……362p

（法38条2項、則1条1項・2項・5項）短期雇用特例被保険者に該当するかどうかの確認は、厚生労働大臣の委任を受けたその「適用事業の所在地を管轄する公共職業安定所長」が行う。

× 054
必修基本書 労働科目……362p

（法9条1項ほか）公共職業安定所長は、短期雇用特例被保険者資格の喪失の確認を職権で「行うことができる」。本肢前段の記述については正しい。

055 　　 普通 H29.3-B

文書により、一般被保険者となったことの確認の請求をしようとする者は、その者を雇用し又は雇用していた事業主の事業所の所在地を管轄する公共職業安定所の長に所定の請求書を提出しなければならない。

056 　　 易 H29.3-C

日雇労働被保険者に関しては、被保険者資格の確認の制度が適用されない。

057 　　 普通 H29.3-D

公共職業安定所長は、一般被保険者となったことの確認をしたときは、その確認に係る者に雇用保険被保険者証を交付しなければならないが、この場合、被保険者証の交付は、当該被保険者を雇用する事業主を通じて行うことができる。

058 　　 難 H29.3-E

公共職業安定所長は、確認に係る者を雇用し、又は雇用していた事業主の所在が明らかでないために当該確認に係る者に対する通知をすることができない場合においては、当該公共職業安定所の掲示場に、その通知すべき事項を記載した文書を掲示しなければならない。

059 　　 易 R2.1-B

公共職業安定所長は、雇用保険被保険者資格喪失届の提出があった場合において、被保険者でなくなったことの事実がないと認めるときは、その旨につき当該届出をした事業主に通知しなければならないが、被保険者でなくなったことの事実がないと認められた者に対しては通知しないことができる。

○ **055**　　　　　　　　　　　　　　　必修基本書……該当ページなし

（則8条2項）本肢のとおりである。なお、本肢の確認の請求は、口頭でも行うことができ、口頭にて本肢の確認の請求をしようとする者は、所定の事項をその者を雇用し又は雇用していた事業主の事業所の所在地を管轄する公共職業安定所長に陳述し、証拠があるときはこれを提出しなければならない（同条3項）。

○ **056**　　　　　　　　　　　　　必修基本書 労働科目……363p

（法43条4項）本肢のとおりである。

○ **057**　　　　　　　　　　　　　　　必修基本書……該当ページなし

（則10条1項・2項）本肢のとおりである。なお、被保険者証の交付を受けた者は、当該被保険者証を滅失し、又は損傷したときは、雇用保険被保険者証再交付申請書をその者の選択する公共職業安定所の長に提出し、被保険者証の再交付を受けなければならない（同条3項）。

○ **058**　　　　　　　　　　　　　　　必修基本書……該当ページなし

（則9条2項）本肢のとおりである。なお、本肢の掲示があった日の翌日から起算して7日を経過したときは、本肢の通知があったものとみなすこととされている（同条3項）。

✕ **059**　　　　　　　　　　　　　　　必修基本書……該当ページなし

（則11条）本肢の場合、公共職業安定所長は、被保険者でなくなったことの事実がない旨を、被保険者資格喪失届をした事業主のみならず、「被保険者でなくなったことの事実がないと認められた者に対しても、通知しなければならない」。

060 □□□ 易 — H29.1-A

求職者給付の支給を受ける者は、必要に応じ職業能力の開発及び向上を図りつつ、誠実かつ熱心に求職活動を行うことにより、職業に就くように努めなければならない。

061 □□□ 易 — R3.2-A

死亡した受給資格者に配偶者（婚姻の届出をしていないが、事実上婚姻関係と同様の事情にあった者を含む。）及び子がいないとき、死亡した受給資格者と死亡の当時生計を同じくしていた父母は未支給の失業等給付を請求することができる。

062 □□□ 易 — R3.2-B

失業等給付の支給を受けることができる者が死亡した場合において、未支給の失業等給付の支給を受けるべき順位にあるその者の遺族は、死亡した者の名でその未支給の失業等給付の支給を請求することができる。

063 □□□ 易 — H29.1-D

失業等給付の支給を受けることができる者が死亡した場合において、その未支給の失業等給付の支給を受けるべき者（その死亡した者と死亡の当時生計を同じくしていた者に限る。）の順位は、その死亡した者の配偶者（婚姻の届出をしていないが、事実上婚姻関係と同様の事情にあった者を含む。）、子、父母、孫、祖父母又は兄弟姉妹の順序による。

064 □□□ 普通 — R元.4-E

未支給の失業等給付の請求を行う者についての当該未支給の失業等給付に関する事務は、受給資格者等の死亡の当時の住所又は居所を管轄する公共職業安定所長が行う。

065 □□□ 易 — R3.2-E

受給資格者の死亡により未支給の失業等給付の支給を請求しようとする者は、当該受給資格者の死亡の翌日から起算して3か月以内に請求しなければならない。

○ 060 必修基本書 労働科目……367p

（法10条の2）本肢のとおりである。求職者給付は、被保険者が離職し、労働の意思及び能力を有するにもかかわらず、職業に就くことができない状態にある場合に支給されるものであることから、本肢の旨が規定されている。

○ 061 必修基本書 労働科目……367p

（法10条の3第1項・2項）本肢のとおりである。なお、本肢の「死亡」とは、官公署又は医師によって死亡の証明がなされ得るものであって、死亡が確認されていない**行方不明は含まれない**（行政手引53102）。

× 062 必修基本書 労働科目……367p

（法10条の3第1項）未支給の失業等給付の支給に係る請求は、当該未支給の失業等給付の支給を受けることができる遺族が「**自己の名で**」、することができる。

○ 063 必修基本書 労働科目……367p

（法10条の3第1項）本肢のとおりである。なお、未支給の失業等給付の支給を受けるべき同順位者が2人以上あるときは、その1人のした請求は、全員のためその**全額**につきしたものとみなし、その1人に対してした支給は、全員に対してしたものとみなす（同条3項）。

○ 064 必修基本書 労働科目……367p

（則17条の2第1項）本肢のとおりである。なお、死亡者に係る公共職業安定所の長は、未支給給付請求者に対する失業等給付支給を決定したときは、その日の翌日から起算して7日以内に当該失業等給付を支給するものとする（則17条の3）。

× 065 必修基本書 労働科目……367p

（則17条の2第1項）未支給の失業等給付の支給に係る請求は、死亡した受給資格者等が死亡した日の翌日から起算して「**6か月以内**」に行わなければならない。

066 □□□ 普通   R3.2-C

正当な理由がなく自己の都合によって退職したことにより基本手当を支給しない
こととされた期間がある受給資格者が死亡した場合、死亡した受給資格者の遺族
の請求により、当該基本手当を支給しないこととされた期間中の日に係る未支給
の基本手当が支給される。

067 □□□ 普通   R3.2-D

死亡した受給資格者が、死亡したため所定の認定日に公共職業安定所に出頭し失
業の認定を受けることができなかった場合、未支給の基本手当の支給を請求する
者は、当該受給資格者について失業の認定を受けたとしても、死亡直前に係る失
業認定日から死亡日までの基本手当を受けることができない。

068 □□□ 易   H29.1-C

偽りその他不正の行為により失業等給付の支給を受けた者がある場合には、政府
は、その者に対して、支給した失業等給付の全部又は一部を返還することを命ず
ることができ、また、厚生労働大臣の定める基準により、当該偽りその他不正の
行為により支給を受けた失業等給付の額の2倍に相当する額以下の金額を納付す
ることを命ずることができる。

069 □□□ 易   R6.5-イ

偽りその他不正の行為により基本手当の支給を受けた者がある場合には、政府は、
その者に対して、支給した基本手当の全部又は一部の返還を命ずるとともに、厚
生労働大臣の定める基準により、当該偽りその他不正の行為により支給を受けた
基本手当の額の3倍に相当する額の金額を納付することを命ずることができる。

070 □□□ 易   R6.5-ウ

偽りその他不正の行為により基本手当の支給を受けた者がある場合には、政府は、
その者に対して過去適法に受給した基本手当の額を含めた基本手当の全部又は一
部を返還することを命ずることができる。

✕ 066
必修基本書……該当ページなし

（行政手引53103）本肢のいわゆる離職理由による給付制限の規定により基本手当を支給しないこととされた期間中の日は、本来受給資格者が死亡していなくても失業の認定を受けることができない日であるため、当該期間中の日に係る未支給の基本手当は「支給されない」。

✕ 067
必修基本書……該当ページなし

（行政手引53103ほか）未支給の基本手当の支給は、原則として、死亡日以後の日分については行うことができないが、死亡の時刻等を勘案し、死亡日を含めて失業の認定ができる場合は、死亡日についても支給して差し支えないこととされており、死亡直前に係る失業認定日から死亡日までの未支給の基本手当は、「一定の要件を満たせば、支給される」。

○ 068
必修基本書 労働科目……368p

（法10条の4第1項）本肢のとおりである。なお、本肢の返還又は納付を命じられた金額を徴収する場合には、都道府県労働局労働保険特別会計歳入徴収官は、納期限を指定して納入の告知をしなければならない（則17条の5第1項）。

✕ 069
必修基本書 労働科目……368p

（法10条の4第1項）偽りその他不正の行為により失業等給付の支給を受けた者がある場合には、政府は、その者に対して、支給した失業等給付の全部又は一部を返還することを命ずることができ、また、厚生労働大臣の定める基準により、当該偽りその他不正の行為により支給を受けた失業等給付の額の「2倍」に相当する額以下の金額を納付することを命ずることができる。

✕ 070
必修基本書 労働科目……368p

（法10条の4第1項）返還を命ずることができる失業等給付は、偽りその他不正の行為によって支給を受けた失業等給付の全部又は一部であって、「不正受給者が適法に受給した失業等給付には及ばない」。

071 ☐☐☐ 易 H27.4-ウ

指定教育訓練実施者が偽りの届出をしたために、教育訓練給付が不当に支給された場合、政府は、当該教育訓練実施者に対し、当該教育訓練給付の支給を受けた者と連帯して同給付の返還をするよう命ずることができる。

072 ☐☐☐ 易 H29.1-B

基本手当の受給資格者は、基本手当を受ける権利を契約により譲り渡すことができる。

073 ☐☐☐ 易 H29.1-E

政府は、基本手当の受給資格者が失業の認定に係る期間中に自己の労働によって収入を得た場合であっても、当該基本手当として支給された金銭を標準として租税を課することができない。

074 ☐☐☐ 易 H28.7-ア

租税その他の公課は、常用就職支度手当として支給された金銭を標準として課することができる。

○ 071 　　　　　　　　　　　　必修基本書 労働科目……368p

（法10条の4第2項）本肢のとおりである。失業等給付の不正受給が発生した場合において、**事業主、職業紹介事業者等、募集情報等提供事業を行う者又は指定教育訓練実施者**が偽りの届出、報告又は証明をしたためその失業等給付が支給されたものであるときは、政府は、その**事業主、職業紹介事業者等、募集情報等提供事業を行う者又は指定教育訓練実施者**に対し、その失業等給付の支給を受けた者と連帯して、その失業等給付の返還又は納付を命ぜられた金額の納付を命ずることができるものとされており、教育訓練給付は失業等給付であるため、この規定が適用される。

✕ 072 　　　　　　　　　　　　必修基本書 労働科目……368p

（法11条）失業等給付を受ける権利は、「**譲り渡し**」、担保に供し、又は**差し押え**ることが「**できない**」。基本手当は失業等給付に該当するため、基本手当を受ける権利を譲り渡すことはできない。

○ 073 　　　　　　　　　　　　必修基本書 労働科目……369p

（法12条）本肢のとおりである。

✕ 074 　　　　　　　　　　　　必修基本書 労働科目……369p

（法12条）常用就職支度手当は、失業等給付であるため、常用就職支度手当として支給を受けた**金銭**を標準として租税その他の公課を課することができない。

075 ☐☐☐ 難 　　　　　　　　　　　　　　　　　　　　H29.2-C

離職の日以前2年間に、疾病により賃金を受けずに15日欠勤し、復職後20日で
再び同一の理由で賃金を受けずに80日欠勤した後に離職した場合、受給資格に
係る離職理由が特定理由離職者又は特定受給資格者に係るものに該当しないと
き、算定対象期間は2年間に95日を加えた期間となる。

076 ☐☐☐ 難 　　　　　　　　　　　　　　　　　　　　H29.2-D

公共職業安定所長は、勾留が不当でなかったことが裁判上明らかとなった場合で
あっても、これを理由として受給期間の延長を認めることができる。

○ **075**　　　　　　　　　　　　　　　　　　　必修基本書 労働科目……372p

（法13条1項、行政手引50153）本肢のとおりである。算定対象期間の延長に係る「賃金の支払を受けることができなかった日数」は、原則として、30日以上継続することを要し、断続があってはならないものとされている。ただし、次の①〜③のいずれにも該当する場合は、断続した日数を通算して30日以上あれば、算定対象期間の延長が認められる。

　①離職の日以前2年間（特定受給資格者又は特定理由離職者にあっては、1年間）において、疾病、負傷その他厚生労働省令で定める理由により賃金の支払を受けることができなかった期間があること

　②同一の理由により賃金の支払を受けることができなかった期間と途中で中断した場合の中断した期間との間が30日未満であること

　③上記②の各期間の賃金の支払を受けることができなかった理由は、同一のものが途中で中断したものであると判断できるものであること

本肢の場合、復職後30日以内に再び同一の理由で賃金の支払を受けることができなかったため、最初の欠勤15日と後の欠勤80日とを合わせた95日分について算定対象期間が延長される。

× **076**　　　　　　　　　　　　　　　　　　　　必修基本書……該当ページなし

（行政手引50271）拘留が「不当であった」ことが裁判上明らかとなった場合は、これを理由とする受給期間の延長が認められる。

Xは、令和3年4月1日にY社に週所定労働時間が40時間、休日が1週当たり2日の労働契約を締結して就職し、初めて被保険者資格を得て同年7月31日に私傷病により離職した。令和5年11月5日、Xは離職の原因となった傷病が治ゆしたことからZ社に被保険者として週所定労働時間が40時間、休日が1週当たり2日の労働契約を締結して就職した。その後Xは私傷病により令和6年2月29日に離職した。この場合、Z社離職時における基本手当の受給資格要件としての被保険者期間は、3と2分の1か月である。なお、XはY社及びZ社において欠勤がなかったものとする。

一般被保険者が離職の日以前1か月において、報酬を受けて8日労働し、14日の年次有給休暇を取得した場合、賃金の支払の基礎となった日数が11日に満たないので、当該離職の日以前1か月は被保険者期間として算入されない。

一般被保険者である日給者が離職の日以前1か月のうち10日間は報酬を受けて労働し、7日間は労働基準法第26条の規定による休業手当を受けて現実に労働していないときは、当該離職の日以前1か月は被保険者期間として算入しない。

○ 077　　　　　　　　　　　　必修基本書 労働科目……372〜375p

（法14条1項）本肢のとおりである。被保険者期間は、被保険者であった期間の
うち、当該被保険者でなくなった日又喪失応当日の各前日から各前月の喪失応当
日までさかのぼった各期間（賃金の支払の基礎となった日数が11日以上であるも
のに限る）を1箇月として計算し、その他の期間は、被保険者期間に算入しない。
ただし、当該被保険者となった日からその日後における最初の喪失応当日の前日
までの期間の日数が15日以上であり、かつ、当該期間内における賃金の支払の基
礎となった日数が11日以上であるときは、当該期間を2分の1箇月の被保険者期
間として計算する。また、基本手当の受給資格は、原則として、離職の日以前2
年間に被保険者期間が通算して12箇月以上であったときに取得する（法13条1
項）。本肢の者は、令和6年2月29日にZ社を離職しているため、令和4年3月1
日から令和6年2月29日までの2年間が算定対象期間となる（したがって、令和3
年4月1日から令和3年7月31日までのY社における就労実績は考慮する必要はな
い）。Z社の離職日である令和6年2月29日から1箇月ごとにさかのぼっていった
場合、令和5年11月5日から令和5年11月30日までの期間が1箇月未満の期間と
なる。この期間の日数は15日以上であり、かつ、賃金支払基礎日数は11日以上
であるため、この期間については被保険者期間2分の1箇月とされる。したがって、
本肢の者のZ社離職時における基本手当の受給資格要件としての被保険者期間は
下記のとおり、「3と2分の1か月」となる。
　　①令和6年2月1日〜令和6年2月29日…1箇月
　　②令和6年1月1日〜令和6年1月31日…1箇月
　　③令和5年12月1日〜令和5年12月31日…1箇月
　　④令和5年11月5日〜令和5年11月30日…2分の1箇月
　　⑤合計（①＋②＋③＋④）…3と2分の1箇月

× 078　　　　　　　　　　　　必修基本書 労働科目……373〜375p

（法14条1項、行政手引21454）「年次有給休暇を取得した日は、賃金支払基礎
日数に含まれる日である」ため、本肢の場合、離職の日以前1か月は被保険者期
間として算入される。

× 079　　　　　　　　　　　　必修基本書 労働科目……373〜375p

（法14条1項、行政手引21454）休業手当が支給された場合にその休業手当の支
給の対象となった日数は、賃金支払基礎日数に算入される。したがって、本肢の
離職日以前1か月については、報酬を受けて労働した日数10日と休業手当を受け
た日数7日を合計すると17日となり、賃金支払基礎日数が11日以上あるため、
基本手当の受給資格に係る被保険者期間に「算入する」。

080 | | | | 普通

最後に被保険者となった日前に、当該被保険者が特例受給資格を取得したことがある場合においては、当該特例受給資格に係る離職の日以前における被保険者であった期間は、被保険者期間に含まれる。

081 | | | | 難

労働した日により算定された本給が11日分未満しか支給されないときでも、家族手当、住宅手当の支給が1月分あれば、その月は被保険者期間に算入する。

082 | | | | 難

二重に被保険者資格を取得していた被保険者が一の事業主の適用事業から離職した後に他の事業主の適用事業から離職した場合、被保険者期間として計算する月は、前の方の離職の日に係る算定対象期間について算定する。

083 | | | | 普通

雇用保険法第9条の規定による被保険者となったことの確認があった日の2年前の日前における被保険者であった期間は被保険者期間の計算には含めないが、当該2年前の日より前に、被保険者の負担すべき額に相当する額がその者に支払われた賃金から控除されていたことが明らかである時期がある場合は、その時期のうち最も古い時期として厚生労働省令で定める日以後の被保険者であった期間は、被保険者期間の計算に含める。

084 | | | | 普通

期間の定めのない労働契約を締結している者が雇用保険法第33条第1項に規定する正当な理由なく離職した場合、当該離職者は特定理由離職者とはならない。

085 | | | | 普通

いわゆる登録型派遣労働者については、派遣就業に係る雇用契約が終了し、雇用契約の更新・延長についての合意形成がないが、派遣労働者が引き続き当該派遣元事業主のもとでの派遣就業を希望していたにもかかわらず、派遣元事業主から当該雇用契約期間の満了日までに派遣就業を指示されなかったことにより離職した者は、特定理由離職者に該当する。

✕ 080　　　　　　　　　　　　　　　必修基本書 労働科目……373〜375p

（法14条2項）最後に被保険者となった日前に、当該被保険者が特例受給資格を取得したことがある場合には、当該特例受給資格に係る離職の日以前における被保険者であった期間は、基本手当の受給資格に係る被保険者期間に「含めない」。

✕ 081　　　　　　　　　　　　　　　　必修基本書……該当ページなし

（行政手引50103）家族手当、住宅手当等の支給が1月分ある場合でも、本給が11日分未満しか支給されないときは、その月は、原則として、基本手当の受給資格に係る被保険者期間に「算入しない」。

✕ 082　　　　　　　　　　　　　　　　必修基本書……該当ページなし

（行政手引50103）二重に被保険者資格を取得していた被保険者が一の事業主の適用事業から離職し、その前後に 他の事業主の適用事業から離職した場合は、被保険者期間として計算する月は、「後の方」の離職の日に係る算定対象期間について算定する。

○ 083　　　　　　　　　　　　　　　必修基本書 労働科目……373〜375p

（法14条2項2号ほか）本肢のとおりである。

○ 084　　　　　　　　　　　　　　　必修基本書 労働科目……375〜376p

（法13条3項、則19条の2）本肢のとおりである。

○ 085　　　　　　　　　　　　　　　　必修基本書……該当ページなし

（行政手引50305-2ほか）本肢のとおりである。

086 □□□ 難　　　　　　　　　　　　　　　　　　R3.4-E

子弟の教育のために退職した者は、特定理由離職者に該当する。

087 □□□ 普通　　　　　　　　　　　　　　　　　H30.5-D

事業所において、当該事業主に雇用される被保険者（短期雇用特例被保険者及び
日雇い労働被保険者を除く。）の数を3で除して得た数を超える被保険者が離職し
たため離職した者は、特定受給資格者に該当する。

088 □□□ 普通　　　　　　　　　　　　　　　　　R3.4-A

事業の期間が予定されている事業において当該期間が終了したことにより事業所
が廃止されたため離職した者は、特定受給資格者に該当する。

089 □□□ 普通　　　　　　　　　　　　　　　　　R3.4-D

労働組合の除名により、当然解雇となる団体協約を結んでいる事業所において、
当該組合から除名の処分を受けたことによって解雇された場合には、事業主に対
し自己の責めに帰すべき重大な理由がないとしても、特定受給資格者に該当しな
い。

090 □□□ 普通　　　　　　　　　　　　　　　　　H27.2-B

労働契約の締結に際し明示された労働条件が事実と著しく相違したことを理由に
就職後1年以内に離職した者は、他の要件を満たす限り特定受給資格者に当たる。

091 □□□ 普通　　　　　　　　　　　　　　　　　H30.5-C

離職の日の属する月の前6月のうちいずれかの月において1月当たり80時間以上
の時間外労働をさせられたことを理由として離職した者は、特定受給資格者に該
当する。

092 □□□ 普通　　　　　　　　　　　　　　　　　H30.5-A

出産後に事業主の法令違反により就業させられたことを理由として離職した者は、
特定受給資格者に該当する。

× 086　　　　　　　　　　　　必修基本書……該当ページなし

（行政手引50305-2ほか）本肢の者は、特定理由離職者に「該当しない」。特定理由離職者に該当する「正当な理由のある自己都合退職者（特定受給資格者に該当する者以外の者に限る）」には、学校入学、訓練施設入校（所）、子弟教育等のために退職した者は含まれていない。

○ 087　　　　　　　　　　　　必修基本書 労働科目……376〜378p

（法23条2項1号、則35条2号）本肢のとおりである。

× 088　　　　　　　　　　　　必修基本書 労働科目……376〜378p

（則35条3号ほか）本肢の者は、特定受給資格者に「該当しない」。

× 089　　　　　　　　　　　　必修基本書……該当ページなし

（行政手引50305ほか）本肢の場合、「事業主に対し**自己の責めに帰すべき重大な理由**がないときは、特定受給資格者に該当する」。

○ 090　　　　　　　　　　　　必修基本書 労働科目……376〜378p

（法23条2項、則36条ほか）本肢のとおりである。

× 091　　　　　　　　　　　　必修基本書 労働科目……376〜378p

（法23条2項2号、則36条5号ロ）離職の日の属する月前6月のうちいずれかの月において1月当たり「100時間」以上の時間外労働及び休日労働が行われたことを理由として離職した者は、特定受給資格者に該当する。

○ 092　　　　　　　　　　　　必修基本書 労働科目……376〜378p

（法23条2項2号、則36条5号ホ）本肢のとおりである。事業主が法令に違反し、妊娠中若しくは出産後の労働者又は子の養育若しくは家族の介護を行う労働者を就業させ、若しくはそれらの者の雇用の継続等を図るための制度の利用を不当に制限したこと、又は妊娠したこと、出産したこと若しくはそれらの制度の利用の申出をし、若しくは利用をしたこと等を理由として不利益な取扱いをしたことを理由として離職した者は、特定受給資格者に該当する者である。

093 □□□ 普通　　　　　　　　　　　　　　　　　　　H30.5-B

事業主が労働者の職種転換等に際して、当該労働者の職業生活の継続のために必要な配慮を行っていないことを理由として離職した者は、特定受給資格者に該当する。

094 □□□ 普通　　　　　　　　　　　　　　　　　　　R3.4-C

常時介護を必要とする親族と同居する労働者が、概ね往復5時間以上を要する遠隔地に転勤を命じられたことにより離職した場合、当該転勤は労働者にとって通常甘受すべき不利益であるから、特定受給資格者に該当しない。

095 □□□ 普通　　　　　　　　　　　　　　　　　　　H30.5-E

期間の定めのある労働契約の更新により3年以上引き続き雇用されるに至った場合において、当該労働契約が更新されないこととなったことを理由として離職した者は、特定受給資格者に該当する。

096 □□□ 普通　　　　　　　　　　　　　　　　　　　R2.2-B

基本手当の受給資格者が求職活動等やむを得ない理由により公共職業安定所に出頭することができない場合、失業の認定を代理人に委任することができる。

097 □□□ 難　　　　　　　　　　　　　　　　　　　H28.3-ア

雇用保険法第10条の3に定める未支給失業等給付にかかるもの及び公共職業能力開発施設に入校中の場合は、代理人による失業の認定が認められている。

098 □□□ 難　　　　　　　　　　　　　　　　　　　R2.2-C

自営の開業に先行する準備行為に専念する者については、労働の意思を有するものとして取り扱われる。

○ **093** 必修基本書 労働科目……376〜378p

（法23条2項2号、則36条6号）本肢のとおりである。なお、本肢の規定に該当する場合として、採用時に特定の職種を遂行するために採用されることが労働契約上明示されていた者について、当該職種と別の職種を遂行することとされ、かつ、当該職種の転換に伴い賃金が低下することとなり、職種転換の通知（職種転換後の1年前以内に限る）、職種転換後（おおむね3か月以内）までに離職したとき等がある（行政手引50305）。

× **094** 必修基本書……該当ページなし

（行政手引50305ほか）本肢の者は、特定受給資格者に「該当し得る」。家族的事情（常時本人の介護を必要とする親族の疾病、負傷等の事情がある場合をいう）を抱える労働者が、遠隔地（通常の方法により通勤するために概ね往復4時間以上要する場合をいう）に転勤を命じられた場合等、権利濫用に当たるような事業主の配転命令がなされた場合は、特定受給資格者に係る離職理由の1つである「事業主が労働者の配置転換等に際して、当該労働者の職業生活の継続のために必要な配慮をしていないこと」に該当する。

○ **095** 必修基本書 労働科目……376〜378p

（法23条2項2号、則36条7号）本肢のとおりである。

× **096** 必修基本書……該当ページなし

（行政手引51252ほか）失業の認定は、原則として、受給資格者本人に対して行われるものであるから、訓練施設入所中の失業の認定及び**未支給失業等給付**に係る失業の認定の場合を除き、「**代理人による失業の認定はできない**」。

○ **097** 必修基本書……該当ページなし

（行政手引51252、行政手引51401）本肢のとおりである。

× **098** 必修基本書……該当ページなし

（行政手引51254）自営の開業に先行する準備行為に専念する者については、**労働の意思を有するものとして扱うことは「できない」**。

雇用保険の被保険者となり得ない短時間就労を希望する者であっても、労働の意思を有すると推定される。

失業の認定は、求職の申込みを受けた公共職業安定所において、原則として受給資格者が離職後最初に出頭した日から起算して4週間に1回ずつ直前の28日の各日について行われる。

公共職業安定所長の指示した雇用保険法第15条第3項に定める公共職業訓練等を受ける受給資格者に係る失業の認定は、4週間に1回ずつ直前の28日の各日（既に失業の認定の対象となった日を除く。）について行われる。

公共職業安定所長の指示した公共職業訓練を受ける受給資格者に係る失業の認定は、当該受給資格者が離職後最初に出頭した日から起算して4週間に1回ずつ直前の28日の各日について行う。

失業の認定は、雇用保険法第21条に定める待期の期間には行われない。

失業の認定日が就職日の前日である場合、当該認定日において就労していない限り、前回の認定日から当該認定日の翌日までの期間について失業の認定をすることができる。

受給資格者が被保険者とならないような登録型派遣就業を行った場合、当該派遣就業に係る雇用契約期間につき失業の認定が行われる。

✕	**099**	必修基本書……該当ページなし

（行政手引51254）雇用保険の被保険者となり得ない短時間就労を希望する者は、**労働の意思**を有する者と推定「**できない**」。原則として、雇用保険の被保険者となり得る求職条件を希望する者に限り、**労働の意思**を有する者と推定される。

◯	**100**	必修基本書 労働科目……379～380p

（法15条3項）本肢のとおりである。

✕	**101**	必修基本書 労働科目……379～380p

（法15条3項ただし書、則24条1項）本肢の受給資格者に係る失業の認定は、「1月に1回ずつ直前の月に属するの各日（既に失業の認定の対象となった日を除く）」について行われる。

✕	**102**	必修基本書 労働科目……379～380p

（法15条3項ただし書、則24条1項）公共職業安定所長の指示した公共職業訓練等を受ける受給資格者に係る失業の認定は、「1月に1回、直前の月に属する各日（既に失業の認定の対象となった日を除く）」について行われる。

✕	**103**	必修基本書 労働科目……379～380p

（法15条1項、行政手引51101）失業の認定は、待期期間である日についても「行われる」。

✕	**104**	必修基本書……該当ページなし

（行政手引51251）失業の認定日が就職日の前日である場合、当該認定日において就労していいない限り、前回の認定日から「当該認定日まで」の期間について失業の認定をすることができる。

✕	**105**	必修基本書……該当ページなし

（行政手引51256）受給資格者が被保険者とならないような登録型派遣就業を行った場合は、通常、その雇用契約期間が就職していた期間となるため、この期間については「失業の認定は行われない」。

106 ▢▢▢ 易　　　　　　　　　　　　　　　　　　　　　R元.3-C

職業に就くためその他やむを得ない理由のため失業の認定日に管轄公共職業安定所に出頭することができない者は、管轄公共職業安定所長に対し、失業の認定日の変更を申し出ることができる。

107 ▢▢▢ 難　　　　　　　　　　　　　　　　　　　　　H28.3-ウ

中学生以下の子弟の入学式又は卒業式等へ出席するため失業の認定日に管轄公共職業安定所に出頭することができない受給資格者は、原則として事前に申し出ることにより認定日の変更の取扱いを受けることができる。

108 ▢▢▢ 普通　　　　　　　　　　　　　　　　　　　　R元.3-D

受給資格者が天災その他やむを得ない理由により公共職業安定所に出頭することができなかったときは、その理由がなくなった最初の失業の認定日に出頭することができなかった理由を記載した証明書を提出した場合、当該証明書に記載された期間内に存在した認定日において認定すべき期間をも含めて、失業の認定を行うことができる。

109 ▢▢▢ 難　　　　　　　　　　　　　　　　　　　　　H27.7-B

基本手当の支給を受けようとする者（未支給給付請求者を除く。）が管轄公共職業安定所に出頭する場合において、その者が2枚以上の離職票を保管するときでも、直近の離職票のみを提出すれば足りる。

110 ▢▢▢ 難　　　　　　　　　　　　　　　　　　　　　R5.2-A

基本手当に係る失業の認定日において、前回の認定日から今回の認定日の前日までの期間の日数が14日未満となる場合、求職活動を行った実績が1回以上確認できた場合には、当該期間に属する、他に不認定となる事由がある日以外の各日について、失業の認定が行われる。

○ **106** 必修基本書 労働科目……380p

（法15条3項ただし書、則23条1項）本肢のとおりである。なお、失業の認定日変更の申出は、原則として、**事前**になされなければならない。ただし、変更理由が突然生じた場合、認定日前に就職した場合等であって、事前に認定日の変更の申出を行わなかったことについてやむを得ない理由があると認められるときは、**次回の所定認定日の前日まで**に申し出て、認定日の変更の取扱いを受けることができる（行政手引51351）。

○ **107** 必修基本書……該当ページなし

（行政手引51351）本肢のとおりである。本肢の場合の「やむを得ない理由」に、本肢の場合のほか、配偶者等一定の親族の危篤、死亡、葬儀や公共職業安定所の紹介によらないで求人者に面接する場合などが該当する。

○ **108** 必修基本書 労働科目……380〜381p

（法15条4項、則28条1項、行政手引51401(1)）本肢のとおりである。なお、本肢の証明書に記載されている事項として、本肢のほかに、①受給資格者の氏名及び住所又は居所及び②天災その他やむを得ない理由の内容及びその理由が継続した期間がある。

× **109** 必修基本書……該当ページなし

（則19条1項後段）基本手当の支給を受けようとする者（未支給請求者を除く）が管轄公共職業安定所に出頭する場合において、その者が2枚以上の離職票を保管するときは、すべて提出しなければならない。

○ **110** 必修基本書……該当ページなし

（行政手引51254）本肢のとおりである。就職困難者である者や巡回職業相談所における失業の認定及び市町村長の取次ぎによる失業の認定の場合等においても、本肢と同様に求職活動を行った実績が1回以上確認できた場合には、当該期間に属する、他に不認定となる事由がある日以外の各日について、失業の認定が行われる。

雇用保険法第33条に定める給付制限（給付制限期間が1か月となる場合を除く。）満了後の初回支給認定日については、当該給付制限期間と初回支給認定日に係る給付制限満了後の認定対象期間をあわせた期間に求職活動を原則3回以上行った実績を確認できた場合に、他に不認定となる事由がある日以外の各日について失業の認定を行う。

許可・届出のある民間職業紹介機関へ登録し、同日に職業相談、職業紹介等を受けなかったが求人情報を閲覧した場合、求職活動実績に該当する。

失業の認定に係る求職活動の確認につき、地方自治体が行う求職活動に関する指導、受給資格者の住居所を管轄する公共職業安定所以外の公共職業安定所が行う職業相談を受けたことは、求職活動実績に該当しない。

受給資格者の住居所を管轄する公共職業安定所以外の公共職業安定所が行う職業相談を受けたことは、求職活動実績として認められる。

認定対象期間において一の求人に係る筆記試験と採用面接が別日程で行われた場合、求人への応募が2回あったものと認められる。

受給資格者が配偶者の死亡のためやむを得ず失業の認定日に管轄公共職業安定所に出頭することができなかったことを失業の認定日後に管轄公共職業安定所長に申し出たとき、当該失業の認定日から当該申出をした日の前日までの各日について失業の認定が行われることはない。

○ 111 必修基本書……該当ページなし

（行政手引51254）本肢のとおりである。

× 112 必修基本書……該当ページなし

（行政手引51254）民間職業紹介機関が行う職業相談、職業紹介等は求職活動実績として認められるが、「単なる職業紹介機関への登録や求人情報の閲覧等のみでは求職活動実績には該当しない」。

× 113 必修基本書……該当ページなし

（行政手引51254）失業の認定に係る求職活動の確認につき、地方自治体が行う求職活動に関する指導、受給資格者の住居所を管轄する公共職業安定所以外の公共職業安定所が行う職業相談、職業紹介を受けたことも、求職活動実績に該当する。

○ 114 必修基本書……該当ページなし

（行政手引51254）本肢のとおりである。

× 115 必修基本書……該当ページなし

（行政手引51254）求職活動実績として認められる求職活動としての求人への応募には、実際に面接を受けた場合だけではなく、応募書類の郵送、筆記試験の受験等も含まれるが、書類選考、筆記試験、採用面接等が一の求人に係る一連の選考過程である場合には、そのいずれまでを受けたかにかかわらず、「一の応募として取り扱う」。

× 116 必修基本書……該当ページなし

（法15条3項、則24条2項、行政手引51351）受給資格者が配偶者の死亡のためやむを得ず失業の認定日に管轄公共職業安定所に出頭することができなかったことを失業の認定日後に管轄公共職業安定所長に申し出たときは、当該失業の認定日における失業の認定の対象となる日及び当該失業の認定日から当該申出を受けた日の前日までの各日につき、失業の認定が行われる。

117 ☐☐☐ 難 　　　　　　　　　　　　　　　　　　　　R5.2-D

求職活動実績の確認のためには、所定の失業認定申告書に記載された受給資格者の自己申告のほか、求職活動に利用した機関や応募先事業所の確認印がある証明書が必要である。

118 ☐☐☐ 易 　　　　　　　　　　　　　　　　　　　　R元.2-イ

基本手当の日額の算定に用いる賃金日額の計算に当たり算入される賃金は、原則として、算定対象期間において被保険者期間として計算された最後の3か月間に支払われたものに限られる。

119 ☐☐☐ 易 　　　　　　　　　　　　　　　　　　　　H30.3-D

賃金が出来高払制によって定められている場合の賃金日額は、労働した日数と賃金額にかかわらず、被保険者期間として計算された最後の3か月間に支払われた賃金（臨時に支払われる賃金及び3か月を超える期間ごとに支払われる賃金を除く。）の総額を90で除して得た額となる。

120 ☐☐☐ 普通 　　　　　　　　　　　　　　　　　　　　H30.3-A

健康保険法第99条の規定に基づく傷病手当金が支給された場合において、その傷病手当金に付加して事業主から支給される給付額は、賃金と認められる。

121 ☐☐☐ 普通 　　　　　　　　　　　　　　　　　　　　H30.3-B

接客係等が客からもらうチップは、一度事業主の手を経て再分配されるものであれば賃金と認められる。

122 ☐☐☐ 普通 　　　　　　　　　　　　　　　　　　　　H30.3-C

月給者が1月分の給与を全額支払われて当該月の中途で退職する場合、退職日の翌日以後の分に相当する金額は賃金日額の算定の基礎に算入される。

✗ 117　　　　　　　　　　　　　必修基本書……該当ページなし

（行政手引51254）求職活動実績については、失業認定申告書に記載された受給資格者の自己申告に基づいて判断することを原則とし、「求職活動に利用した機関や応募先事業所の証明等（確認印等）は求めない」。

✗ 118　　　　　　　　　　　必修基本書 労働科目……381〜382p

（法17条1項）基本手当の日額の算定に用いる賃金日額の計算に当たり算入される賃金は、原則として、算定対象期間において被保険者期間として計算された最後の「6箇月間」に支払われた賃金（**臨時**に支払われる賃金及び3箇月を超える期間ごとに支払われる賃金を除く）とされている。

✗ 119　　　　　　　　　　　必修基本書 労働科目……381〜382p

（法17条2項）賃金が出来高払制によって定められている場合の賃金日額は、原則の方法で計算した賃金日額が、算定対象期間に被保険者として計算された最後の「6箇月間」に支払われた賃金（**臨時**に支払われる賃金及び3箇月を超える期間ごとに支払われる賃金を除く）の総額を「当該最後の6箇月間に労働した日数で除して得た額」の「100分の70に相当する額」に「満たないとき」は、当該額が、賃金日額とされる。

✗ 120　　　　　　　　　　　　　必修基本書……該当ページなし

（行政手引50502）健康保険法の規定に基づく傷病手当金に付加して事業主から支給される給付額は、恩恵的給付と認められるので、「賃金とは認められない」。なお、健康保険法の規定に基づく傷病手当金についても、賃金とは認められない。

○ 121　　　　　　　　　　　　　必修基本書……該当ページなし

（行政手引50502）本肢のとおりである。接客係等が客からもらうチップは、原則として、賃金とは認められないが、一度事業主の手を経て再分配されるものであれば、賃金と認められる。

✗ 122　　　　　　　　　　　　　必修基本書……該当ページなし

（行政手引50503）月給者が月の中途で退職する場合において、その月分の給与を全額支払われる場合には、退職日の翌日以後の分に相当する金額は、賃金日額の算定の基礎に「算入されない」。

123 □□□ 普通　　　　　　　　　　　　　　　　　H30.3-E

支払義務の確定した賃金が所定の支払日を過ぎてもなお支払われない未払賃金のある月については、未払額を除いて賃金額を算定する。

124 □□□ 普通　　　　　　　　　　　　　　　　　R5.3-A

退職金相当額の全部又は一部を労働者の在職中に給与に上乗せする等により支払う、いわゆる「前払い退職金」は、臨時に支払われる賃金及び3か月を超える期間ごとに支払われる賃金に該当する場合を除き、原則として、賃金日額の算定の基礎となる賃金の範囲に含まれる。

125 □□□ 普通　　　　　　　　　　　　　　　　　R5.3-B

支給額の計算の基礎が月に対応する住宅手当の支払が便宜上年3回以内にまとめて支払われる場合、当該手当は賃金日額の算定の基礎に含まれない。

126 □□□ 普通　　　　　　　　　　　　　　　　　R元.2-ア

育児休業に伴う勤務時間短縮措置により賃金が低下している期間中に事業所の倒産により離職し受給資格を取得し一定の要件を満たした場合において、離職時に算定される賃金日額が勤務時間短縮措置開始時に離職したとみなした場合に算定される賃金日額に比べて低いとき、勤務時間短縮措置開始時に離職したとみなした場合に算定される賃金日額により基本手当の日額を算定する。

127 □□□ 普通　　　　　　　　　　　　　　　　　R5.3-E

介護休業に伴う勤務時間短縮措置により賃金が低下している期間に倒産、解雇等の理由により離職し、受給資格を取得し一定の要件を満たした場合であって、離職時に算定される賃金日額が当該短縮措置開始時に離職したとみなした場合に算定される賃金日額に比べて低い場合は、当該短縮措置開始時に離職したとみなした場合に算定される賃金日額により基本手当の日額が算定される。

128 □□□ 易　　　　　　　　　　　　　　　　　　R元.2-ウ

受給資格に係る離職の日において60歳以上65歳未満である受給資格者に対する基本手当の日額は、賃金日額に100分の80から100分の45までの範囲の率を乗じて得た金額である。

✕ 123　　　　　　　　　　　　　　必修基本書……該当ページなし

（行政手引50609）未払賃金（支払義務の確定した賃金が所定の支払日を過ぎてもなお支払われないものをいう）のある月については、「未払額を含めて」賃金額を算定する。

◯ 124　　　　　　　　　　　　　　必修基本書……該当ページなし

（行政手引50503）本肢のとおりである。なお、労働者の退職後（退職を事由として、事業主の都合等により退職前に一時金として支払われる場合を含む）に一時金又は年金として支払われるものは、賃金日額の算定の基礎に算入されない。

✕ 125　　　　　　　　　　　　　　必修基本書……該当ページなし

（行政手引50453）単に支払事務の便宜等のために年間の給与回数が3回以内となるものは3か月を超える期間ごとに支払われる賃金に該当せず、賃金日額の算定の基礎となる賃金に含まれる。

◯ 126　　　　　　　　　　　　　必修基本書 労働科目……383p

（法17条3項、平26.7.17厚労告292号第8条）本肢のとおりである。

◯ 127　　　　　　　　　　　　　必修基本書 労働科目……383p

（法17条3項、昭50.3.20労告8号、行政手引50661）本肢のとおりである。なお、法17条2項（賃金日額の算定）に規定する賃金日額を算定することが困難であるとき、又はこれらの規定により算定した額を賃金日額とすることが適当でないと認められるときは、**厚生労働大臣**が定めるところにより算定した額を賃金日額とする（法17条3項）。

◯ 128　　　　　　　　　　　　必修基本書 労働科目……383〜384p

（法16条）本肢のとおりである。なお、本肢以外の受給資格者に対する基本手当の日額は、賃金日額に**100分の80から100分の50**までの範囲の率を乗じて得た金額である。

129 □□□ 普通　　　　　　　　　　　　　　　　　　　　　　　R元.2-エ

厚生労働大臣は、4月1日からの年度の平均給与額が平成27年4月1日から始まる年度（自動変更対象額が変更されたときは、直近の当該変更がされた年度の前年度）の平均給与額を超え、又は下るに至った場合においては、その上昇し、又は低下した比率に応じて、その翌年度の8月1日以後の自動変更対象額を変更しなければならない。

130 □□□ 普通　　　　　　　　　　　　　　　　　　　　　　　R5.3-D

雇用保険法第18条第3項に規定する最低賃金日額は、同条第1項及び第2項の規定により変更された自動変更対象額が適用される年度の4月1日に効力を有する地域別最低賃金の額について、一定の地域ごとの額を労働者の人数により加重平均して算定した額に20を乗じて得た額を7で除して得た額とされる。

131 □□□ 普通　　　　　　　　　　　　　　　　　　　　　　　R元.2-オ

失業の認定に係る期間中に得た収入によって基本手当が減額される自己の労働は、原則として1日の労働時間が4時間未満のもの（被保険者となる場合を除く。）をいう。

132 □□□ 難　　　　　　　　　　　　　　　　　　　　　　　　H27.7-C

1日の労働時間が4時間以上の請負業務に従事した日についても、失業の認定が行われる。

133 □□□ 難　　　　　　　　　　　　　　　　　　　　　　　　R5.3-C

基本手当の受給資格者が、失業の認定を受けた期間中に自己の労働によって収入を得た場合であって、当該収入を得るに至った日の後における最初の失業の認定日にその旨の届出をしないとき、公共職業安定所長は、当該失業の認定日において失業の認定をした日分の基本手当の支給の決定を次の基本手当を支給すべき日まで延期することができる。

134 □□□ 難　　　　　　　　　　　　　　　　　　　　　　　　R6.5-ア

基本手当の受給資格者が自己の労働によって収入を得た場合、当該収入が基本手当の減額の対象とならない額であっても、これを届け出なければ不正の行為として取り扱われる。

○ **129**　　　　　　　　　　　　　　　必修基本書 労働科目……384p

（法18条1項）本肢のとおりである。なお、変更された自動変更対象額に5円未満の端数があるときは、これを切り捨て、5円以上10円未満の端数があるときは、これを10円に切り上げるものとする（法18条2項）。

○ **130**　　　　　　　　　　　　　　　必修基本書 労働科目……385p

（則28条の5）本肢のとおりである。なお、各年度の8月1日以後に適用される自動変更対象額のうち、最低賃金日額に達しないものは、当該年度の8月1日以後、その達しない自動変更対象額は当該最低賃金日額とされる（法18条3項）。

○ **131**　　　　　　　　　　　　　　必修基本書 労働科目……385〜386p

（行政手引51652⑵）本肢のとおりである。なお、本肢の「自己の労働による収入」には、衣服、家具等を売却して得た収入、預金利子等は含まない。

× **132**　　　　　　　　　　　　　　必修基本書 労働科目……385〜386p

（行政手引51255）1日の労働時間が4時間以上の請負業務に従事した日は「就職した日」となるため、失業の認定は行われない。

○ **133**　　　　　　　　　　　　　　　必修基本書……該当ページなし

（則29条2項）本肢のとおりである。

× **134**　　　　　　　　　　　　　　　必修基本書……該当ページなし

（昭32.3.31審査決定昭32第1号等）通常、自己の労働による収入を届け出ないことは、不正の行為に該当するが、減額の対象とならない額の届出については、これを届け出なくても「不正の行為であるとして取り扱うことはできない」。

135 ◻◻◻ （難）   H28.3-オ

受給資格者が登録型派遣労働者として被保険者とならないような派遣就業を行った場合は、通常、その雇用契約期間が「就職」していた期間となる。

136 ◻◻◻ （易）   H30.4-ア

雇用保険法施行規則によると、雇用保険法22条2項に定める就職が困難な者には障害者の雇用の促進等に関する法律にいう身体障害者、知的障害者が含まれるが、精神障害者は含まれない。

137 ◻◻◻ （易）   H30.4-ウ

更生保護法第48条（保護観察対象者）又は同法第85条第1項（更生緊急保護の対象となる者）に掲げる者であって、その者の職業のあっせんに関し保護観察所長から公共職業安定所長に連絡のあったものは、雇用保険法22条2項に定める就職が困難な者にあたる。

138 ◻◻◻ （易）   H30.4-イ

算定基礎期間が1年未満の雇用保険法22条2項に定める就職が困難な者に係る基本手当の所定給付日数は150日である。

139 ◻◻◻ （難）   H30.4-エ

雇用保険法22条2項に定める就職が困難な者であるかどうかの確認は受給資格決定時になされ、受給資格決定後に当該就職が困難なものであると認められる状態が生じた者は、当該就職が困難な者には含まれない。

140 ◻◻◻ （易）   H30.4-オ

雇用保険法22条2項に定める就職が困難な者における身体障害者の確認は、求職登録票又は身体障害者手帳のほか、医師の証明書によって行うことができる。

○ **135** 必修基本書……該当ページなし

（行政手引51256）本肢のとおりである。

× **136** 必修基本書……該当ページなし

（則32条1号～3号）本肢の就職が困難な者には、障害者の雇用の促進等に関する法律にいう身体障害者、知的障害者のみならず、「精神障害者も含まれる」。

○ **137** 必修基本書……該当ページなし

（則32条4号）本肢のとおりである。

○ **138** 必修基本書 労働科目……387p

（法22条2項）本肢のとおりである。なお、就職が困難な者に係る基本手当の所定給付日数は、以下のように区分されている。

算定基礎期間 （基準日）年齢	1年未満	1年以上
45歳未満	150日	300日
45歳以上65歳未満		360日

○ **139** 必修基本書……該当ページなし

（行政手引50304）本肢のとおりである。なお、受給資格決定に際して本肢の就職が困難な者であるか否かの確認を行う場合に、公共職業安定所長が必要であると認めるときには、就職が困難な者であることの事実を証明する一定の書類の提出を命ずることができる（則19条2項）。

○ **140** 必修基本書……該当ページなし

（行政手引50304）本肢のとおりである。

141 ▢▢▢ 難 H27.2-D

厚生労働大臣が職権で12年前から被保険者であったことを遡及的に確認した直後に、基準日において40歳の労働者が離職して特定受給資格者となった場合であって、労働保険徴収法第32条第1項の規定により労働者の負担すべき額に相当する額がその者に支払われた賃金から控除されていたことが明らかでないとき、所定給付日数は240日となる。

142 ▢▢▢ 易 H27.2-A

特定受給資格者以外の受給資格者（雇用保険法第13条第3項に規定する特定理由離職者を除く）の場合、算定基礎期間が20年以上であれば、基準日における年齢にかかわらず、所定給付日数は150日である。本肢の者は、雇用保険法第22条第2項に規定する「厚生労働省令で定める理由により就職が困難なもの」に当たらないものとし、雇用保険法に定める延長給付は考慮しないものとする。

143 ▢▢▢ 普通 R3.3-C

労働者が長期欠勤している場合であっても、雇用関係が存続する限り、賃金の支払を受けているか否かにかかわらず、当該期間は算定基礎期間に含まれる。

144 ▢▢▢ 普通 R3.3-D

かつて被保険者であった者が、離職後1年以内に被保険者資格を再取得しなかった場合には、その期間内に基本手当又は特例一時金の支給を受けていなかったとしても、当該離職に係る被保険者であった期間は算定基礎期間に含まれない。

145 ▢▢▢ 普通 R3.3-E

特例一時金の支給を受け、その特例受給資格に係る離職の日以前の被保険者であった期間は、当該支給を受けた日後に離職して基本手当又は特例一時金の支給を受けようとする際に、算定基礎期間に含まれる。

× **141** 必修基本書 労働科目……387p

（法22条5項、法23条1項）本肢の場合、厚生労働大臣が職権で12年前から被保険者であったことを遡及的に確認はしたものの、労働者の負担すべき額に相当する額がその者に支払われた賃金から控除されていたことが明らかでないため、雇用保険法22条5項に規定するいわゆる特例対象者には該当しない。そのため、本肢の者については同条4項の規定により、当該確認があった日の2年前の日に当該被保険者になったものとみなして算定基礎期間が算定されることとなる。その結果、本肢の者に係る算定基礎期間は2年となり、基準日において40歳である特定受給資格者ということとなるため、所定給付日数は**150日**となる。

〇 **142** 必修基本書 労働科目……386p

（法22条1項）本肢のとおりである。特定受給資格者以外の受給資格者（一定の特定理由離職者、就職困難者を除く）の場合、年齢による所定給付日数の差はない。

〇 **143** 必修基本書 労働科目……356、388〜389p

（行政手引20352）本肢のとおりである。労働者が長期欠勤している場合であっても、雇用関係が存続する限り賃金の支払を受けていると否とを問わず被保険者となり、この期間は、基本手当の所定給付日数等を決定するための算定基礎期間に算入される。

〇 **144** 必修基本書 労働科目……388〜389p

（法22条3項1号・2号）本肢のとおりである。算定基礎期間の算定にあたって、前の適用事業での被保険者資格を喪失してから、後の適用事業で被保険者資格を取得するまでの期間が1年を超える場合の、前の適用事業での被保険者であった期間は算定基礎期間に含まれない。

× **145** 必修基本書 労働科目……388〜389p

（法22条3項2号）特例一時金の支給を受け、その特例受給資格者に係る離職の日以前の被保険者であった期間は、本肢の算定基礎期間に「含まれない」。

146 □□□ 普通 H27.2-C

事業主Aのところで一般被保険者として3年間雇用されたのち離職し、基本手当又は特例一時金を受けることなく2年後に事業主Bに一般被保険者として5年間雇用された後に離職した者の算定基礎期間は5年となる。

147 □□□ 普通 R3.3-B

雇用保険法第9条の規定による被保険者となったことの確認があった日の2年前の日より前であって、被保険者が負担すべき保険料が賃金から控除されていたことが明らかでない期間は、算定基礎期間に含まれない。

148 □□□ 普通 H29.2-B

雇用保険法第22条に定める算定基礎期間には、介護休業給付金の支給に係る休業の期間が含まれない。

149 □□□ 普通 R4.4-C

次の①から④の過程を経た者の④の離職時における基本手当の所定給付日数は、150日である。

①29歳0月で適用事業所に雇用され、初めて一般被保険者となった。

②31歳から32歳まで育児休業給付金の支給に係る休業を11か月間取得した。

③33歳から34歳まで再び育児休業給付金の支給に係る休業を12か月間取得した。

④当該事業所が破産手続を開始し、それに伴い35歳1月で離職した。

150 □□□ 普通 H28.4-C

雇用保険法第22条第2項第1号に定める45歳以上65歳未満である就職が困難な者（算定基礎期間が1年未満の者は除く。）の受給期間は、同法第20条第1項第1号に定める基準日の翌日から起算して1年に60日を加えた期間である。

○ 146
必修基本書 労働科目……388〜389p

（法22条3項）本肢のとおりである。本肢の者は、事業主Aの事業所を離職してから事業主Bの事業所に雇用されるまでの期間が1年を超えているため、事業主Bの事業所を離職したことによる基本手当の所定給付日数を算定する際の算定基礎期間には、事業主Aの事業所での被保険者期間は通算されない。

○ 147
必修基本書 労働科目……388〜389p

（法22条4項・5項）本肢のとおりである。

× 148
必修基本書 労働科目……388〜389p

（法22条3項、法61条の4.）介護休業給付金の支給に係る休業の期間についても、所定の要件を満たす限り、「算定基礎期間に含まれる」。

○ 149
必修基本書 労働科目……388〜389p

（法61条の7第8項、法22条3項、法23条、則35条1号）本肢のとおりである。育児休業給付金の支給を受けたことがある者について算定基礎期間を算定する場合は、その者が雇用された期間又は被保険者であった期間から育児休業給付金の支給に係る休業の期間を除いて算定される。したがって、本問の者については、その算定基礎期間は29歳0月から35歳1月までの73か月のうち育児休業給付金の支給に係る休業をした23か月（11か月＋12か月）を除いた50か月（4年2か月）であり、離職理由は特定受給資格者となる離職理由に該当し、離職時の年齢は35歳であるため、本問の場合の所定給付日数は「150日」である。なお、同設問の他の選択肢（令和4年問4の選択肢A、B、D及びE）は、本肢と同じ条件下で単に問われている所定給付日数が異なるだけの問題であったため、本書には掲載していない。

○ 150
必修基本書 労働科目……389p

（法20条1項2号）本肢のとおりである。基本手当は、受給期間内において支給されるものであり、受給期間が経過してしまうと、たとえ所定給付日数が残っていても、その受給資格に基づく基本手当の支給を受けることはできない。本肢の受給資格者の所定給付日数は360日であることを考慮して、受給期間を原則の1年に60日を加えた期間としている。

151 ■■■ 普通   H28.4-B

配偶者の出産のため引き続き30日以上職業に就くことができない者が公共職業安定所長にその旨を申し出た場合には、当該理由により職業に就くことができない日数を加算した期間、受給期間が延長される。

152 ■■■ 普通   H28.4-D

定年に達したことで基本手当の受給期間の延長が認められた場合、疾病又は負傷等の理由により引き続き30日以上職業に就くことができない日があるときでも受給期間はさらに延長されることはない。

153 ■■■ 難   H28.4-E

60歳以上の定年に達した後、1年更新の再雇用制度により一定期限まで引き続き雇用されることとなった場合に、再雇用の期限の到来前の更新時に更新を行わなかったことにより退職したときでも、理由の如何を問わず受給期間の延長が認められる。

154 ■■■ 普通   H28.4-A

受給資格者が、受給期間内に再就職して再び離職した場合に、当該再離職によって新たな受給資格を取得したときは、前の受給資格に係る受給期間内であれば、前の受給資格に基づく基本手当の残日数分を受給することができる。

155 ■■■ 難   R元.3-A

管轄公共職業安定所長は、基本手当の受給資格者の申出によって必要があると認めるときは、他の公共職業安定所長に対し、その者について行う基本手当に関する事務を委嘱することができる。

×	**151**	必修基本書 労働科目……389～390p

（法20条1項ほか）妊娠、出産、育児その他厚生労働省令で定める理由により**引き続き30日**以上職業に就くことができない者が、公共職業安定所長にその旨を申し出た場合には、当該理由により職業に就くことができない日数が加算される（最長4年間）が、配偶者の出産は、当該理由に含まれていない。

×	**152**	必修基本書 労働科目……390p

（行政手引50286ほか）本肢の場合、受給期間はさらに延長されることがあるが、職業に就くことができない期間がある場合による延長が行われても、受給期間の最長は4年間となる。

×	**153**	必修基本書 労働科目……390p

（行政手引50281ほか）再雇用の期限の到来前の更新時に更新を行わなかったことにより退職した場合、受給期間の延長が認められない。

×	**154**	必修基本書 労働科目……391p

（法20条3項）本肢の場合、新たな受給資格を取得しているため、前の受給資格に係る受給期間内であっても、前の受給資格に基づく基本手当の残日数分を受給することはできない。

○	**155**	必修基本書……該当ページなし

（行政手引51501）本肢のとおりである。

156 □□□ 普通 R2.3-A

訓練延長給付により所定給付日数を超えて基本手当が支給される場合、その日額は本来支給される基本手当の日額と同額である。

157 □□□ 易 H27.3-E

訓練延長給付の対象となる公共職業訓練等は、公共職業安定所長の指示したもののうちその期間が1年以内のものに限られている。

158 □□□ 普通 R5.4-B

受給資格者が公共職業安定所長の指示した公共職業訓練等を受けるために待期している期間内の失業している日は、訓練延長給付の支給対象とならない。

159 □□□ 普通 R5.4-C

公共職業安定所長がその指示した公共職業訓練等を受け終わってもなお就職が相当程度に困難であると認めた者は、30日から当該公共職業訓練等を受け終わる日における基本手当の支給残日数（30日に満たない場合に限る。）を差し引いた日数の訓練延長給付を受給することができる。

160 □□□ 普通 R2.3-B

特定理由離職者、特定受給資格者又は就職が困難な受給資格者のいずれにも該当しない受給資格者は、個別延長給付を受けることができない。

161 □□□ 難 R5.4-E

公共職業安定所長は、職業訓練の実施等による特定求職者の就職の支援に関する法律第4条第2項に規定する認定職業訓練を、訓練延長給付の対象となる公共職業訓練等として指示することができない。

○ 156　　　　　　　　　　　　　必修基本書 労働科目……392～393p

（法24条）本肢のとおりである。なお、訓練延長給付による基本手当の支給を受ける受給資格者は、失業の認定を受ける都度、公共職業安定所長に**公共職業訓練受講証明書**を提出しなければならない（則37条）。

× 157　　　　　　　　　　　　　必修基本書 労働科目……392～393p

（法24条1項、令4条1項）訓練延長給付の対象となる公共職業訓練等は、公共職業安定所長の指示したもののうちその期間が「2年以内」のものに限られている。

× 158　　　　　　　　　　　　　必修基本書 労働科目……392～393p

（法24条1項）受給資格者が公共職業安定所長の指示した公共職業訓練等を受けるために待期している所定の期間中の日についても、所定の要件を満たす限り、「訓練延長給付の支給対象となる」。

○ 159　　　　　　　　　　　　　必修基本書 労働科目……392～393p

（法24条2項、令5条1項）本肢のとおりである。なお、公共職業訓練等の受講を途中でとりやめた者（当初受講指示された公共職業訓練等について、その期間を短縮する旨の変更指示があり、その変更指示による公共職業訓練等を終了した者は除く）は、公共職業訓練等を受け終わった者に該当しないので、公共職業訓練等を受け終わった者に対する訓練延長給付の支給対象とはされない（行政手引52355）。

○ 160　　　　　　　　　　　　　必修基本書 労働科目……393～394p

（法24条の2）本肢のとおりである。個別延長給付の対象となるのは、有期労働契約が更新されなかった特定理由離職者、特定受給資格者又は就職困難者である受給資格者であって、一定の要件を満たした者である。

× 161　　　　　　　　　　　　　　　必修基本書……該当ページなし

（法15条3項）「公共職業訓練等」とは、国、都道府県及び市町村並びに独立行政法人高齢・障害・求職者雇用支援機構が設置する公共職業能力開発施設の行う職業訓練（職業能力開発総合大学校の行うものを含む）、「求職者支援法4条2項に規定する認定職業訓練」（厚生労働省令で定めるものを除く）その他法令の規定に基づき失業者に対して作業環境に適応することを容易にさせ、又は就職に必要な知識及び技能を習得させるために行われる訓練又は講習であって、政令で定めるものをいう。したがって、公共職業安定所長は、求職者支援法に規定する認定職業訓練を、訓練延長給付の対象となる公共職業訓練等として指示することができる。

162 □□□ 難 R5.4-A

訓練延長給付の支給を受けようとする者は、公共職業安定所長が指示した公共職業訓練等を初めて受講した日以降の失業認定日において受講証明書を提出することにより、当該公共職業訓練等を受け終わるまで失業の認定を受けることはない。

163 □□□ 難 R5.4-D

訓練延長給付を受ける者が所定の訓練期間終了前に中途退所した場合、訓練延長給付に係る公共職業訓練等受講開始時に遡って訓練延長給付を返還しなければならない。

164 □□□ 普通 H27.3-B

個別延長給付の支給対象者は、特定受給資格者に限られる。

165 □□□ 難 H27.3-C

広域延長措置に基づき所定給付日数を超えて基本手当の支給を受けることができる者が厚生労働大臣が指定する地域に住所又は居所を変更した場合、引き続き当該措置に基づき所定給付日数を超えて基本手当を受給することができる。

166 □□□ 普通 R2.3-C

厚生労働大臣は、その地域における基本手当の初回受給率が全国平均の初回受給率の1.5倍を超え、かつ、その状態が継続すると認められる場合、当該地域を広域延長給付の対象とすることができる。

167 □□□ 難 H27.3-A

全国延長給付の限度は90日であり、なお失業の状況が改善されない場合には当初の期間を延長することができるが、その限度は60日とされている。

168 □□□ 難 R2.3-D

厚生労働大臣は、雇用保険法第27条第1項に規定する全国延長給付を支給する指定期間を超えて失業の状況について政令で定める基準に照らして必要があると認めるときは、当該指定期間を延長することができる。

× **162** 必修基本書……該当ページなし

（則24条1項、行政手引52354、行政手引52708）訓練延長給付に基づき支給する基本手当に係る失業の認定は、公共職業訓練等受講証明書を所定の認定日の都度提出させて行うが、この場合の失業の認定は、「1か月に1回」行われる。

× **163** 必修基本書……該当ページなし

（行政手引52354）訓練生が所定の訓練等の期間終了前に、中途退校した場合は、その退校の日（最終在籍日）後の日については、失業の認定を行われなくなるが、すでに受けた訓練延長給付による基本手当を「返還する必要はない」。

× **164** 必修基本書 労働科目……393〜394p

（法24条の2第1項）個別延長給付の支給対象者には、特定受給資格者のほか、一定の特定理由離職者及び就職困難者である受給資格者も含まれる。

○ **165** 必修基本書 労働科目……395〜396p

（法25条2項）本肢のとおりである。

× **166** 必修基本書……該当ページなし

（法25条1項、令6条）広域延長給付の対象となるのは、その地域における基本手当の初回受給率が全国平均の初回受給率の「100分の200以上」となるに至り、かつ、**その状態が継続する**と認められる場合である。

× **167** 必修基本書 労働科目……396p

（法27条2項、令8条）全国延長給付は、**厚生労働大臣**の指定する期間内に限り90日を限度に行われるものであるが、なお失業の状況が改善されない場合には、当該「**厚生労働大臣**の指定する期間」を延長することができ、当該延長される指定期間については特に上限は定められていない。

○ **168** 必修基本書……該当ページなし

（法27条2項、令8条）本肢のとおりである。なお、全国延長給付の適用を受けている者がその者の所定給付日数を超えて全国延長給付を受けた後、全国延長給付日数の全部を受け終わらないで就職し、その後に離職して再度その者の受給期間内に求職の申込みをした場合には、その者がなお政令で定める基準に該当するときは、全国延長給付日数の残日数を支給しても差し支えない（行政手引52454(4)）。

169 □□□ 普通   R2.3-E

雇用保険法附則第5条に規定する給付日数の延長に関する暫定措置である地域延
長給付の対象者は、年齢を問わない。

170 □□□ 易   H27.3-D

広域延長給付を受けている受給資格者について訓練延長給付が行われることと
なったときは、訓練延長給付が終わった後でなければ、広域延長給付は行われな
い。

（法附則5条、則附則21条）本肢のとおりである。なお、地域延長給付は、受給資格に係る離職の日が令和9年3月31日以前である特定理由離職者又は特定受給資格者であって、所定の要件を満たすものについて、行うことができる。

（法28条1項）広域延長給付を受けている受給資格者について訓練延長給付が行われることとなったときであっても、広域延長給付は行われる。なお、延長給付の優先順位は下記のとおりである。

　　①個別延長給付又は地域延長給付
　　②広域延長給付
　　③全国延長給付
　　④訓練延長給付

6 基本手当の支払期日・給付制限

171 ☐☐☐ 難 　　　　　　　　　　　　　　　　　　H28.5-A

自己の責めに帰すべき重大な理由によって解雇された場合は、待期の満了の日の翌日から起算して1か月以上3か月以内の間、基本手当は支給されないが、この間についても失業の認定を行わなければならない。

172 ☐☐☐ 難 　　　　　　　　　　　　　　　　　　H28.5-D

公共職業安定所長の指示した公共職業訓練等を受けることを拒んだ受給資格者は、当該公共職業訓練等を受けることを指示された職種が、受給資格者の能力からみて不適当であると認められるときであっても、基本手当の給付制限を受ける。

173 ☐☐☐ 難 　　　　　　　　　　　　　　　　　　H28.5-B

就職先の賃金が、同一地域における同種の業務及び同程度の技能に係る一般の賃金水準に比べて、不当に低いときには、受給資格者が公共職業安定所の紹介する職業に就くことを拒んでも、給付制限を受けることはない。

174 ☐☐☐ 易 　　　　　　　　　　　　　　　　　　R6.5-オ

偽りその他不正の行為により基本手当の支給を受けた者にやむを得ない理由がある場合、基本手当の全部又は一部を支給することができる。

175 ☐☐☐ 普通 　　　　　　　　　　　　　　　　　　R2.5-B

不正な行為により基本手当の支給を受けようとしたことを理由として基本手当の支給停止処分を受けた場合であっても、その後再就職し新たに受給資格を取得したときには、当該新たに取得した受給資格に基づく基本手当を受けることができる。

176 ☐☐☐ 普通 　　　　　　　　　　　　　　　　　　H29.4-D

配偶者と別居生活を続けることが家庭生活の上からも、経済的事情からも困難となり、配偶者と同居するために住所を移転したことにより事業所への通勤が不可能となったことで退職した場合、退職に正当な理由がないものとして給付制限を受ける。

| × | **171** | 必修基本書 労働科目……398p |

（法33条1項ほか）本肢の**待期期間**満了後1箇月以上3箇月以内の間で公共職業安定所長の定める期間（原則として3箇月間）は、基本手当を支給しないが、この間は、**失業の認定**も行われない。

| × | **172** | 必修基本書……該当ページなし |

（法32条1項）本肢のような場合は、法32条1項による給付制限は行わない。

| ○ | **173** | 必修基本書……該当ページなし |

（法32条1項）本肢のとおりである。本肢のような場合は法32条1項による給付制限は行わない。なお、就職するため若しくは公共職業訓練等を受けるため、現在の住所又は居所を変更することを要する場合において、その変更が困難であると認められるとき又は職業安定法20条の規定に該当する労働争議中の事業所（同盟罷業又は作業所閉鎖の行われている事業所）に紹介されたとき等も同様に法32条1項による給付制限は行わない。

| ○ | **174** | 必修基本書 労働科目……398p |

（法34条1項）本肢のとおりである。なお、本肢のやむを得ない理由があるか否かの判断は、不正をなすに至った動機、不正の度合、反省の情の程度等の諸条件を総合的に検討した上で決定される。

| ○ | **175** | 必修基本書 労働科目……398p |

（法34条2項）本肢のとおりである。

| × | **176** | 必修基本書……該当ページなし |

（行政手引52203）本肢の退職は、「正当な理由がある退職」とされるため、離職理由による給付制限は行われない。

177 ☐☐☐ 難 H29.4-B

行政罰の対象とならない行為であって刑法に規定する犯罪行為により起訴猶予処分を受け、解雇された場合、自己の責めに帰すべき重大な理由による解雇として給付制限を受ける。

178 ☐☐☐ 普通 H29.4-E

従業員として当然守らなければならない事業所の機密を漏らしたことによって解雇された場合、自己の責めに帰すべき重大な理由による解雇として給付制限を受ける。

179 ☐☐☐ 普通 H28.5-E

管轄公共職業安定所の長は、正当な理由なく自己の都合によって退職したことで基本手当の支給をしないこととされる受給資格者に対して、職業紹介及び職業指導を行うことはない。

180 ☐☐☐ 普通 H29.4-A

事業所に係る事業活動が停止し、再開される見込みがないために当該事業所から退職した場合、退職に正当な理由がないものとして給付制限を受ける。

181 ☐☐☐ 難 H29.4-C

支払われた賃金が、その者に支払われるべき賃金月額の2分の1であった月があったために退職した場合、退職に正当な理由がないものとして給付制限を受ける。

| ✕ | **177** | 必修基本書……該当ページなし |

（行政手引52202）刑法各本条の規定に違反して処罰を受けたことによって解雇された場合は、「**自己の責に帰すべき重大な理由**による解雇」として給付制限が行われるが、この「処罰を受けたことによって解雇された場合」には、単に訴追を受け、又は取調べを受けている場合、控訴又は上告中で刑の確定しない場合は含まれない。本肢の起訴猶予の処分は、刑が確定しているのではないため、「処罰を受けたことによって解雇された場合」に該当しないことから、離職理由による給付制限は行われない。

| ◯ | **178** | 必修基本書……該当ページなし |

（行政手引52202）本肢のとおりである。なお、事業所の機密とは、事業所の機械器具、製品、原料、技術等の機密、事業所の経営状態、資産等事業経営上の機密に関する事項等を包含するものとされている。

| ✕ | **179** | 必修基本書 労働科目……398〜399p |

（則48条）管轄公共職業安定所長は、離職理由による給付制限を受ける受給資格者に対し、**職業紹介又は職業指導**を行うものとされている。

| ✕ | **180** | 必修基本書……該当ページなし |

（行政手引52203）本肢の退職は、「**正当な理由**がある退職」とされるため、離職理由による給付制限は行われない。

| ✕ | **181** | 必修基本書……該当ページなし |

（行政手引52203）支払われた賃金が、「その者に支払われるべき賃金月額の3分の2に満たない月があったため、又は毎月支払われるべき賃金の全額が所定の期日より後の日に支払われた事実があったために退職した場合」は、「正当な理由がある退職」とされる。本肢の場合は、支払われた賃金が、その者に支払われるべき賃金月額の3分の2に満たない額（2分の1相当額）であることから、「正当な理由がある退職」であるため、給付制限を受けない。

受給資格者が、正当な理由がなく職業指導を受けることを拒んだことにより基本手当を支給しないこととされている期間であっても、他の要件を満たす限り、技能習得手当が支給される。

（法36条3項）給付制限により**基本手当**が支給されない期間については、技能習得手当も支給されない。

⑧ 傷病手当

183 ▢▢▢ 普通 　　　　　　　　　　　　　　　　　　　　　　R2.4-E

求職の申込みの時点においては疾病又は負傷にもかかわらず職業に就くことができる状態にあった者が、その後疾病又は負傷のため職業に就くことができない状態になった場合は、他の要件を満たす限り傷病手当が支給される。

184 ▢▢▢ 易 　　　　　　　　　　　　　　　　　　　　　　H28.2-イ

求職の申込後に疾病又は負傷のために公共職業安定所に出頭することができない場合において、その期間が継続して15日未満のときは、証明書により失業の認定を受け、基本手当の支給を受けることができるので、傷病手当は支給されない。

185 ▢▢▢ 普通 　　　　　　　　　　　　　　　　　　　　　　R2.4-A

疾病又は負傷のため職業に就くことができない状態が当該受給資格に係る離職前から継続している場合には、他の要件を満たす限り傷病手当が支給される。

186 ▢▢▢ 普通 　　　　　　　　　　　　　　　　　　　　　　R2.4-D

訓練延長給付に係る基本手当を受給中の受給資格者が疾病又は負傷のため公共職業訓練等を受けることができなくなった場合、傷病手当が支給される。

187 ▢▢▢ 普通 　　　　　　　　　　　　　　　　　　　　　　H28.2-ウ

広域延長給付に係る基本手当を受給中の受給資格者が疾病又は負傷のために公共職業安定所に出頭することができない場合、傷病手当が支給される。

188 ▢▢▢ 易 　　　　　　　　　　　　　　　　　　　　　　H29.5-B

疾病又は負傷のため労務に服することができない高年齢被保険者は、傷病手当を受給することができる。

189 ▢▢▢ 難 　　　　　　　　　　　　　　　　　　　　　　R2.4-B

有効な求職の申込みを行った後において当該求職の申込みの取消し又は撤回を行い、その後において疾病又は負傷のため職業に就くことができない状態となった場合、他の要件を満たす限り傷病手当が支給される。

○ **183**　　　　　　　　　　　必修基本書 労働科目……402〜403p

（行政手引53002）本肢のとおりである。

○ **184**　　　　　　　　　　　必修基本書 労働科目……402〜403p

（法37条ほか）本肢のとおりである。傷病手当は受給資格者が、**求職の申込み後**において、疾病又は負傷のため**継続して15日以上**職業に就くことができないときは、基本手当に代えて支給される。

× **185**　　　　　　　　　　　必修基本書 労働科目……402〜403p

（行政手引53002）疾病又は負傷のため職業に就くことができない状態が当該受給資格に係る**離職前**から継続している場合には、傷病手当は「支給されない」。傷病手当は、疾病又は負傷のため職業に就くことができない状態が「公共職業安定所に出頭し**求職の申込み**をした後において生じたもの」でなければ、支給されない。

× **186**　　　　　　　　　　　必修基本書 労働科目……402〜403p

（行政手引53004）傷病手当を支給し得る日数は、当該受給資格者の所定給付日数から既に基本手当を支給した日数を差し引いた日数である。したがって、延長給付に係る基本手当を受給中の受給資格者については、傷病手当は「支給されない」。

× **187**　　　　　　　　　　　必修基本書 労働科目……402〜403p

（行政手引53004）延長給付に係る基本手当を受給中の受給資格者については、傷病手当は支給されない。

× **188**　　　　　　　　　　　必修基本書 労働科目……402〜403p

（行政手引54201）高年齢受給資格者に対しては、「傷病手当は支給されない」。

× **189**　　　　　　　　　　　必修基本書……該当ページなし

（行政手引53002）有効な求職の申込みを行った後において当該求職の申込みの取消し又は撤回を行い、その後において疾病又は負傷のため職業に就くことができない状態となった場合には、傷病手当を「支給することはできない」。

190 ☐☐☐ 難　　　　　　　　　　　　　　　　　　R2.4-C

つわり又は切迫流産（医学的に疾病と認められるものに限る。）のため職業に就くことができない場合には、その原因となる妊娠（受胎）の日が求職申込みの日前であっても、当該つわり又は切迫流産が求職申込後に生じたときには、傷病手当が支給されない。

191 ☐☐☐ 易　　　　　　　　　　　　　　　　　　H28.2-エ

傷病手当の日額は、雇用保険法第16条の規定による基本手当の日額に100分の80を乗じて得た額である。

192 ☐☐☐ 易　　　　　　　　　　　　　　　　　　R6.3-E

傷病手当の日額は、雇用保険法第16条に規定する基本手当の日額に相当する額である。

193 ☐☐☐ 易　　　　　　　　　　　　　　　　　　R6.3-B

傷病手当を支給する日数は、雇用保険法第37条第1項に基づく疾病又は負傷のために基本手当の支給を受けることができないことについての認定を受けた受給資格者の所定給付日数から当該受給資格に基づき、既に基本手当を支給した日数を差し引いた日数に相当する日数分を限度とする。

194 ☐☐☐ 普通　　　　　　　　　　　　　　　　　H28.2-オ

傷病の認定は、天災その他認定を受けなかったことについてやむを得ない理由がない限り、職業に就くことができない理由がやんだ日の翌日から起算して10日以内に受けなければならない。

195 ☐☐☐ 普通　　　　　　　　　　　　　　　　　R6.3-C

基本手当の支給を受ける口座振込受給資格者が当該受給期間中に疾病又は負傷により職業に就くことができなくなった場合、天災その他認定を受けなかったことについてやむを得ない理由がない限り、当該受給資格者は、職業に就くことができない理由がやんだ後における最初の支給日の直前の失業の認定日までに雇用保険法第37条第1項に基づく疾病又は負傷のために基本手当の支給を受けることができないことについての認定を受けなければならない。

× **190**　　　　　　　　　　　　　　　　必修基本書……該当ページなし

（行政手引53002）つわり又は切迫流産（医学的に疾病と認められるものに限る）のため職業に就くことができない場合には、その原因となる妊娠（受胎）の日が求職申込みの日前であっても、当該つわり又は切迫流産が求職申込後に生じた場合には、傷病手当を「支給し得る」。

× **191**　　　　　　　　　　　　　　　　必修基本書 労働科目……403p

（法37条3項）傷病手当の日額は、「**基本手当の日額に相当する額**」である。

○ **192**　　　　　　　　　　　　　　　　必修基本書 労働科目……403p

（法37条3項）本肢のとおりである。

○ **193**　　　　　　　　　　　　　　　　必修基本書 労働科目……403p

（法37条4項）本肢のとおりである。なお、基本手当の延長給付を受給している受給資格者については、傷病手当は支給されない（行政手引53004）。

× **194**　　　　　　　　　　　　　　　　必修基本書 労働科目……403p

（法37条2項、則63条）傷病の認定は、原則として傷病手当の支給要件に該当する者が、職業に就くことができない理由がやんだ後における最初の基本手当を支給すべき日までに受けなければならない。

○ **195**　　　　　　　　　　　　　　　　必修基本書 労働科目……403p

（則63条1項）本肢のとおりである。なお、傷病手当は、法37条1項の規定に該当する者であって、当該職業に就くことができない期間が引き続き1箇月を超えるに至ったものについては、その期間中において管轄公共職業安定所の長が定める日に支給することができる（則64条）。

196 □□□ 易　　　　　　　　　　　　　　　　　　R6.3-A

受給資格者が離職後最初に公共職業安定所に求職の申込みをした日以後におい
て、雇用保険法第37条第1項に基づく疾病又は負傷のために基本手当の支給を受
けることができないことについての認定を受けた場合、失業している日（疾病又
は負傷のため職業に就くことができない日を含む。）が通算して7日に満たない間
は、傷病手当を支給しない。

197 □□□ 普通　　　　　　　　　　　　　　　　　　R6.3-D

健康保険法第99条の規定による傷病手当金の支給を受けることができる者が雇
用保険法第37条第1項に基づく疾病又は負傷のために基本手当の支給を受けるこ
とができないことについての認定を受けた場合、傷病手当を支給する。

198 □□□ 普通　　　　　　　　　　　　　　　　　　H28.2-ア

労働の意思又は能力がないと認められる者が傷病となった場合には、疾病又は負
傷のため職業に就くことができないとは認められないから、傷病手当は支給でき
ない。

○ **196**　　　　　　　　　　　　　　　必修基本書 労働科目……402p

（法37条9項）本肢のとおりである。法21条に規定する基本手当の待期に関する
規定は、傷病手当について準用されている。

× **197**　　　　　　　　　　　　　　　必修基本書 労働科目……403p

（法37条8項）傷病手当に係る傷病の認定を受けた日について、健康保険法の傷
病手当金の支給を受けることができる場合、「傷病手当は支給されない」。

○ **198**　　　　　　　　　　　　必修基本書 労働科目……358、402〜403p

（行政手引53002）本肢のとおりである。

⑨ 高年齢求職者給付金

199 □□□ 普通　　　　　　　　　　　　　　　　　　R4.1-E

2の事業所に雇用される65歳以上の者は、各々の事業における1週間の所定労働時間が20時間未満であり、かつ、1週間の所定労働時間の合計が20時間以上である場合、事業所が別であっても同一の事業主であるときは、特例高年齢被保険者となることができない。

200 □□□ 易　　　　　　　　　　　　　　　　　　　R4.1-C

特例高年齢被保険者が1の適用事業を離職したことにより、1週間の所定労働時間の合計が20時間未満となったときは、特例高年齢被保険者であった者がその旨申し出なければならない。

201 □□□ 易　　　　　　　　　　　　　　　　　　　H29.5-D

高年齢求職者給付金の支給を受けようとする高年齢受給資格者は、公共職業安定所において、離職後最初に出頭した日から起算して4週間に1回ずつ直前の28日の各日について、失業の認定を受けなければならない。

202 □□□ 普通　　　　　　　　　　　　　　　　　　H29.5-A

高年齢求職者給付金の支給を受けた者が、失業の認定の翌日に就職した場合、当該高年齢求職者給付金を返還しなければならない。

203 □□□ 普通　　　　　　　　　　　　　　　　　　R4.1-A

特例高年齢被保険者が1の適用事業を離職した場合に支給される高年齢求職者給付金の賃金日額は、当該離職した適用事業において支払われた賃金のみにより算定された賃金日額である。

○ **199** 必修基本書 労働科目……404p

（法37条の5第1項、行政手引1070）本肢のとおりである。特例高年齢被保険者となるための要件の1つに、「2以上の事業主の適用事業に雇用される65歳以上の者であること」があるが、当該適用事業については、2の事業主は異なる事業主である必要があるため、事業所が別であっても同一の事業主である場合は、特例高年齢被保険者の適用要件を満たさないものとされている。

○ **200** 必修基本書 労働科目……404p

（法37条の5第2項）本肢のとおりである。特例高年齢被保険者となった者は、特例高年齢被保険者となる要件（法37条の5第1項各号の要件）を満たさなくなったときは、厚生労働大臣に申し出なければならないものとされている。なお、当該申出は、特例高年齢被保険者が当該要件を満たさなくなった日の翌日から起算して10日以内に、所定の事項を記載した届書に、原則として所定の書類を添えて、管轄公共職業安定所長に提出することによって行うものとされている（則65条の8第1項）。

× **201** 必修基本書 労働科目……405p

（行政手引54201ほか）高年齢求職者給付金は、失業している日数に対応して支給されるものではないため、高年齢求職者給付金の支給に係る失業の認定は、「失業の認定の日に対して行われ、その日に失業の状態にあればよい」とされており、高年齢求職者給付金は一時金で支給され、失業の認定は1回に限り行われる。

× **202** 必修基本書……該当ページなし

（行政手引54201）高年齢求職者給付金の支給については、失業の認定の日に失業の状態にあればよく、「翌日から就職したとしても返還の必要はない」。

○ **203** 必修基本書……該当ページなし

（法37条の6第2項）本肢のとおりである。なお、次に掲げる要件のいずれにも該当する者は、厚生労働大臣に申し出て、当該申出を行った日から高年齢被保険者（特例高年齢被保険者）となることができる（法37条の5第1項、則65条の7）。

　①2以上の事業主の適用事業に雇用される65歳以上の者であること。

　②一の事業主の適用事業における1週間の所定労働時間が20時間未満であること。

　③2の事業主の適用事業（申出を行う労働者の一の事業主の適用事業における1週間の所定労働時間が5時間以上であるものに限る）における1週間の所定労働時間の合計が20時間以上であること。

204 ▢▢▢ 普通 R4.1-D

特例高年齢被保険者の賃金日額の算定に当たっては、賃金日額の下限の規定は適用されない。

205 ▢▢▢ 普通 R4.1-B

特例高年齢被保険者が同じ日に1の事業所を正当な理由なく自己の都合で退職し、他方の事業所を倒産により離職した場合、雇用保険法第21条の規定による待期期間の満了後1か月以上3か月以内の期間、高年齢者求職者給付金を支給しない。

○ **204** 　　　　　　　　　　　　　必修基本書……該当ページなし

（法37条の6第2項、行政手引2140）本肢のとおりである。

× **205** 　　　　　　　　　　　　　必修基本書 労働科目……406p

（行政手引2270）同日付で2の事業所を離職した場合で、その離職理由が異なっている場合には、給付制限の取扱いが離職者にとって不利益とならない方の離職理由に一本化して給付することとされており、本肢の場合、不利益にならない方の離職理由である倒産により離職した場合に一本化され、いわゆる離職理由による給付制限は行われないこととなる。したがって、「待期期間満了後1か月以上3か月以内の期間であっても、高年齢求職者給付金は支給される」。

⑩ 特例一時金

206 ▢▢▢ 普通　　　　　　　　　　　　　　　　　R3.5-D

短期雇用特例被保険者が、同一暦月においてＡ事業所において賃金支払の基礎となった日数が11日以上で離職し、直ちにＢ事業所に就職して、Ｂ事業所においてもその月に賃金支払の基礎となった日数が11日以上ある場合、被保険者期間は1か月として計算される。

207 ▢▢▢ 易　　　　　　　　　　　　　　　　　　R3.5-A

特例一時金の支給を受けようとする特例受給資格者は、離職の日の翌日から起算して6か月を経過する日までに、公共職業安定所に出頭し、求職の申込みをした上、失業の認定を受けなければならない。

208 ▢▢▢ 普通　　　　　　　　　　　　　　　　　R3.5-B

特例一時金の支給を受けることができる期限内において、短期雇用特例被保険者が疾病又は負傷により職業に就くことができない期間がある場合には、当該特例一時金の支給を受けることができる特例受給資格に係る離職の日の翌日から起算して3か月を上限として受給期限が延長される。

209 ▢▢▢ 易　　　　　　　　　　　　　　　　　　R3.5-C

特例一時金は、特例受給資格者が当該特例一時金に係る離職後最初に公共職業安定所に求職の申込みをした日以後において、失業している日（疾病又は負傷のため職業に就くことができない日を含む。）が通算して7日に満たない間は、支給しない。

210 ▢▢▢ 普通　　　　　　　　　　　　　　　　　R3.5-E

特例受給資格者が、当該特例受給資格に基づく特例一時金の支給を受ける前に公共職業安定所長の指示した公共職業訓練等（その期間が40日以上2年以内のものに限る。）を受ける場合には、当該公共職業訓練等を受け終わる日までの間に限り求職者給付が支給される。

○ **206** 必修基本書 労働科目……407p

（行政手引55104）本肢のとおりである。被保険者期間は、暦月をとって計算されるものであるから、本肢のように同一暦月において2以上の事業所にそれぞれ賃金支払の基礎となった日数が11日以上ある場合であっても、被保険者期間を2か月として計算するものではない。

○ **207** 必修基本書 労働科目……408p

（法40条3項）本肢のとおりである。

× **208** 必修基本書 労働科目……409p

（行政手引55151）特例一時金の支給を受けることができる受給期限内において、短期雇用特例被保険者が疾病又は負傷等により職業に就くことができない期間があっても、「受給期限の延長は認められない」。

○ **209** 必修基本書 労働科目……409p

（法40条4項）本肢のとおりである。基本手当に係る待期の規定は、特例一時金について準用されている。

○ **210** 必修基本書 労働科目……408〜409p

（法41条1項、行政手引56402）本肢のとおりである。なお、本肢の者が受けることができる求職者給付とは、一般の受給資格者に対する求職者給付（**基本手当、技能習得手当及び寄宿手当**に限る）である（行政手引56401）。

211 □□□ 難　　　　　　　　　　　　　　　　　R2.5-A

日雇労働被保険者が公共職業安定所の紹介した業務に就くことを拒否した場合において、当該業務に係る事業所が同盟罷業又は作業所閉鎖の行われている事業所である場合、日雇労働求職者給付金の給付制限を受けない。

（法52条1項3号、行政手引90704）本肢のとおりである。なお、**労働委員会**から公共職業安定所に対し、当該事業所において同盟罷業又は作業所閉鎖に至るおそれの多い争議が発生していること及び求職者を無制限に紹介することによって、当該争議の解決が妨げられることについて通報のあった事務所に紹介された場合において、日雇労働被保険者が当該事務所の業務に就くことを拒否したときであっても、日雇労働求職者給付金の給付制限を受けない。

212 ☐☐☐ 易　　　　　　　　　　　　　　　　　　R元.5-A

厚生労働省令で定める安定した職業に就いた者であって、当該職業に就いた日の前日における基本手当の支給残日数が当該受給資格に基づく所定給付日数の3分の1以上あるものは、就業手当を受給することができる。

213 ☐☐☐ 易　　　　　　　　　　　　　　　　　　H30.1-エ

事業を開始した基本手当の受給資格者は、当該事業が当該受給資格者の自立に資するもので他の要件を満たす場合であっても、再就職手当を受給することができない。

214 ☐☐☐ 易　　　　　　　　　　　　　　　　　　R元.5-D

早期再就職者に係る再就職手当の額は、支給残日数に相当する日数に10分の6を乗じて得た数に基本手当日額を乗じて得た額である。

215 ☐☐☐ 易　　　　　　　　　　　　　　　　　　R元.5-C

身体障害者その他就職が困難な者として厚生労働省令で定めるものが基本手当の支給残日数の3分の1未満を残して厚生労働大臣の定める安定した職業に就いたときは、当該受給資格者は再就職手当を受けることができる。

216 ☐☐☐ 易　　　　　　　　　　　　　　　　　　H30.1-ウ

再就職手当を受給した者が、当該再就職手当の支給に係る同一の事業主にその職業に就いた日から引き続いて6か月以上雇用された場合で、当該再就職手当に係る雇用保険法施行規則第83条の2にいうみなし賃金日額が同条にいう算定基礎賃金日額を下回るときは、就業促進定着手当を受給することができる。

217 ☐☐☐ 易　　　　　　　　　　　　　　　　　　H30.1-ア

基本手当の受給資格者が離職前の事業主に再び雇用されたときは、就業促進手当を受給することができない。

× 212 必修基本書 労働科目……416p

（法56条の3第1項1号）本肢の者は、「再就職手当」を受給することができる。なお、以前は安定した職業以外の職業に就いた受給資格者に対して就業手当が支給されていたが、改正により廃止された。

× 213 必修基本書 労働科目……416p

（法56条の3第1項1号、則82条の2）基本手当の受給資格者が事業（当該事業により受給資格者が自立することができると公共職業安定所長が認めたものに限る）を開始したときは、他の要件を満たす限り、当該受給資格者は、再就職手当を受給することが「できる」。

× 214 必修基本書 労働科目……416〜417p

（法56条の3第3項1号）早期再就職者に係る再就職手当の額は、支給残日数に相当する日数に「10分の7」を乗じて得た数に基本手当日額を乗じて得た額である。

× 215 必修基本書 労働科目……416〜417p

（法56条の3第1項2号、則82条の3ほか）身体障害者その他就職が困難な者として厚生労働省令で定めるものに該当する受給資格者が厚生労働省令で定める安定した職業に就いた場合であって、当該職業に就いた日の前日における基本手当の支給残日数が、当該受給資格に基づく所定給付日数の**3分の1**未満であり、かつ、所定の要件に該当するときは、「**常用就職支度手当**」が支給される。なお、再就職手当の支給を受けるためには、受給資格者が安定した職業に就いた日の前日における基本手当の支給残日数が、当該受給資格に基づく所定給付日数の3分の1以上でなければ支給されない（法56条の3第1項1号ロほか）。

○ 216 必修基本書 労働科目……417p

（法56条の3第1項1号・3項1号、則83条の2）本肢のとおりである。なお、本肢の「**算定基礎賃金日額**」とは、再就職手当に係る基本手当日額の算定の基礎となった賃金日額をいう（則83条の2）。

○ 217 必修基本書 労働科目……416〜419p

（法56条の3第1項、則82条）本肢のとおりである。就業促進手当（再就職手当、就業促進定着手当及び常用就職支度手当）は、受給資格者が離職前の事業主に再び雇用されたときは、受給することができない。

218 ◻︎◻︎◻︎ 易 R5.5-イ

受給資格者が1年を超えて引き続き雇用されることが確実であると認められる職業に就いた日前3年の期間内に厚生労働省令で定める安定した職業に就いたことにより就業促進手当の支給を受けたことがあるときは、就業促進手当を受給することができない。

219 ◻︎◻︎◻︎ 普通 R5.5-ア

障害者雇用促進法に定める身体障害者が1年以上引き続き雇用されることが確実であると認められる職業に就いた場合、当該職業に就いた日の前日における基本手当の支給残日数が所定給付日数の3分の1未満であれば就業促進手当を受給することができない。

○ **218**　必修基本書 労働科目……416～419p

（法56条の3第2項）本肢のとおりである。なお、本肢の「就業促進手当」は、再就職手当又は常用就職支度手当を指している。

× **219**　必修基本書 労働科目……418～419p

（法56条の3第1項）障害者雇用促進法に定める身体障害者が、1年以上引き続き雇用されることが確実であると認められる職業に就いた場合において、当該職業に就いた日の前日における基本手当の支給残日数が所定給付日数の3分の1未満であるときは、他の要件を満たす限り、就業促進手当（常用就職支度手当）を受給することが「できる」。

220 ☐☐☐ 易   R元.5-B

移転費は、受給資格者等が公共職業安定所、職業安定法第4条第8項に規定する特定地方公共団体若しくは同法第18条の2に規定する職業紹介事業者の紹介した職業に就くため、又は公共職業安定所長の指示した公共職業訓練等を受けるため、その住所又は居所を変更する場合において、公共職業安定所長が厚生労働大臣の定める基準に従って必要があると認めたときに、支給される。

221 ☐☐☐ 易   R5.5-ウ

受給資格者が公共職業安定所の紹介した雇用期間が1年未満の職業に就くためその住居又は居所を変更する場合、移転費を受給することができる。

222 ☐☐☐ 易   H30.1-イ

基本手当の受給資格者が公共職業安定所の紹介した職業に就くためその住所を変更する場合、移転費の額を超える就職支度費が就職先の事業主から支給されるときは、当該受給資格者は移転費を受給することができない。

223 ☐☐☐ 易   R元.5-E

短期訓練受講費の額は、教育訓練の受講のために支払った費用に100分の40を乗じて得た額（その額が10万円を超えるときは、10万円）である。

224 ☐☐☐ 易   R5.5-オ

受給資格者が公共職業安定所の職業指導に従って行う再就職の促進を図るための職業に関する教育訓練を修了した場合、当該教育訓練の受講のために支払った費用につき、教育訓練給付金の支給を受けていないときに、その費用の額の100分の30（その額が10万円を超えるときは、10万円）が短期訓練受講費として支給される。

○ **220**　　　　　　　　　　　　必修基本書 労働科目……420p

（法58条1項）本肢のとおりである。

× **221**　　　　　　　　　　　　必修基本書 労働科目……420p

（則86条）雇用期間が1年未満の職業への就職に係る移転については、「移転費は支給されない」。

○ **222**　　　　　　　　　　　　必修基本書 労働科目……420p

（法58条1項、則86条）本肢のとおりである。なお、移転費の額は、受給資格者等及びその者により**生計を維持されている同居の親族**の移転に通常要する費用を考慮して、厚生労働省令で定めるものとされている（法58条2項）。

× **223**　　　　　　　　　　　　必修基本書 労働科目……422p

（則100条の3）短期訓練受講費の額は、受給資格者等が教育訓練の受講のために支払った費用の額に「**100分の20**」を乗じて得た額（その額が10万円を超えるときは、10万円）である。

× **224**　　　　　　　　　　　　必修基本書 労働科目……422p

（則100条の3）短期訓練受講費の額は、受給資格者等が教育訓練の受講のために支払った費用の額に「**100分の20**」を乗じて得た額（その額が10万円を超えるときは、10万円）である。

基本手当の受給資格者が職業訓練の実施等による特定求職者の就職の支援に関する法律第4条第2項に規定する認定職業訓練を受講する場合には、求職活動関係役務利用費を受給することができない。

（法59条1項、則100条の6）求職活動関係役務利用費は、受給資格者等が求人者との面接等をし、又は求職活動関係役務利用費対象訓練を受講するため、その子に関して、**待期期間が経過した後**に**保育等サービス**を利用する場合に支給される。この「求職活動関係役務利用費対象訓練」には、求職者支援法に規定する認定職業訓練が含まれており、本肢の受給資格者は、他の要件を満たす限り、求職活動関係役務利用費を受給することが「できる」。なお、「求職活動関係役務利用費対象訓練」には、本肢の認定職業訓練のほか、教育訓練給付金の支給に係る教育訓練、短期訓練受講費の支給に係る教育訓練、公共職業訓練等が含まれる。

226 □□□ 易   H29.5-C

雇用保険法第60条の2に規定する支給要件期間が2年である高年齢被保険者は、厚生労働大臣が指定する教育訓練を受け、当該教育訓練を修了した場合、他の要件を満たしても教育訓練給付金を受給することができない。

227 □□□ 普通   R3.6-E

一般被保険者でなくなって1年を経過しない者が負傷により30日以上教育訓練を開始することができない場合であって、傷病手当の支給を受けているときは、教育訓練給付適用対象期間延長の対象とならない。なお、本肢における「教育訓練」とは、雇用保険法第60条の2第1項の規定に基づき厚生労働大臣が指定する教育訓練のことをいう。

228 □□□ 普通   H27.4-オ

適用事業Ａで一般被保険者として2年間雇用されていた者が、Ａの離職後傷病手当を受給し、その後適用事業Ｂに2年間一般被保険者として雇用された場合、当該離職期間が1年以内であり過去に教育訓練給付金の支給を受けていないときには、当該一般被保険者は教育訓練給付金の対象となる。

229 □□□ 普通   H27.4-エ

一般教育訓練給付金の支給の対象となる費用の範囲は、入学料、一定の受講料、一定のキャリアコンサルティングを受けた費用及び交通費である。

230 □□□ 普通   R3.6-B

一般教育訓練給付金は、一時金として支給される。

× **226**　　　　　　　　　　　　　　必修基本書 労働科目……425p

（法60条の2第1項、法附則11条ほか）所定の要件を満たす限り、「高年齢被保険者に対しても教育訓練給付金は支給される」。本肢の場合、支給要件期間が2年（3年未満）であるが、本肢の高年齢被保険者が今まで教育訓練給付金の支給を受けたことがなければ、他の要件を満たす限り、教育訓練給付金が支給される。

× **227**　　　　　　　　　　　　　　必修基本書 労働科目……426p

（則101条の2の5第1項かっこ書、行政手引58022ほか）本肢の者は、「教育訓練給付適用対象期間延長の対象となる」。基準日に一般被保険者等でない者が、教育訓練給付の支給対象者となるためには、基準日の直前の一般被保険者等でなくなった日が基準日以前1年以内にあることが必要であるが、当該基準日の直前の一般被保険者等でなくなった日から1年以内に妊娠、出産、育児、傷病等の理由により引き続き30日以上対象教育訓練の受講を開始することができない日がある場合には、当該一般被保険者等でなくなった日から基準日までの教育訓練給付の対象となり得る期間（「適用対象期間」という）の延長が認められる。この適用対象期間の延長については、傷病を理由として「傷病手当金の支給を受ける場合であっても、当該傷病に係る期間を適用対象期間の延長の対象に含める」ものとされている。

○ **228**　　　　　　　　　　　　　必修基本書 労働科目……425～426p

（法60条の2第1項、則101条の2の5第1項）本肢のとおりである。本肢の場合、適用事業Ａ離職から適用事業Ｂ就職までの期間が1年以内であるため、適用事業Ａで被保険者であった期間も支給要件期間として通算される（傷病手当を受給していても支給要件期間の通算は行われる）。したがって、支給要件期間が4年ある一般被保険者である本肢の者は、教育訓練給付金の支給対象となる（なお、本肢の者は過去に教育訓練給付金の支給を受けていないため、適用事業Ｂにおいて被保険者であった期間のみをもって教育訓練給付金の支給要件を満たすことから、適用事業Ｂに就職する以前の事情は無視しても構わない）。

× **229**　　　　　　　　　　　　　　必修基本書 労働科目……427p

（則101条の2の6、行政手引58014）教育訓練給付金の支給の対象となる費用の範囲には、**交通費**は含まれていない。

○ **230**　　　　　　　　　　　　　　必修基本書……該当ページなし

（行政手引58014）本肢のとおりである。

一般教育訓練に係る教育訓練給付金の支給を受けようとする者は、やむを得ない理由がある場合を除いて、当該教育訓練給付金の支給に係る一般教育訓練を修了した日の翌日から起算して3か月以内に申請しなければならない。

一般教育訓練に係る教育訓練給付金の支給を受けようとする者は、当該教育訓練給付金の支給に係る一般教育訓練の修了予定日の1か月前までに教育訓練給付金支給申請書を管轄公共職業安定所長に提出しなければならない。

教育訓練給付金に関する事務は、教育訓練給付対象者の住所又は居所を管轄する公共職業安定所長が行う。

特定一般教育訓練期間中に被保険者資格を喪失した場合であっても、対象特定一般教育訓練開始日において支給要件期間を満たす者については、対象特定一般教育訓練に係る修了の要件を満たす限り、特定一般教育訓練給付金の支給対象となる。

一般教育訓練給付金の支給を受けようとする支給対象者は、疾病又は負傷、在職中であることその他やむを得ない理由がなくとも社会保険労務士により支給申請を行うことができる。

特定一般教育訓練受講予定者は、キャリアコンサルティングを踏まえて記載した職務経歴等記録書を添えて管轄公共職業安定所の長に所定の書類を提出しなければならない。

✕ 231 必修基本書 労働科目……430p

（則101条の2の11）一般教育訓練に係る教育訓練給付金の支給を受けようとする者は、一般教育訓練を**修了した日の翌日**から起算して「1箇月以内」に申請しなければならない。また、やむを得ない理由がある場合であっても、当該1箇月以内に申請をしなければならない。

✕ 232 必修基本書 労働科目……430p

（則101条の2の11第1項）一般教育訓練に係る教育訓練給付金の支給を受けようとする者は、当該教育訓練給付金の支給に係る一般教育訓練を「修了した日の翌日から起算して1箇月以内」に、教育訓練給付金支給申請書に所定の書類を添えて管轄公共職業安定所長に提出しなければならない。

○ 233 必修基本書 労働科目……430p

（則101条の2の11第1項、則101条の2の12第1項ほか）本肢のとおりである。

○ 234 必修基本書 労働科目……430p

（行政手引58151）本肢のとおりである。なお、被保険者資格を喪失後に基本手当等の受給資格者となった場合であっても、本肢と同様に所定の要件を満たす限り、特定一般教育訓練給付金の支給対象となる。

○ 235 必修基本書 労働科目……430p

（行政手引58015）本肢のとおりである。一般教育訓練に係る教育訓練給付金の支給申請は、本人自身が公共職業安定所に出頭して行うほか、代理人（提出代行を行う社会保険労務士を含む）、郵送又は電子申請により行うこととしても差し支えない（代理人による申請の場合は委任状を必要とする）こととされている。

○ 236 必修基本書 労働科目……430p

（則101条の2の11の2第1項1号）本肢のとおりである。なお、特定一般教育訓練受講予定者が特定一般教育訓練に係る教育訓練給付金の支給申請をする際に提出する書類には、本肢のほかに、運転免許証その他の特定一般教育訓練受講予定者が本人であることを確認できる書類等がある（同項2号・3号）。

237 □□□ （難）   R5.7-C

特定一般教育訓練に係る教育訓練給付金の支給を受けようとする者は、管轄公共職業安定所長に教育訓練給付金及び教育訓練支援給付金受給資格確認票を提出する際、職務経歴等記録書を添付しないことができる。

238 □□□ （普通）   H28.6-B

専門実践教育訓練の受講開始日前までに、前回の教育訓練給付金の受給（平成26年10月1日よりも前のものを除く。）から3年以上経過していない場合、教育訓練給付金は支給しない。

239 □□□ （普通）   H28.6-D

雇用保険法第60条の2第1項に規定する支給要件期間が3年以上である者であって、専門実践教育訓練を受け、修了し、当該専門実践教育訓練に係る資格の取得等をし、かつ当該専門実践教育を修了した日の翌日から起算して1年以内に一般被保険者として雇用された者に支給される教育訓練給付金の額は、当該教育訓練の受講のために支払った費用の額の100分の70を乗じて得た額（その額が厚生労働省令で定める額を超えるときは、その定める額。）である。

240 □□□ （普通）   H28.6-A

教育訓練給付対象者であって専門実践教育訓練に係る教育訓練給付金の支給を受けようとする者は、当該専門実践教育訓練を開始する日の14日前までに、教育訓練給付金及び教育訓練支援給付金受給資格確認票その他必要な書類を管轄公共職業安定所の長に提出しなければならない。

241 □□□ （普通）   R5.7-E

専門実践教育訓練に係る教育訓練給付金の支給を受けようとする者は、当該専門実践教育訓練の受講開始後遅滞なく所定の書類を添えるなどにより教育訓練給付金及び教育訓練支援給付金受給資格確認票を管轄公共職業安定所長に提出しなければならない。

✕ 237 　　　　　　　　　　　　　　　　　　必修基本書……該当ページなし

（則101条の2の11の2第1項）特定一般教育訓練に係る教育訓練給付金の支給を受けようとする者は、教育訓練給付金及び教育訓練支援給付金受給資格確認票を管轄公共職業安定所長に提出する際、当該確認票に、担当キャリアコンサルタントが当該特定一般教育訓練受講予定者の就業に関する目標その他職業能力の開発及び向上に関する事項について、キャリアコンサルティングを踏まえて記載した「職務経歴等記録書を添付しなければならない」。

○ 238 　　　　　　　　　　　　　　　　　必修基本書 労働科目……425p

（法60条の2第5項、則101条の2の10）本肢のとおりである。専門実践教育訓練に係る教育訓練給付金の額として算定された額が**4,000円**を超えないときについても同様に専門実践教育訓練に係る教育訓練給付金は支給されない（則101条の2の9）。

○ 239 　　　　　　　　　　　　　　　　　必修基本書 労働科目……428p

（法60条の2第4項、則101条の2の7ほか）本肢のとおりである。なお、専門実践教育訓練を受け、修了した者（当該専門実践教育訓練を受けている者を含み、本問に掲げる者を除く）に支給される教育訓練給付金の額は、当該教育訓練の受講のために支払った費用の額の**100分の50**を乗じて得た額（その額が厚生労働省令で定める額を超えるときは、その定める額）である。

○ 240 　　　　　　　　　　　　　　　　　必修基本書 労働科目……431p

（則101条の2の12ほか）本肢のとおりである。

✕ 241 　　　　　　　　　　　　　　　　　必修基本書 労働科目……431p

（則101条の2の12第1項）専門実践教育訓練に係る教育訓練給付金の支給を受けようとする者は、当該専門実践教育訓練を「開始する日の14日前まで」に、所定の書類を添えるなどして教育訓練給付金及び教育訓練支援給付金受給資格確認票を管轄公共職業安定所長に提出しなければならない。

受給資格者が基本手当の受給資格に係る離職後最初に公共職業安定所に求職の申込みをした日以後において、失業している日が通算して7日に満たない間であっても、他の要件を満たす限り、専門実践教育に係る教育訓練支援給付金が支給される。

教育訓練支援給付金は、教育訓練給付の支給に係る教育訓練を修了してもなお失業している日について支給する。

専門実践教育訓練を開始した日における年齢が45歳以上の者は、教育訓練支援給付金を受けることができない。

偽りその他不正の行為により教育訓練給付金の支給を受けたことから教育訓練給付金を受けることができないとされた者であっても、その後新たに教育訓練給付金の支給を受けることができるものとなった場合には、教育訓練給付金を受けることができる。

✕ 242 必修基本書……該当ページなし

（法附則11条の2第4項ほか）基本手当が支給される期間及び待期、延長給付に係る給付制限、給付制限の規定により基本手当を支給しないこととされる期間については、教育訓練支援給付金は、支給されない。

✕ 243 必修基本書 労働科目……432p

（法附則11条の2第1項）教育訓練支援給付金は、所定の要件を満たしているものが、「専門実践教育訓練を受けている日（当該専門実践教育訓練に係る指定教育訓練実施者によりその旨の証明がされた日に限る）のうち失業している日（失業していることについての認定を受けた日に限る）」について支給される。

○ 244 必修基本書 労働科目……432p

（法附則11条の2第1項）本肢のとおりである。教育訓練支援給付金の支給対象となるのは、専門実践教育訓練を開始した日における年齢が**45**歳未満の者であって、所定の要件を満たした者である。

○ 245 必修基本書 労働科目……434p

（法60条の3第2項）本肢のとおりである。なお、偽りその他不正の行為により教育訓練給付金又は教育訓練支援給付金の支給を受け、又は受けようとした者には、当該給付金の支給を受け、又は受けようとした日以後、教育訓練給付金及び教育訓練支援給付金は支給されない。ただし、**やむを得ない理由**がある場合には、教育訓練給付金及び教育訓練支援給付金の全部又は一部を支給することができる（同条1項）。

246 ☐☐☐ 普通　　　　　　　　　　　　　　　　　　　　R4.5-A

60歳に達した被保険者（短期雇用特例被保険者及び日雇労働被保険者を除く。）であって、57歳から59歳まで連続して20か月間基本手当等を受けずに被保険者でなかったものが、当該期間を含まない過去の被保険者期間が通算して5年以上であるときは、他の要件を満たす限り、60歳に達した日の属する月から高年齢雇用継続基本給付金が支給される。

247 ☐☐☐ 普通　　　　　　　　　　　　　　　　　　　　R元.6-A

60歳に達した日に算定基礎期間に相当する期間が5年に満たない者が、その後継続雇用され算定基礎期間に相当する期間が5年に達した場合、他の要件を満たす限り算定基礎期間に相当する期間が5年に達する日の属する月から65歳に達する日の属する月まで高年齢雇用継続基本給付金が支給される。

248 ☐☐☐ 普通　　　　　　　　　　　　　　　　　　　　R4.5-D

高年齢雇用継続基本給付金の受給資格者が、被保険者資格喪失後、基本手当の支給を受けずに8か月で雇用され被保険者資格を再取得したときは、新たに取得した被保険者資格に係る高年齢雇用継続基本給付金を受けることができない。

249 ☐☐☐ 難　　　　　　　　　　　　　　　　　　　　　R6.6-D

厚生労働大臣が雇用保険法第61条第1項第2号に定める支給限度額を同法第61条第7項により変更したため高年齢雇用継続基本給付金を受給している者の支給対象月に支払われた賃金額が支給限度額以上となった場合、変更後の支給限度額は当該変更から3か月間、変更前の支給限度額の額とみなされる。

| × | **246** | 必修基本書 労働科目……436p |

（法61条1項、行政手引59011）本肢の場合、算定基礎期間に相当する期間が5年に満たないため、60歳に達した日の属する月から高年齢雇用継続基本給付金は「支給されない」。この場合の「算定基礎期間に相当する期間」は、基本手当における被保険者であった期間の取扱いと同様に、当該被保険者であった期間に係る被保険者資格を取得した日の直前の被保険者資格を喪失した日が当該被保険者資格の取得日前1年の期間内にある場合であって、この期間内に基本手当（基本手当以外の所定の給付を含む）又は特例一時金の支給を受けていない場合に通算される。本肢の場合、60歳に達した被保険者の当該資格取得前1年以内にその直前の被保険者資格を喪失した日がないため、その前の過去の被保険者期間は通算されない。

| ○ | **247** | 必修基本書 労働科目……436～437p |

（法61条1項・2項、行政手引59012(2)）本肢のとおりである。なお、高年齢雇用継続給付に係る手続きについては、当該高年齢雇用継続給付に係る被保険者を雇用する事業主を管轄する公共職業安定所において行う（行政手引59031(1)）。

| × | **248** | 必修基本書……該当ページなし |

（法61条1項、行政手引59311）高年齢雇用継続基本給付金の受給資格者が、被保険者資格喪失後、基本手当の支給を受けずに、1年以内に雇用され被保険者資格を再取得したときは、新たに取得した被保険者資格についても引き続き高年齢雇用継続基本給付金の受給資格者となり得ることから、本肢の場合、所定の要件を満たす限り、新たに取得した被保険者資格に係る高年齢雇用継続基本給付金の支給を「受けることができる」。

| × | **249** | 必修基本書……該当ページなし |

（行政手引59141ほか）本肢のような規定はない。

育児休業給付金の支給を受けて休業をした者は、当該育児休業給付金の支給を受けることができる休業をした月について、他の要件を満たす限り高年齢雇用継続基本給付金が支給される。

支給対象期間の暦月の初日から末日までの間に引き続いて介護休業給付の支給対象となる休業を取得した場合、他の要件を満たす限り当該月に係る高年齢雇用継続基本給付金を受けることができる。

高年齢雇用継続給付を受けていた者が、暦月の途中で、離職により被保険者資格を喪失し、1日以上の被保険者期間の空白が生じた場合、その月は高年齢雇用継続給付の支給対象とならない。なお、本肢においては、短期雇用特例被保険者、日雇労働被保険者及び船員法第1条に規定する船員である被保険者は含めないものとする。

✕ 250
必修基本書 労働科目……437p

（法61条2項）高年齢雇用継続基本給付金は、支給対象月について支給されるものであるが、「支給対象月」とは、被保険者（短期雇用特例被保険者及び日雇労働被保険者を除く。以下本肢において同じ）が60歳に達した日の属する月から65歳に達する日の属する月までの期間内にある月（その月の初日から末日まで引き続いて、被保険者であり、かつ、**介護休業給付金又は育児休業給付金、出生時育児休業給付金若しくは出生後休業支援給付金**の支給を受けることができる「休業をしなかった月に限る」）をいうため、育児休業給付金の支給を受けることができる休業をした月は支給対象月とならず、高年齢雇用継続基本給付金は支給されない。

✕ 251
必修基本書 労働科目……437p

（法61条2項）本肢の月は、暦月の初日から末日までの間に引き続いて介護休業給付の支給対象となる休業を取得しているため支給対象月には該当しない。したがって、当該月に高年齢雇用継続基本給付金は「支給されない」。なお、支給対象月とは、被保険者が60歳に達した日の属する月から65歳に達する日の属する月までの期間内にある月であって、その月の初日から末日まで引き続いて、被保険者であり、かつ、**介護休業給付金又は育児休業給付金、出生時育児休業給付金若しくは、出生後休業支援給付金**の支給を受けることができる休業をしなかった月をいう。

○ 252
修基本書 労働科目……437p

（法61条2項、法61条の2第2項ほか）本肢のとおりである。「その月の初日から末日まで引き続いて被保険者（**短期雇用特例被保険者及び日雇労働被保険者を除く**）である月」でなければ、高年齢雇用継続給付に係る支給対象月とならない。

253 □□□ 普通　　　　　　　　　　　　　　　　　　H27.5-A

60歳に達したことを理由に離職した者が、関連会社への出向により1日の空白も
なく被保険者資格を取得した場合、他の要件を満たす限り、高年齢雇用継続基本
給付金の支給対象となる。なお、本肢においては、短期雇用特例被保険者、日雇
労働被保険者及び船員法第1条に規定する船員である被保険者は含めないものと
する。

254 □□□ 易　　　　　　　　　　　　　　　　　　R元.6-B

支給対象月に支払われた賃金の額が、みなし賃金日額に30を乗じて得た額の
100分の60に相当する場合、高年齢雇用継続基本給付金の額は、当該賃金の額
に100分の10を乗じて得た額（ただし、その額に当該賃金の額を加えて得た額
が支給限度額を超えるときは、支給限度額から当該賃金の額を減じて得た額）と
なる。

255 □□□ 普通　　　　　　　　　　　　　　　　　　H27.5-E

高年齢雇用継続基本給付金の額は、一支給対象月について、賃金額が雇用保険法
第61条第1項に規定するみなし賃金日額に30を乗じて得た額の100分の64に
相当する額未満であるとき、その額に当該賃金の額を加えて得た額が支給限度額
を超えない限り、100分の10となる。

256 □□□ 普通　　　　　　　　　　　　　　　　　　R元.6-C

高年齢雇用継続給付に関して、受給資格者が冠婚葬祭等の私事により欠勤したこ
とで賃金の減額が行われた場合のみなし賃金日額は、実際に支払われた賃金の額
により算定された額となる。

○ **253**　　　　　　　　　　　　　　　必修基本書 労働科目……436p

（法61条1項、行政手引59011ほか）本肢のとおりである。本肢の場合、離職した者が1日の空白もなく被保険者資格を取得しているため、基本手当は受給しておらず、他の要件を満たす限り、高年齢雇用継続基本給付金の対象となる。なお、高年齢雇用継続基本給付金は、次の①から③のいずれにも該当するときに支給される。

　①被保険者（短期雇用特例被保険者及び日雇労働被保険者を除く）に対して支給対象月に支払われた賃金の額が、みなし賃金日額に30を乗じて得た額の**100分の75**に相当する額を下回ること

　②被保険者が60歳に達した日又は60歳に達した日後において、算定基礎期間に相当する期間（被保険者であった期間）が**5年以上**あること

　③支給対象月に支払われた賃金の額が、**支給限度額**未満であること。

○ **254**　　　　　　　　　　　　　　　必修基本書 労働科目……438p

（法61条5項）本肢のとおりである。なお、本肢の方法により算定された額が、受給資格者に係る賃金日額の下限額の**100分の80**に相当する額を超えないときは、当該支給対象月については、高年齢雇用継続基本給付金は**支給されない**（法61条6項ほか）。

○ **255**　　　　　　　　　　　　　　　必修基本書 労働科目……438p

（法61条5項1号）本肢のとおりである。

× **256**　　　　　　　　　　　　　　　必修基本書 労働科目……438p

（法61条1項、行政手引59143）高年齢雇用継続給付における「みなし賃金日額」とは、「60歳に達した日を離職の日とみなした場合に算定されることとなる賃金日額に相当する額」をいう。したがって、高年齢雇用継続給付の受給資格者が欠勤して賃金が減額されたとしてもみなし賃金日額の計算には影響を与えない。なお、高年齢雇用継続給付の支給要件の1つである賃金の低下率の算定にあたっては、冠婚葬祭等の私事により欠勤したことで賃金の減額が行われた場合であっても、その減額が行われなかったものとみなして低下率を算定する。

257 □□□ 普通   R6.6-A

支給対象月における高年齢雇用継続基本給付金の額として算定された額が、雇用
保険法第17条第4項第1号に掲げる賃金日額の最低限度額（その額が同法第18
条の規定により変更されたときは、その変更された額）の100分の80に相当す
る額を超えないとき、当該支給対象月について高年齢雇用継続基本給付金は支給
されない。

258 □□□ 易   R4.5-E

高年齢再就職給付金の受給資格者が、被保険者資格喪失後、基本手当の支給を受
け、その支給残日数が80日であった場合、その後被保険者資格の再取得があっ
たとしても高年齢再就職給付金は支給されない。

259 □□□ 難   H27.5-D

受給資格者が当該受給資格に基づく基本手当を受けたことがなくても、傷病手当
を受けたことがあれば、高年齢再就職給付金を受給することができる。

260 □□□ 易   R元.6-D

高年齢再就職給付金の支給を受けることができる者が、同一の就職につき雇用保
険法第56条の3第1項第1号に定める就業促進手当の支給を受けることができる
場合において、その者が就業促進手当の支給を受けたときは高年齢再就職給付金
を支給しない。

261 □□□ 易   R4.5-C

高年齢再就職給付金の支給を受けることができる者が同一の就職につき再就職手
当の支給を受けることができる場合、その者の意思にかかわらず高年齢再就職給
付金が支給され、再就職手当が支給停止となる。

○ **257** 必修基本書 労働科目……439p

（法61条6項）本肢のとおりである。なお、公共職業安定所長は、被保険者に対する高年齢雇用継続基本給付金の支給を決定したときは、その日の翌日から起算して7日以内に高年齢雇用継続基本給付金を支給するものとする（則101条の6）。

○ **258** 必修基本書 労働科目……439～440p

（法61条の2第1項）本肢のとおりである。高年齢再就職給付金は、就職日の前日における基本手当の支給残日数が100日未満であるときは、支給されない。

○ **259** 必修基本書 労働科目……439～440p

（法37条6項、法61条の2第1項ほか）本肢のとおりである。高年齢再就職給付金の支給を受けるためには、「受給資格に係る離職日における算定基礎期間が5年以上あり、かつ、当該受給資格に基づく基本手当の支給を受けたことがある者」であることがその要件の1つとされており、法37条6項において、「傷病手当を支給したときは、雇用保険法の規定（法10条の4及び法34条の規定を除く）の適用については、当該傷病手当を支給した日数に相当する日数分の基本手当を支給したものとみなす」こととされている。したがって、本肢の者には、高年齢再就職給付金が支給され得る。

○ **260** 必修基本書 労働科目……439～440p

（法61条の2第4項）本肢のとおりである。なお、法56条の3第1項1号に定める就業促進手当とは、再就職手当のことである。

× **261** 必修基本書 労働科目……439～440p

（法61条の2第4項）高年齢再就職給付金の支給を受けることができる者が、同一の就職につき再就職手当を受けることができる場合において、その者が再就職手当の支給を受けたときは高年齢再就職給付金を支給せず、高年齢再就職給付金の支給を受けたときは再就職手当を支給しないものとされている。したがって、再就職手当と高年齢再就職給付金とのうち、どちらの支給を受けるかは、「その者の意思によることとなる」。

262 ☐☐☐ 普通　　　　　　　　　　　　　　　　　　　R6.6-B

就業促進手当（厚生労働省令で定める安定した職業に就いた者であって、当該職業に就いた日の前日における基本手当の支給残日数が当該受給資格に基づく所定給付日数の3分の1以上であるものに限る。）を受けたときは、当該就業促進手当に加えて同一の就職につき高年齢再就職給付金を受けることができる。

263 ☐☐☐ 易　　　　　　　　　　　　　　　　　　　R元.6-E

再就職の日が月の途中である場合、その月の高年齢再就職給付金は支給しない。

264 ☐☐☐ 普通　　　　　　　　　　　　　　　　　　　R6.6-C

高年齢再就職給付金の受給資格者に対して再就職後の支給対象月に支払われた賃金の額が、基本手当の日額の算定の基礎となった賃金日額に30を乗じて得た額の100分の85に相当する額未満であるとき、当該受給資格者に対して支給される高年齢再就職給付金の額は、支給対象月に支払われた賃金の額の100分の10となる。

265 ☐☐☐ 難　　　　　　　　　　　　　　　　　　　H27.5-B

初めて高年齢再就職給付金の支給を受けようとするときは、やむを得ない理由がある場合を除いて、再就職後の支給対象月の初日から起算して4か月以内に事業所の所在地を管轄する公共職業安定所長に高年齢雇用継続給付受給資格確認票・（初回）高年齢雇用継続給付支給申請書を提出しなければならない。

266 ☐☐☐ 普通　　　　　　　　　　　　　　　　　　　R2.5-E

偽りその他不正の行為により高年齢雇用継続基本給付金の給付制限を受けた者は、当該被保険者がその後離職した場合に当初の不正の行為を理由とした基本手当の給付制限を受けない。

× **262** 必修基本書 労働科目……440p

（法61条の2第4項）高年齢再就職給付金の支給を受けることができる者が、同一の就職につき再就職手当の支給も受けることができる場合、その者が「再就職手当の支給を受けたときは高年齢再就職給付金を支給せず」、高年齢再就職給付金の支給を受けたときは再就職手当を支給しない。

○ **263** 必修基本書 労働科目……440p

（法61条の2第2項）本肢のとおりである。高年齢再就職給付金は、再就職後の支給対象月について支給されるが、その月の初日から末日まで引き続いて被保険者である月でなければ当該再就職後の支給対象月とはされないため、再就職の日が月の途中である場合、その月については、高年齢再就職給付金は支給されない。

× **264** 必修基本書 労働科目……441p

（法61条の2第3項）高年齢再就職給付金の受給資格者に対して再就職後の支給対象月に支払われた賃金の額が、基本手当の日額の算定の基礎となった賃金日額に30を乗じて得た額の「100分の64」に相当する額未満である場合の当該高年齢再就職給付金の額は、当該再就職後の支給対象月に支払われた賃金の額の100分の10なる。

× **265** 必修基本書 労働科目……442p

（則101条の7）初めて高年齢再就職給付金の支給を受けようとするときは、やむを得ない理由がある場合であっても、再就職後の支給対象月の初日から起算して4箇月以内に、原則として事業主を経由して、その事業所の所在地を管轄する公共職業安定所長に本肢申請書を提出しなければならない。

○ **266** 必修基本書 労働科目……442p

（法34条、法61条の3）本肢のとおりである。不正受給等によって高年齢雇用継続基本給付金について給付制限を受けた場合であっても、その者がその後離職して基本手当を受ける場合、高年齢雇用継続基本給付金について不正受給等をしたことを理由として、基本手当について給付制限は受けない。

⑯ 介護休業給付

267 □□□ （易）   H27.6-オ

短期雇用特例被保険者は、育児休業給付金及び介護休業給付金を受けることができない。

268 □□□ （易）   H27.6-ア

介護休業給付金は、一般被保険者又は高年齢被保険者が、厚生労働省令で定めるところにより、対象家族を介護するための休業をした場合において、当該休業を開始した日前2年間に、みなし被保険者期間が通算し12か月以上であったときに、支給単位期間について支給される。

269 □□□ （普通）   H30.6-B

介護休業給付の対象家族たる父母には養父母が含まれない。

270 □□□ （普通）   H27.6-ウ

介護休業をした一般被保険者にその雇用する事業主から支給単位期間に賃金を支払われた場合、当該賃金の額に当該支給単位期間における介護休業給付金の額を加えて得た額が休業開始時賃金日額に支給日数を乗じて得た額の100分の80に相当する額であるときは、当該合算額から当該賃金の額を減じて得た額が介護休業給付金の額となる。

271 □□□ （易）   H30.6-A

被保険者が介護休業給付金の支給を受けたことがある場合、同一の対象家族について当該被保険者が3回以上の介護休業をした場合における3回目以後の介護休業については、介護休業給付金を支給しない。

272 □□□ （易）   H30.6-C

被保険者が介護休業給付金の支給を受けたことがある場合、同一の対象家族について当該被保険者がした介護休業ごとに、当該介護休業を開始した日から当該介護休業を終了した日までの日数を合算して得た日数が60日に達した日後の介護休業については、介護休業給付金を支給しない。

○ 267
必修基本書 労働科目……443、448p

（法61条の4第1項、法61条の7第1項）本肢のとおりである。

○ 268
必修基本書 労働科目……443p

（法61条の4項1項）本肢のとおりである。なお、介護休業を開始した日前2年間に疾病、負傷その他厚生労働省令で定める理由により引き続き30日以上賃金の支払を受けることができなかった場合には、当該理由により賃金の支払を受けることができなかった日数を2年に加算した期間（その期間が4年を超えるときは、4年）に、みなし被保険者期間が12箇月以上あれば、他の要件を満たすことにより、介護休業給付金が支給される。

× 269
必修基本書 労働科目……443p

（法61条の4第1項、則101条の17、行政手引59802）介護休業給付の対象家族たる父母には、養父母が「含まれる」。

× 270
必修基本書 労働科目……444～445p

（法61条の4第5項、法附則12条）支給単位期間に支払われた賃金の額が、休業開始時賃金日額に支給日数を乗じて得た額の100分の13に相当する額以下であれば、介護休業給付金は減額調整されない。そして、介護休業給付金の額は、休業開始時賃金日額に支給日数を乗じて得た額の100分の67に相当する額である。そうすると、本肢の場合、支給単位期間に支払われた賃金の額は、休業開始時賃金日額に支給日数を乗じて得た額の100分の13（＝100分の80－100分の67）に相当する額であるから、介護休業給付金は減額調整されずに支給される。

× 271
必修基本書 労働科目……443p

（法61条の4第6項）被保険者が介護休業給付金を受けたことがある場合、同一の対象家族について当該被保険者が「4回以上」の介護休業をした場合における「4回目以後」の介護休業については、介護休業給付金は支給されない。

× 272
必修基本書 労働科目……444p

（法61条の4第6項）被保険者が介護休業給付金を受けたことがある場合、同一の対象家族について当該被保険者がした介護休業ごとに、当該介護休業を開始した日から当該介護休業を終了した日までの日数を合算した日数が「93日」に達した日後の介護休業については、介護休業給付金は支給されない。

273 ▢▢▢ 難   H30.6-D

派遣労働者に係る労働者派遣の役務を受ける者が当該派遣労働者につき期間を定めて雇い入れた場合、当該派遣労働者であった者について派遣先に派遣されていた期間は、介護休業給付金を受けるための要件となる同一の事業主の下における雇用実績とはなり得ない。

274 ▢▢▢ 普通   H30.6-E

介護休業給付金の支給を受けた者が、職場に復帰後、他の対象家族に対する介護休業を取得する場合、先行する対象家族に係る介護休業取得回数にかかわらず、当該他の対象家族に係る介護休業開始日に受給資格を満たす限り、これに係る介護休業給付金を受給することができる。

275 ▢▢▢ 普通   R元.4-B

介護休業給付関係手続については、介護休業給付金の支給を受けようとする被保険者を雇用する事業主の事業所の所在地を管轄する公共職業安定所において行う。

276 ▢▢▢ 普通   H27.6-エ

介護休業給付金の支給を受けようとする者は、やむを得ない理由がなければ、当該休業を終了した日の翌日から起算して2か月を経過する日の属する月の末日までに事業主を経由してその事業所の所在地を管轄する公共職業安定所長に支給申請しなければならない。

| ✕ | **273** | 必修基本書……該当ページなし |

（則101条の16第1項ほか）本肢の場合における介護休業給付金を受けるための要件として、「同一の事業主の下における雇用実績」というものはない。なお、出題当時においては、被保険者が期間を定めて雇用される者である場合における介護休業給付金を受けるための要件の1つとして、「休業開始時において同一事業主の下で1年以上雇用が継続していること」があったが、改正により削除された。

| ○ | **274** | 必修基本書……該当ページなし |

（法61条の4第1項・6項）本肢のとおりである。

| ○ | **275** | 必修基本書 労働科目……446p |

（則101条の19第1項、行政手引59804(4)）本肢のとおりである。

| ○ | **276** | 必修基本書 労働科目……446p |

（則101条の19）本肢のとおりである。なお、やむを得ない理由がある場合は、本肢の支給申請書を事業主を経由しないことができる。

⑰ 育児休業等給付

277 ☐☐☐ 普通　　　　　　　　　　　　　　　　　　H29.6-A

期間を定めて雇用される者（短期雇用特例被保険者及び日雇労働被保険者を除く）が、その養育する子が1歳6か月（育児休業期間をその子が2歳に達するまで延長する場合は、2歳）に達する日までに、その労働契約（契約が更新される場合にあっては、更新後のもの）が満了することが明らかでない場合は、他の要件を満たす限り育児休業給付金を受給することができる。

278 ☐☐☐ 易　　　　　　　　　　　　　　　　　　　R4.6-ア

保育所等における保育が行われない等の理由により育児休業に係る子が1歳6か月に達した日後の期間について、休業することが雇用の継続のために特に必要と認められる場合、延長後の対象育児休業の期間はその子が1歳9か月に達する日の前日までとする。なお、本問において「対象育児休業」とは、育児休業給付金の支給対象となる育児休業をいう。

279 ☐☐☐ 易　　　　　　　　　　　　　　　　　　　R4.6-オ

育児休業（当該子について2回以上の育児休業をした場合にあっては、初回の育児休業とする。）を開始した日前2年間のうち1年間事業所の休業により引き続き賃金の支払を受けることができなかった場合、育児休業開始日前3年間に通算して12か月以上のみなし被保険者期間があれば、他の要件を満たす限り育児休業給付金が支給される。

280 ☐☐☐ 普通　　　　　　　　　　　　　　　　　　H29.6-C

育児休業給付金を受給している被保険者が労働基準法第65条第1項の規定による産前休業をした場合、原則として、育児休業給付金を受給することができなくなる。

281 ☐☐☐ 難　　　　　　　　　　　　　　　　　　　R4.6-ウ

産後6週間を経過した被保険者の請求により産後8週間を経過する前に産後休業を終了した場合、その後引き続き育児休業を取得したときには、当該産後休業終了の翌日から対象育児休業となる。なお、本問において「対象育児休業」とは、育児休業給付金の支給対象となる育児休業をいう。

○ **277**　　　　　　　　　　　　必修基本書……該当ページなし

（則101条の22第1項4号）本肢のとおりである。

× **278**　　　　　　　　　必修基本書 労働科目……448〜449p

（法61条の7第1項、行政手引59503）本肢の延長後の対象育児休業の期間は、当該育児休業に係る子が「2歳に達する日の前日までの期間を限度に」対象育児休業と取り扱うものとされている。なお、延長事由が要件に該当する場合であっても、延長された育児休業の期間の末日が子が2歳に達する日の前日までに到来する場合は、当該延長期間の末日までが対象育児休業として取り扱われることとなる（行政手引59609）。

○ **279**　　　　　　　　　必修基本書 労働科目……448〜449p

（法61条の7第1項、則101条の29）本肢のとおりである。育児休業（当該子について2回以上の育児休業をした場合にあっては、初回の育児休業）の開始日前2年間に疾病、負傷その他厚生労働省令で定める理由（出産、事業所の休業等）により引き続き30日以上賃金の支払を受けることができなかった被保険者については、当該理由により賃金の支払を受けることができなかった日数を2年に加算した期間（その期間が4年を超えるときは4年間）にみなし被保険者期間が通算して12月以上あれば、他の要件を満たす限り育児休業給付金が支給される。

○ **280**　　　　　　　　　　　　必修基本書……該当ページなし

（則101条の22第1項3号）本肢のとおりである。

× **281**　　　　　　　　　　　　必修基本書……該当ページなし

（行政手引59503）産後休業は対象育児休業には含まれないこととされているが、産後6週間を経過した被保険者の請求により産後8週間を経過する前に産後休業を終了しその後引き続き育児休業を取得した場合であっても、産後8週間を経過するまでは産後休業とみなされる。したがって、本肢の場合、「産後8週間を経過した後から対象育児休業となる」。

282 ▢▢▢ 難　　　　　　　　　　　　　　　　　　　　R4.6-イ

育児休業期間中に育児休業給付金の受給資格者が一時的に当該事業主の下で就労する場合、当該育児休業の終了予定日が到来しておらず、事業主がその休業の取得を引き続き認めていても、その後の育児休業は対象育児休業とならない。なお、本問において「対象育児休業」とは、育児休業給付金の支給対象となる育児休業をいう。

283 ▢▢▢ 普通　　　　　　　　　　　　　　　　　　　　R3.7-E

対象育児休業を行った労働者が2回目の対象育児休業終了後に配偶者（婚姻の届出をしていないが、事実上婚姻関係と同様の事情にある者を含む。）が死亡したことによって同一の子について3回目の育児休業を取得した場合、子が満1歳に達する日以前であっても、育児休業給付金の支給対象となることはない。

284 ▢▢▢ 普通　　　　　　　　　　　　　　　　　　　　R4.6-エ

育児休業の申出に係る子が1歳に達した日後の期間について、児童福祉法第39条に規定する保育所等において保育を利用することができないが、いわゆる無認可保育施設を利用することができる場合、他の要件を満たす限り育児休業給付金を受給することができる。

285 ▢▢▢ 難　　　　　　　　　　　　　　　　　　　　R3.7-A

特別養子縁組の成立のための監護期間に係る育児休業給付金の支給につき、家庭裁判所において特別養子縁組の成立を認めない審判が行われた場合には、家庭裁判所に対して特別養子縁組を成立させるための請求を再度行わない限り、その決定日の前日までが育児休業給付金の支給対象となる。

× **282**　　　　　　　　　　　　　　　　必修基本書……該当ページなし

（則101条の22第1項、行政手引59503）育児休業期間中に受給資格者が一時的に当該事業主の下で就労する場合は、当該育児休業の終了予定日が到来しておらず、事業主がその休業の取得を引き続き認めていれば、その後の育児休業についても「対象育児休業となる」。

× **283**　　　　　　　　　　　　　必修基本書 労働科目……448〜449p

（則101条の29の2第1号）本肢の場合は3回目の育児休業の取得が認められるため、他の要件を満たす限り、育児休業給付金が支給される。

○ **284**　　　　　　　　　　　　　　　　必修基本書……該当ページなし

（行政手引59601、行政手引59603）本肢のとおりである。保育所等における保育が行われない等の理由により育児休業に係る子が1歳に達する日後の期間についても育児休業を取得する場合には、対象育児休業期間が延長されることとなるが、この場合の「保育所等」とは、児童福祉法39条に規定する保育所、就学前の子どもに関する教育、保育等の総合的な提供の推進に関する法律2条6項に規定する認定こども園又は児童福祉法24条2項に規定する家庭的保育事業等をいうものであり、このいずれにも、いわゆる無認可保育施設は含まれない。したがって、本肢の場合、「保育所等における保育が行われない等の理由に該当する」ため、他の要件を満たす限り、育児休業給付金を受給することができる。

○ **285**　　　　　　　　　　　　　　　　必修基本書……該当ページなし

（行政手引59543）本肢のとおりである。

286 □□□ 普通 R5.6-D

令和3年10月1日、初めて一般被保険者として雇用され、継続して週5日勤務していた者が、令和5年11月1日産前休業を開始した。同年12月9日第1子を出産し、翌日より令和6年2月3日まで産後休業を取得した。翌日より育児休業を取得し、同年5月4日職場復帰した。その後同年6月10日から再び育児休業を取得し、同年8月10日職場復帰した後、同年11月9日から同年12月8日まで雇用保険法第61条の7第2項の厚生労働省令で定める場合に該当しない3度目の育児休業を取得して翌日職場復帰した。この場合の第1子に係る育児休業給付金の支給単位期間の合計月数は、5か月である。

287 □□□ 普通 R3.7-B

育児休業給付金に係る休業開始時賃金日額は、その雇用する被保険者に育児休業を開始した日前の賃金締切日からその前の賃金締切日翌日までの間に賃金支払基礎日数が11日以上ある場合、支払われた賃金の総額を30で除して得た額で算定される。なお、本肢の被保険者には、短期雇用特例被保険者及び日雇労働被保険者を含めないものとする。

288 □□□ 普通 R3.7-C

育児休業をした被保険者に当該被保険者を雇用している事業主から支給単位期間に賃金が支払われた場合において、当該賃金の額が休業開始時賃金日額に支給日数を乗じて得た額の100分の50に相当する額であるときは、育児休業給付金が支給されない。なお、本肢の被保険者には、短期雇用特例被保険者及び日雇労働被保険者を含めないものとする。

289 □□□ 普通 H29.6-E

育児休業給付金の受給資格者が休業中に事業主から賃金の支払を受けた場合において、当該賃金の額が休業開始時賃金日額に支給日数を乗じて得た額の80%に相当する額以上であるときは、当該賃金が支払われた支給単位期間について、育児休業給付金を受給することができない。

○ 286
必修基本書 労働科目……452p

（法61条の7第2項・5項）本肢のとおりである。育児休業給付に係る「支給単位期間」とは、育児休業をした期間を、当該育児休業を開始した日又は休業開始応当日から各翌月の休業開始応当日の前日（当該育児休業を終了した日の属する月にあっては、当該育児休業を終了した日）までの各期間に区分した場合における当該区分による一の期間をいう。また、被保険者が同一の子について3回以上の育児休業（厚生労働省令で定める場合に該当するものを除く）をした場合における3回目以後の育児休業については、育児休業給付金は支給されないこととされている。したがって、令和6年2月4日から同年5月3日までの育児休業（3か月）及び令和6年6月10日から同年8月9日までの育児休業（2か月）が支給単位期間となるため、支給単位期間の合計月数は「5か月」となる。なお、令和6年11月9日から同年12月8日までの育児休業は、厚生労働省令で定める場合に該当しない3回目以後の育児休業のため、支給単位期間とならない。

× 287
必修基本書 労働科目……451～453p

（行政手引59353）休業開始時賃金日額の算定に当たっては、基本手当の場合と同様に賃金締切日「の翌日から次の賃金締切日まで」の間を1か月として算定し、当該1か月に賃金支払基礎日数が11日以上ある月を完全賃金月として、「休業開始時点から遡って直近の完全賃金月6か月の間に支払われた賃金の総額を180で除して得た額」を算定することとされている。

× 288
必修基本書 労働科目……451～453p

（法61条の7第5項）本肢の支給単位期間については、育児休業給付金が「支給される」。育児休業をした被保険者に当該被保険者を雇用している事業主から支給単位期間に賃金が支払われた場合において、当該賃金の額が休業開始時賃金日額に支給日数を乗じて得た額の「100分の80に相当する額以上」であるときは、当該賃金が支払われた支給単位期間については、育児休業給付金は支給されない。

○ 289
必修基本書 労働科目……451～453p

（法61条の7第5項）本肢のとおりである。なお、本肢の「休業開始時賃金日額」とは、育児休業給付金の支給を受けることができる被保険者を受給資格者と、当該被保険者が育児休業給付金の支給に係る育児休業を開始した日の前日を受給資格に係る離職の日とみなして算定されることとなる賃金日額に相当する額をいい、その上限額は、受給資格に係る離職の日において30 歳以上45歳未満の者に係る賃金日額の上限額である。

290 □□□ 普通

育児休業給付金の支給に係る休業の期間は、算定基礎期間に含まれない。

291 □□□ 普通

育児休業給付金の支給申請の手続は、雇用される事業主を経由せずに本人が郵送により行うことができる。

292 □□□ 普通

不正な行為により育児休業給付金の支給を受けたとして育児休業給付金に係る支給停止処分を受けた受給資格者は、新たに育児休業給付金の支給要件を満たしたとしても、新たな受給資格に係る育児休業給付金を受けることができない。

○ **290**　　　　　　　　　　　　　　　必修基本書 労働科目……454p

（法61条の7第9項）本肢のとおりである。

○ **291**　　　　　　　　　　　　　　　必修基本書 労働科目……454p

（則101条の30第1項、行政手引59504）本肢のとおりである。育児休業給付金支給申請書の提出は、原則として、**事業主**を経由して行うが、やむを得ない理由のため**事業主**を経由して当該申請書の提出を行うことが困難であるときは、**事業主**を経由しないで提出を行うことができ、この場合、郵送等により提出することができる。

× **292**　　　　　　　　　　　　　　　必修基本書 労働科目……458p

（法61条の9第2項）偽りその他不正の行為により育児休業給付の支給を受け、又は受けようとした者には、当該給付の支給を受け、又は受けようとした日以後、育児休業給付は支給されないが、当該事由により育児休業給付の支給を受けることができない者とされたものが、当該給付制限を受けることとなった日以後、新たに育児休業給付の支給要件を満たした場合には、当該新たな受給資格に係る育児休業給付は「支給される」。

⑱ 雇用保険二事業・費用の負担

293 □□□ 難　　　　　　　　　　　　　　　　　　R6.7-E

事業主が景気の変動、産業構造の変化その他の経済上の理由により、急激に事業活動の縮小を余儀なくされたことにより休業することを都道府県労働局長に届け出た場合、当該事業主は、届出の際に当該事業主が指定した日から起算して3年間雇用調整助成金を受けることができる。

294 □□□ 難　　　　　　　　　　　　　　　　　　R元.7-A

短時間休業により雇用調整助成金を受給しようとする事業主は、休業等の期間、休業等の対象となる労働者の範囲、手当又は賃金の支払の基準その他休業等の実施に関する事項について、あらかじめ事業所の労働者の過半数で組織する労働組合（労働者の過半数で組織する労働組合がないときは、労働者の過半数を代表する者。）との間に書面による協定をしなければならない。

295 □□□ 難　　　　　　　　　　　　　　　　　　R6.7-A

対象被保険者を休業させることにより雇用調整助成金の支給を受けようとする事業主は、休業の実施に関する事項について、あらかじめ当該事業所の労働者の過半数で組織する労働組合（労働者の過半数で組織する労働組合がないときは、労働者の過半数を代表する者）との間に書面による協定をしなければならない。

296 □□□ 難　　　　　　　　　　　　　　　　　　R6.7-D

対象被保険者を休業させることにより雇用調整助成金の支給を受けようとする事業主は、当該事業所の対象被保険者に係る休業等の実施の状況及び手当又は賃金の支払の状況を明らかにする書類を整備していなければならない。

297 □□□ 難　　　　　　　　　　　　　　　　　　R6.7-B

被保険者を出向させたことにより雇用調整助成金の支給を受けた事業主が当該出向の終了後6か月以内に当該被保険者を再度出向させるときは、当該事業主は、再度の出向に係る雇用調整助成金を受給することができない。

298 □□□ 難　　　　　　　　　　　　　　　　　　R6.7-C

出向先事業主が出向元事業主に係る出向対象被保険者を雇い入れる場合、当該出向先事業主の事業所の被保険者を出向させているときは、当該出向先事業主は、雇用調整助成金を受給することができない。

× 293　　　　　　　　　　　　　　　　必修基本書……該当ページなし

（則102条の3第1項）本肢の場合の雇用調整助成金を受けることができる期間（対象期間）は、原則として、都道府県労働局長への届出の際に当該事業主が指定した日から起算して「1年間」である。

○ 294　　　　　　　　　　　　　　　　必修基本書……該当ページなし

（則102条の3第1項2号イ）本肢のとおりである。なお、雇用調整助成金は、雇用安定事業の一環として、支給される（法62条）。

○ 295　　　　　　　　　　　　　　　　必修基本書……該当ページなし

（則102条の3第1項）本肢のとおりである。なお、休業等の期間、休業等の対象となる労働者の範囲、手当又は賃金の支払の基準その他休業等の実施に関する事項について、あらかじめ当該事業所の労働者の過半数で組織する労働組合（労働者の過半数で組織する労働組合がないときは、労働者の過半数を代表する者）との間に書面による協定をしなければならない。

○ 296　　　　　　　　　　　　　　　　必修基本書……該当ページなし

（則102条の3第1項）本肢のとおりである。

○ 297　　　　　　　　　　　　　　　　必修基本書……該当ページなし

（則102条の3第5項）本肢のとおりである。なお、本肢の再度の出向をさせた日の前日が、当該出向の終了の日の翌日から起算して6箇月を経過した日以後の日である場合、当該事業主は、再度の出向に係る雇用調整助成金を受給し得る。

○ 298　　　　　　　　　　　　　　　　必修基本書……該当ページなし

（則102条の3第7項）本肢のとおりである。なお、出向に係る雇用調整助成金は、他の事業主に係る出向対象被保険者を雇い入れる事業主が、当該雇入れの際に当該雇入れに係る者が従事することとなる自己の事業所の被保険者について雇入れのあっせんを行っていたとき（雇用の安定を図るための給付金であって職業安定局長が定めるものが支給される場合に限る）にも、支給しない。

299 ■■■ 難 R6.5-エ

雇用保険法施行規則第120条にいう雇用関係助成金関係規定にかかわらず、過去5年以内に偽りその他不正の行為により雇用調整助成金の支給を受けた事業主には、雇用関係助成金を支給しない。

300 ■■■ 普通 R元.7-C

雇用調整助成金は、労働保険料の納付の状況が著しく不適切である事業主に対しては、支給しない。

301 ■■■ 難 R元.7-B

キャリアアップ助成金は、特定地方独立行政法人に対しては、支給しない。

302 ■■■ 難 R元.7-D

一般トライアルコース助成金は、雇い入れた労働者が雇用保険法の一般被保険者となって3か月を経過したものについて、当該労働者を雇い入れた事業主が適正な雇用管理を行っていると認められるときに支給する。

303 ■■■ 難 H29.7-A

政府は、雇用保険二事業として、勤労者財産形成促進法第6条に規定する勤労者財産形成貯蓄契約に基づき預入等が行われた預貯金等に係る利子に必要な資金の全部又は一部の補助を行うことができる。

304 ■■■ 難 H29.7-B

政府は、雇用保険二事業として、労働関係調整法第6条に規定する労働争議の解決の促進を図るために、必要な事業を行うことができる。

○ **299**　　　　　　　　　　　　　　必修基本書……該当ページなし

（則120条の2第1項）本肢のとおりである。なお、労働保険料の納付の状況が著しく不適切である事業主についても、雇用関係助成金を支給しない。

○ **300**　　　　　　　　　　　　　　必修基本書……該当ページなし

（則120条の2）本肢のとおりである。雇用調整助成金やキャリアアップ助成金等の雇用関係助成金は、労働保険料の納付の状況が著しく不適切である事業主に対しては、支給しないものとされている。

○ **301**　　　　　　　　　　　　　　必修基本書……該当ページなし

（則120条）本肢のとおりである。雇用調整助成金やキャリアアップ助成金等の雇用関係助成金は、国、地方公共団体（一定の地方公共団体の経営する企業を除く）、行政執行法人及び特定地方独立行政法人に対しては、支給しないものとされている。

× **302**　　　　　　　　　　　　　　必修基本書……該当ページなし

（則110条の3第2項1号イ・2号）一般トライアルコース助成金は、一定の安定した職業に就くことが困難な求職者を、公共職業安定所又は職業紹介事業者等の紹介により、期間の定めのない労働契約を締結する労働者であって、1週間の所定労働時間が同一の事業所に雇用される通常の労働者の1週間の所定労働時間と同一のものとして雇い入れることを目的に、「3箇月以内の期間を定めて試行的に雇用する労働者」として雇い入れる事業主が、所定の要件を満たした場合に、「当該雇入れの期間（すなわち3箇月以内の有期雇用期間）に限り」、労働者1人につき所定の金額が支給される）。

× **303**　　　　　　　　　　　　　　必修基本書……該当ページなし

（法62条～法64条）政府が、雇用保険二事業に関して、本肢の補助を行うことができるとは法令上規定されていない。

× **304**　　　　　　　　　　　　　　必修基本書……該当ページなし

（法62条～法64条）政府が、雇用保険二事業に関して、本肢の事業を行うことができるとは法令上規定されていない。

政府は、雇用保険二事業として、職業能力開発促進法第10条の4第2項に規定する有給教育訓練休暇を与える事業主に対して、必要な助成及び援助を行うことができる。

政府は、雇用保険二事業として、季節的に失業する者が多数居住する地域において、労働者の雇用の安定を図るために必要な措置を講ずる都道府県に対して、必要な助成及び援助を行うことができる。

地方公営企業法（昭和27年法律第292号）第3章の規定の適用を受ける地方公共団体の経営する企業は、障害者職業能力開発コース助成金を受けることができない。

高年齢受給資格者は、職場適応訓練の対象となる受給資格者に含まれない。

特別育成訓練コース助成金は、一般職業訓練実施計画を提出した日の前日から起算して6か月前の日から都道府県労働局長に対する当該助成金の受給についての申請書の提出日までの間、一般職業訓練に係る事業所の労働者を、労働者の責めに帰すべき理由により解雇した事業主には支給されない。

○ 305　　　　　　　　　　　　　　　　必修基本書 労働科目……466p

（法63条1項4号）本肢のとおりである。なお、雇用保険二事業による事業又は当該事業に係る施設は、被保険者等の利用に支障がなく、かつ、その利益を害しない限り、被保険者等以外の者に利用させることができる（法65条）。

✕ 306　　　　　　　　　　　　　　　　必修基本書……該当ページなし

（法62条1項5号）政府は、雇用安定事業として、季節的に失業する者が多数居住する地域においてこれらの者を年間を通じて雇用する「事業主」に対して、必要な助成及び援助を行うことができる。

✕ 307　　　　　　　　　　　　　　　　必修基本書……該当ページなし

（則139条の3）障害者職業能力開発コース助成金は人材開発支援助成金に分類されるが、人材開発支援助成金は、国、地方公共団体（「地方公営企業法第3章の規定の適用を受ける地方公共団体の経営する企業を除く」）、行政執行法人及び特定地方独立行政法人に対しては支給されない。

✕ 308　　　　　　　　　　　　　　　　必修基本書……該当ページなし

（則130条）高年齢受給資格者は、職場適応訓練の対象となる受給資格者に「含まれる」。職場適応訓練は、受給資格者、「高年齢受給資格者」又は特例受給資格者であって、再就職を容易にするため職場適応訓練を受けることが適当であると公共職業安定所長が認めるものに対して、一定の要件を満たした事業主に委託して行うものとされている。したがって、地方公営企業法第3章の規定の適用を受ける地方公共団体の経営する企業は、所定の要件を満たす限り、障害者職業能力開発コース助成金を受けることができる。

✕ 309　　　　　　　　　　　　　　　　必修基本書……該当ページなし

（則125条5項）特別育成訓練コース助成金は、本肢の期間において、一般職業訓練に係る事業所の労働者を解雇した事業主（天災その他やむを得ない理由のために事業の継続が不可能となったこと又は「労働者の責めに帰すべき理由により解雇した事業主を除く」）には支給されないものとされており、本肢の期間において、一般職業訓練に係る事業所の労働者を労働者の責めに帰すべき理由により解雇した事業主については、本肢の助成金が「支給され得る」。

310 ☐☐☐ 難　　　　　　　　　　　　　　　　　R2.7-E

認定訓練助成事業費補助金は、職業能力開発促進法第13条に規定する事業主等（事業主にあっては中小企業事業主に、事業主の団体又はその連合団体にあっては中小企業事業主の団体又はその連合団体に限る。）が行う認定訓練を振興するために必要な助成又は援助を行う都道府県に対して交付される。

311 ☐☐☐ 易　　　　　　　　　　　　　　　　　H29.7-D

政府は、能力開発事業の全部を独立行政法人高齢・障害・求職者雇用支援機構に行わせることができる。

312 ☐☐☐ 易　　　　　　　　　　　　　　　　　H29.5-E

雇用保険法によると、高年齢求職者給付金の支給に要する費用は、国庫の負担の対象とはならない。

313 ☐☐☐ 普通　　　　　　　　　　　　　　　　H28.7-エ

国庫は、雇用継続給付（介護休業給付金に限る。）に要する費用の8分の1の額（令和6年度から令和8年度までの各年度においては、その額に100分の10に相当する額）を負担する。

314 ☐☐☐ 易　　　　　　　　　　　　　　　　　R元.7-E

国庫は、毎年度、予算の範囲内において、就職支援法事業に要する費用（雇用保険法第66条第1項第4号に規定する費用を除く。）及び雇用保険事業（出生後休業支援給付及び育児時短就業給付に係る事業を除く。）の事務の執行に要する経費を負担する。

○ **310**　　　　　　　　　　　　　　必修基本書……該当ページなし

（則123条）本肢のとおりである。

× **311**　　　　　　　　　　　　　　必修基本書 労働科目……467p

（法63条3項）政府は、能力開発事業の「一部」を独立行政法人高齢・障害・求職者雇用支援機構に行わせることができる。

○ **312**　　　　　　　　　　　　　　必修基本書 労働科目……469p

（法66条1項）本肢のとおりである。なお、本肢のほか、就職促進給付、教育訓練給付、高年齢雇用継続基本給付金並びに高年齢再就職給付金についても、国庫負担は行われない。

○ **313**　　　　　　　　　　　　必修基本書 労働科目……469〜470p

（法66条1項、法附則14条1項）本肢のとおりである。

○ **314**　　　　　　　　　　　　必修基本書 労働科目……469〜470p

（法66条5項）本肢のとおりである。なお、本肢の就職支援法事業に要する費用のうち、職業訓練受講給付金に係るものは除かれている。

315 □□□ 易 H30.7-オ

雇用安定事業について不服がある事業主は、雇用保険審査官に対して審査請求をすることができる。

316 □□□ 易 R元.3-E

公共職業安定所長によって労働の意思又は能力がないものとして受給資格が否認されたことについて不服がある者は、当該処分があったことを知った日の翌日から起算して3か月を経過するまでに、雇用保険審査官に対して審査請求をすることができる。

317 □□□ 易 R2.6-D

失業等給付等に関する処分について審査請求をしている者は、審査請求をした日の翌日から起算して3か月を経過しても審査請求についての決定がないときは、雇用保険審査官が審査請求を棄却したものとみなすことができる。

318 □□□ 易 H30.7-エ

失業等給付等に関する審査請求は、時効の完成猶予及び更新に関しては、裁判上の請求とみなされない。

319 □□□ 易 R2.6-E

雇用保険法第9条に規定する確認に関する処分が確定したときは、当該処分についての不服を当該処分に基づく失業等給付等に関する処分についての不服の理由とすることができない。

320 □□□ 難 R6.4-D

基本手当の支給を受けようとする者（未支給給付請求者を除く。）であって就職状態にあるものが管轄公共職業安定所に対して雇用保険被保険者離職票を提出した場合、当該就職状態が継続することにより基本手当の受給資格が認められなかったことについて不服があるときは、雇用保険審査官に対して審査請求をすることができる。

× **315** 必修基本書 労働科目……472〜473p

（法69条1項）雇用安定事業について不服がある事業主は、雇用保険審査官に対して審査請求をすることは「できない」。被保険者となったこと又は被保険者でなくなったことの確認、**失業等給付等**に関する処分又は不正受給に係る**失業等給付等**の返還命令若しくは納付命令についての処分以外の処分については、法69条に基づく雇用保険審査官に対する審査請求をすることはできない。

〇 **316** 必修基本書 労働科目……472〜473p

（法69条1項、労働保険審査官及び労働保険審査会法8条1項）本肢のとおりである。

〇 **317** 必修基本書 労働科目……472〜473p

（法69条2項）本肢のとおりである。なお、雇用保険審査官は、**各都道府県労働局**に置かれる（労働保険審査官及び労働保険審査会法2条の2）。

× **318** 必修基本書 労働科目……472p

（法69条3項）失業等給付等に関する審査請求は、時効の完成猶予及び更新に関しては、裁判上の請求と「みなされる」。

〇 **319** 必修基本書 労働科目……473p

（法70条）本肢のとおりである。なお、本肢の「失業等給付等」とは、**失業等給付及び育児休業等給付**をいう。

〇 **320** 必修基本書……該当ページなし

（行政手引50206ほか）本肢のとおりである。なお、本肢の場合、未支給給付請求者についても雇用保険審査官に対して審査請求をすることができる。

321 ▢▢▢ 普通 R4.7-C

厚生労働大臣は、基本手当の受給資格者について給付制限の対象とする「正当な理由がなく自己の都合によって退職した場合」に該当するかどうかの認定をするための基準を定めようとするときは、あらかじめ労働政策審議会の意見を聴かなければならない。

322 ▢▢▢ 易 R2.6-C

失業等給付等の支給を受け、又はその返還を受ける権利及び雇用保険法第10条の4に規定する不正受給による失業等給付等の返還命令又は納付命令により納付をすべきことを命ぜられた金額を徴収する権利は、この権利を行使することができることを知った時から2年を経過したときは、時効によって消滅する。

323 ▢▢▢ 易 H28.7-オ

失業等給付等を受け、又はその返還を受ける権利は、これらを行使することができる時から2年を経過したときは、時効によって消滅する。

324 ▢▢▢ 易 R4.7-B

偽りその他不正の行為により失業等給付の支給を受けた者がある場合に政府が納付をすべきことを命じた金額を徴収する権利は、これを行使することができる時から2年を経過したときは時効によって消滅する。

325 ▢▢▢ 易 H28.7-イ

市町村長は、求職者給付の支給を受ける者に対して、当該市町村の条例の定めるところにより、求職者給付の支給を受ける者の戸籍に関し、無料で証明を行うことができる。

326 ▢▢▢ 普通 R4.7-D

行政庁は、関係行政機関又は公私の団体に対して雇用保険法の施行に関して必要な資料の提供その他の協力を求めることができ、協力を求められた関係行政機関又は公私の団体は、できるだけその求めに応じなければならない。

◯ 321　　　　　　　　　　　　　　　必修基本書 労働科目……473~474p

（法33条2項、法72条1項）本肢のとおりである。なお、本肢の「正当な理由」とは、被保険者の状況（健康状態や家庭の事情等）、事業所の状況（労働条件、雇用管理の状況、経営状況等）その他からみて、その退職が**真にやむを得ない**ものであることが客観的に認められる場合をいうのであって、被保険者の主観的判断は考慮されない（行政手引52203）。

✕ 322　　　　　　　　　　　　　　　　　　必修基本書 労働科目……474p

（法74条1項）本肢の権利は、「これらの権利を行使することができる時から」2年を経過したときは、時効によって消滅する。

◯ 323　　　　　　　　　　　　　　　　　　必修基本書 労働科目……474p

（法74条）本肢のとおりである。本肢のほか、返還命令等の規定により納付をすべきことを命ぜられた金額を徴収する権利も、これらを行使することができる時から2年を経過したときは、時効によって消滅する。

◯ 324　　　　　　　　　　　　　　　　　　必修基本書 労働科目……474p

（法10条の4第1項、法74条1項）本肢のとおりである。なお、偽りその他不正の行為により育児休業等給付の支給を受けた者がある場合に政府が納付をすべきことを命じた金額を徴収する権利は、本肢と同様に、これを行使することができる時から2年を経過したときは時効によって消滅する。

◯ 325　　　　　　　　　　　　　　　　　　必修基本書……該当ページなし

（法75条）本肢のとおりである。

◯ 326　　　　　　　　　　　　　　　　　　必修基本書……該当ページなし

（法77条の2第1項・2項）本肢のとおりである。なお、行政庁は、被保険者、受給資格者等、教育訓練給付対象者又は未支給の失業等給付等の支給を請求する者に対して、雇用保険法の施行に関して必要な報告、文書の提出又は出頭を命ずることができる（法77条）。

327 □□□ 普通　　　　　　　　　　　　　　　　　　　　R2.6-A

公共職業安定所長は、傷病手当の支給を受けようとする者に対して、その指定する医師の診断を受けるべきことを命ずることができる。

328 □□□ 普通　　　　　　　　　　　　　　　　　　　　R4.7-A

雇用保険法では、疾病又は負傷のため公共職業安定所に出頭することができなかった期間が15日未満である受給資格者が失業の認定を受けようとする場合、行政庁が指定する医師の診断を受けるべきことを命じ、受給資格者が正当な理由なくこれを拒むとき、当該行為について懲役刑又は罰金刑による罰則を設けている。

329 □□□ 普通　　　　　　　　　　　　　　　　　　　　R2.6-B

公共職業安定所長は、雇用保険法の施行のため必要があると認めるときは、当該職員に、被保険者を雇用し、若しくは雇用していたと認められる事業主の事業所に立ち入り、関係者に対して質問させ、又は帳簿書類の検査をさせることができる。

330 □□□ 普通　　　　　　　　　　　　　　　　　　　　H28.7-ウ

雇用保険法第73条では、「事業主は、労働者が第8条の規定による確認の請求をしたことを理由として、労働者に対して解雇その他不利益な取扱いをしてはならない。」旨が規定されているが、事業主がこの規定に違反した場合、「1年以下の懲役又は50万円以下の罰金に処する。」と規定されている。

331 □□□ 普通　　　　　　　　　　　　　　　　　　　　R2.1-A

法人（法人でない労働保険事務組合を含む。）の代表者又は法人若しくは人の代理人、使用人その他の従業者が、その法人又は人の業務に関して、雇用保険法第7条に規定する届出の義務に違反する行為をしたときは、その法人又は人に対して罰金刑を科すが、行為者を罰することはない。

○ **327**　　　　　　　　　　　　　　　　　必修基本書……該当ページなし

（法78条）本肢のとおりである。行政庁は、求職者給付等の支給を行うため必要があると認めるときは、傷病のために公共職業安定所に出頭することができなかった場合に係る証明書による失業の認定を受け、若しくは受けようとする者、傷病により引き続き30日以上職業に就くことができないことによる受給期間の延長の申出をした者又は傷病手当の支給を受け、若しくは受けようとする者に対して、その指定する医師の診断を受けるべきことを命ずることができる。

× **328**　　　　　　　　　　　　　　　必修基本書 労働科目……474p

（法78条、法85条ほか）受給資格者が、本肢の行政庁が指定する医師の診断を受けることを命じられ当該命令を正当な理由なく拒んだ場合については、「雇用保険法の罰則は設けられていない」。その他の記述は正しい。

○ **329**　　　　　　　　　　　　　　　　　必修基本書……該当ページなし

（法79条1項）本肢のとおりである。なお、本肢の規定により、立入検査をする職員は、その身分を示す証明書を携帯し、関係者に提示しなければならない（同条2項）。

× **330**　　　　　　　　　　　　　　　必修基本書 労働科目……474p

（法73条、法83条）事業主が本肢の規定に違反した場合、「6箇月以下の懲役又は30万円以下の罰金に処する」と規定されている。

× **331**　　　　　　　　　　　　　　　必修基本書 労働科目……474p

（法86条）本肢の場合、「行為者を罰する」ほか、その法人又は人に対しても当該違反に係る罰金刑を科する。

第2編

労働保険の保険料の徴収等に関する法律

① 総則・定義

001 □□□ 易   R2.雇8-D

労働保険徴収法は、労働保険の事業の効率的な運営を図るため、労働保険の保険関係の成立及び消滅、労働保険料の納付の手続、労働保険事務組合等に関し必要な事項を定めている。

002 □□□ 易   R元.雇10-C

労働保険徴収法第2条第2項の賃金に算入すべき通貨以外のもので支払われる賃金の範囲は、労働保険徴収法施行規則第3条により「食事、被服及び住居の利益のほか、所轄労働基準監督署長又は所轄公共職業安定所長の定めるところによる」とされている。

003 □□□ 普通   R5.雇10-A

労働保険徴収法における「賃金」のうち、食事、被服及び住居の利益の評価に関し必要な事項は、所轄労働基準監督署長又は所轄公共職業安定所長が定めることとされている。

004 □□□ 普通   H29.災8-E

住居の利益は、住居施設等を無償で供与される場合において、住居施設が供与されない者に対して、住居の利益を受ける者との均衡を失しない定額の均衡手当が一律に支給されない場合は、当該住居の利益は賃金とならない。

005 □□□ 普通   H29.災8-A

労働者が在職中に、退職金相当額の全部又は一部を給与や賞与に上乗せするなど前払いされる場合は、原則として、一般保険料の算定基礎となる賃金総額に算入する。

006 □□□ 普通   H29.災8-B

遡って昇給が決定し、個々人に対する昇給額が未決定のまま離職した場合において、離職後支払われる昇給差額については、個々人に対して昇給をするということ及びその計算方法が決定しており、ただその計算の結果が離職時までにまだ算出されていないというものであるならば、事業主としては支払義務が確定したものとなるから、賃金として取り扱われる。

○ 001 必修基本書 労働科目……483p

（法1条）本肢のとおりである。なお、労働保険とは**労働者災害補償保険及び雇用保険**を総称したものである（法2条1項）。

○ 002 必修基本書 労働科目……484p

（則3条）本肢のとおりである。なお、賃金のうち通貨以外のもので支払われるものの評価に関し必要な事項は、**厚生労働大臣**が定める（法2条3項）。

× 003 必修基本書 労働科目……484p

（法2条3項）賃金のうち通貨以外のもので支払われるものの評価に関し必要な事項は、「**厚生労働大臣**」が定める。

○ 004 必修基本書……該当ページなし

（法2条2項ほか）本肢のとおりである。労働者が業務に従事するため支給する作業衣又は業務上着用することを条件として支給し、若しくは貸与する被服の利益は、労働保険徴収法上の賃金に該当しない（昭23.2.20基発297号）。

○ 005 必修基本書 労働科目……484p

（平15.10.1基徴発1001002号）本肢のとおりである。いわゆる前払い退職金は、**労働の対償**としての性格が明確であり、労働者の通常の生計にあてられる**経常的な収入**としての意義を有することから、原則として、一般保険料の算定基礎となる賃金総額に算入する。

○ 006 必修基本書 労働科目……484p

（昭32.12.27失保収652号）本肢のとおりである。なお、年次有給休暇中の賃金についても、労働保険徴収法上の賃金とされている。

労働者の退職後の生活保障や在職中の死亡保障を行うことを目的として事業主が労働者を被保険者として保険会社と生命保険等厚生保険の契約をし、会社が当該保険の保険料を全額負担した場合の当該保険料は、賃金とは認められない。

労働者が賃金締切日前に死亡したため支払われていない賃金に対する保険料は、徴収しない。

健康保険法第99条の規定に基づく傷病手当金について、標準報酬の6割に相当する傷病手当金が支給された場合において、その傷病手当金に付加して事業主から支給される給付額は、恩恵的給付と認められる場合には、一般保険料の額の算定の基礎となる賃金総額に含めない。

労働者が業務外の疾病又は負傷により勤務に服することができないため、事業主から支払われる手当金は、それが労働協約、就業規則等で労働者の権利として保障されている場合は、一般保険料の額の算定の基礎となる賃金総額に含めるが、単に恩恵的に見舞金として支給されている場合は当該賃金総額に含めない。

法人の取締役であっても、法令、定款等の規定に基づいて業務執行権を有しないと認められる者で、事実上、業務執行権を有する役員等の指揮監督を受けて労働に従事し、その対償として賃金を受けている場合には労災保険が適用されるため、当該取締役が属する事業場に係る労災保険料は、当該取締役に支払われる賃金（法人の機関としての職務に対する報酬を除き、一般の労働者と同一の条件の下に支払われる賃金のみをいう。）を算定の基礎となる賃金総額に含めて算定する。

○ **007**　　　　　　　　　　　　　　　　必修基本書 労働科目……484p

（昭30.3.31基災収1239号）本肢のとおりである。なお、健康保険法に規定されている傷病手当金は、健康保険の給付金であって、賃金とは認められない。

✕ **008**　　　　　　　　　　　　　　　　　　　必修基本書……該当ページなし

（昭32.12.27失保収652号）労働者の賃金債権は、債務の履行としての労働の提供を行ったときに発生するものであり、労働者が死亡した場合、死亡前の労働の対償としての賃金の支払義務は死亡時に確立しているから、本肢の場合、当該賃金に対する保険料を「徴収する」ものとされている。

○ **009**　　　　　　　　　　　　　　　　必修基本書 労働科目……484p

（昭24.6.14基災収3850号ほか）本肢のとおりである。傷病手当金に付加して事業主から支給される給付額は、恩恵的給付と認められる場合には賃金とは認められず、一般保険料の額の算定の基礎となる賃金総額に含めない。なお、健康保健法の規定に基づく傷病手当金は、健康保険の給付金であって賃金とは認められない。

○ **010**　　　　　　　　　　　　　　　　必修基本書 労働科目……484p

（昭24.6.14基災収3850号）本肢のとおりである。なお、労働基準法の規定に基づく休業補償は、労働不能による賃金喪失に対する補償であり、**労働の対償**ではないので、賃金とは認められない（昭25.12.27基収3432号）。

○ **011**　　　　　　　　　　　　　　　　必修基本書 労働科目……484p

（昭34.1.26基発48号）本肢のとおりである。なお、「賃金総額」とは、事業主がその事業に使用するすべての労働者に支払う賃金の総額をいい、賃金総額に1,000円未満の端数があるときは、その端数は切り捨てる（法11条2項、則11条2号かっこ書）。

都道府県に準ずるもの及び市町村に準ずるものの行う事業については、労災保険に係る保険関係と雇用保険に係る保険関係の双方を一の事業についての労働保険の保険関係として取り扱い、一般保険料の算定、納付等の手続を一元的に処理する事業として定められている。

（法39条1項、則70条）都道府県に準ずるもの及び市町村に準ずるものの行う事業については、これらの事業を労災保険に係る保険関係及び雇用保険に係る保険関係ごとに「別個の事業」とみなすいわゆる二元適用事業に該当する。

徴収法

❶ 総則・定義

013 ▢▢▢ 易   H27.災9-A

建設の有期事業を行う事業主は、当該事業に係る労災保険の保険関係が成立した場合には、その成立した日の翌日から起算して10日以内に保険関係成立届を所轄労働基準監督署長に提出しなければならない。

014 ▢▢▢ 普通   R3.災8-A

労災保険暫定任意適用事業に該当する事業が、事業内容の変更（事業の種類の変化）、使用労働者数の増加、経営組織の変更等により、労災保険の適用事業に該当するに至ったときは、その該当するに至った日の翌日に、当該事業について労災保険に係る保険関係が成立する。

015 ▢▢▢ 易   H27.災8-E

農業の事業で、労災保険暫定任意適用事業に該当する事業が、使用労働者数の増加により労災保険法の適用事業に該当するに至った場合には、その日に、当該事業につき労災保険に係る労働保険の保険関係が成立する。

016 ▢▢▢ 易   R6.雇8-A

雇用保険暫定任意適用事業に該当する事業が雇用保険法第5条第1項の適用事業に該当するに至った場合は、その該当するに至った日から10日以内に労働保険徴収法第4条の2に規定する保険関係成立届を所轄労働基準監督署長又は所轄公共職業安定所長に提出することによって、その事業につき雇用保険に係る保険関係が成立する。

017 ▢▢▢ 普通   H28.雇8-A

一元適用事業であって労働保険事務組合に労働保険事務の処理を委託しないもの（雇用保険にかかる保険関係のみが成立している事業を除く。）に関する保険関係成立届の提出先は、所轄労働基準監督署長である。

018 ▢▢▢ 普通   H28.雇8-B

一元適用事業であって労働保険事務組合に労働保険事務の処理を委託するものに関する保険関係成立届の提出先は、所轄公共職業安定所長である。

○ **013**　　　　　　　　　　　　　必修基本書 労働科目……488p

（法4条の2第1項、則4条2項ほか）本肢のとおりである。なお、保険関係成立届の届出期限は、継続事業も有期事業も同様に10日以内（翌日起算）とされている。

× **014**　　　　　　　　　　　　　必修基本書 労働科目……488p

（法3条、整備法7条）本肢の場合、労災保険の適用事業に該当するに「至った日」に労災保険に係る保険関係が成立する。

○ **015**　　　　　　　　　　　　　必修基本書 労働科目……490p

（法3条、整備法7条）本肢のとおりである。なお、雇用保険暫定任意適用事業に該当する事業が労働者数の増加により雇用保険法の適用事業に該当するに至った場合にも、その日に当該事業につき雇用保険に係る労働保険の保険関係が成立する（法4条、法附則3条）。

× **016**　　　　　　　　　　　　　必修基本書 労働科目……488p

（法4条）雇用保険暫定任意適用事業に該当する事業が雇用保険法5条1項の強制適用事業に該当するに至った場合は、保険関係成立届の届出の有無にかかわらず、「強制適用事業に該当するに至った日」に雇用保険に係る保険関係が成立する。

○ **017**　　　　　　　　　　　　　必修基本書 労働科目……489p

（則4条2項ほか）本肢のとおりである。なお、二元適用事業で労災保険に係る保険関係が成立している事業に関する保険関係成立届の提出先についても、所轄労働基準監督署長とされている。

○ **018**　　　　　　　　　　　　　必修基本書 労働科目……489p

（則4条2項ほか）本肢のとおりである。なお、一元適用事業で労働保険事務組合に労働保険事務の処理を委託していない事業のうち、雇用保険に係る保険関係のみが成立している事業に関する保険関係成立届の提出先についても、所轄公共職業安定所長とされている。

019 □□□ 普通　　　　　　　　　　　　　　　　　　R元.災10-ア

一元適用事業であって労働保険事務組合に事務処理を委託しないもののうち雇用保険に係る保険関係のみが成立する事業は、保険関係成立届を所轄公共職業安定所長に提出することとなっている。

020 □□□ 普通　　　　　　　　　　　　　　　　　　　R6.雇8-C

保険関係が成立している事業の事業主は、事業主の氏名又は名称及び住所に変更があったときは、変更を生じた日の翌日から起算して10日以内に、労働保険徴収法施行規則第5条第2項に規定する事項を記載した届書を所轄労働基準監督署長又は所轄公共職業安定所長に提出することによって行わなければならない。

021 □□□ 普通　　　　　　　　　　　　　　　　　　R4.雇10-C

事業の期間が予定されており、かつ、保険関係が成立している事業の事業主は、当該事業の予定されている期間に変更があったときは、その変更を生じた日の翌日から起算して10日以内に、①労働保険番号、②変更を生じた事項とその変更内容、③変更の理由、④変更年月日を記載した届書を所轄労働基準監督署長又は所轄公共職業安定所長に提出することによって届け出なければならない。

022 □□□ 普通　　　　　　　　　　　　　　　　　　H29.災9-D

労働保険の保険関係が成立している事業の法人事業主は、その代表取締役に異動があった場合には、その氏名について変更届を所轄労働基準監督署長又は所轄公共職業安定所長に提出しなければならない。

023 □□□ 普通　　　　　　　　　　　　　　　　　　R元.災10-オ

労働保険の保険関係が成立した事業の事業主は、その成立した日から10日以内に、法令で定める事項を政府に届け出ることとなっているが、有期事業にあっては、事業の予定される期間も届出の事項に含まれる。

（則1条1項ほか）本肢のとおりである。なお、一元適用事業であって労働保険事務組合に事務処理を委託しない事業（雇用保険に係る保険関係のみが成立する事業を除く）は、保険関係成立の届出を所轄労働基準監督署長に提出することとなっている。

（法4条の2第2項、則5条2項）本肢のとおりである。なお、所轄労働基準監督署長又は所轄公共職業安定所長は、本肢の届書が提出されたときであって、必要と認めるときには、事業主に対し、登記事項証明書その他の所定の事項を確認できる書類の提出を求めることができる（則5条3項）。

（法4条の2第2項、則5条2項）本肢のとおりである。なお、所轄労働基準監督署長又は所轄公共職業安定所長は、本肢の届出が提出されたときであって、必要と認めるときには、事業主に対し、登記事項証明書その他の所定の事項を確認できる書類の提出を求めることができる（則5条3項）。

（法4条の2第2項、則5条）法人の代表取締役に異動があった場合において、その氏名について「変更届を提出する必要はない」。

（法4条の2、則4条1項）本肢のとおりである。なお、保険関係成立届の届出事項は、①保険関係が成立した日、②事業主の氏名又は名称、③事業の種類、④事業の行われる場所、⑤事業の名称、⑥事業の概要、⑦事業主の住所又は所在地、⑧事業に係る労働者数、⑨有期事業にあっては、事業の予定される期間、⑩建設の事業にあっては、原則として、当該事業に係る請負金額（消費税等相当額を除く）並びに発注者の氏名又は名称及び住所又は所在地、⑪立木の伐採の事業にあっては、素材の見込生産量、⑫事業主が法人番号を有する場合には、当該事業主の法人番号とされている。

024 ▮▮▮ 普通 　　　　　　　　　　　　　　　R元.災10-イ

建設の事業に係る事業主は、労災保険に係る保険関係が成立するに至ったときは労災保険関係成立票を見やすい場所に掲げなければならないが、当該事業を一時的に休止するときは、当該労災保険関係成立票を見やすい場所から外さなければならない。

025 ▮▮▮ 易 　　　　　　　　　　　　　　　　R3.災8-B

労災保険に任意加入しようとする任意適用事業の事業主は、任意加入申請書を所轄労働基準監督署長を経由して所轄都道府県労働局長に提出し、厚生労働大臣の認可があった日の翌日に、当該事業について労災保険に係る保険関係が成立する。

026 ▮▮▮ 易 　　　　　　　　　　　　　　　　R4.雇10-A

雇用保険法第6条に該当する者を含まない4人の労働者を雇用する民間の個人経営による農林水産の事業（船員が雇用される事業を除く。）において、当該事業の労働者のうち2人が雇用保険の加入を希望した場合、事業主は任意加入の申請をし、認可があったときに、当該事業に雇用される者全員につき雇用保険に加入することとなっている。

027 ▮▮▮ 易 　　　　　　　　　　　　　　　　H27.災8-B

農業の事業で、民間の個人事業主が労災保険の任意加入の申請を行うためには、任意加入申請書に労働者の同意を得たことを証明する書類を添付して、所轄都道府県労働局長に提出しなければならない。

028 ▮▮▮ 易 　　　　　　　　　　　　　　　　H27.災8-C

農業の事業で、民間の個人事業主が労災保険の任意加入の申請を行った場合、所轄都道府県労働局長の認可があった日の翌日に、その事業につき労災保険に係る労働保険の保険関係が成立する。

029 ▮▮▮ 普通 　　　　　　　　　　　　　　　H27.災8-A

農業の事業で、労働者を常時4人使用する民間の個人事業主は、使用する労働者2名の同意があるときには、労災保険の任意加入の申請をしなければならない。

× 024　　　　　　　　　　　　　　　　必修基本書 労働科目……489p

（則77条）労災保険に係る保険関係が成立している事業のうち建設の事業に係る事業主は、労災保険関係成立票を見やすい場所に掲げなければならないものとされているが、「当該事業を一時的に休止する場合に当該成立票を外さなければならないという本肢後段のような規定は設けられていない」。

× 025　　　　　　　　　　　　　　　　必修基本書 労働科目……490p

（整備法5条1項）本肢の場合、厚生労働大臣の「認可があった日」に労災保険に係る保険関係が成立する。

○ 026　　　　　　　　　　　　　　　　必修基本書 労働科目……490〜491p

（法附則2条1項・3項ほか）本肢のとおりである。雇用保険暫定任意適用事業の事業主が任意加入の認可を受けた場合には、雇用保険の被保険者となることを希望しない者についても、当該認可があった日に、原則として被保険者となる。

× 027　　　　　　　　　　　　　　　　必修基本書 労働科目……490〜491p

（整備法5条1項、2項ほか）労災保険の任意加入の申請に関しては、労働者の「同意書の添付は不要」である。労災保険に関しては労働者の保険料負担がないため事業主の判断だけで当該申請を行うことができる。

× 028　　　　　　　　　　　　　　　　必修基本書 労働科目……490〜491p

（整備法5条1項ほか）労災保険暫定任意適用事業の事業主が労災保険の任意加入の申請を行い所轄都道府県労働局長（厚生労働大臣から権限委任）の認可があった場合、「その日」に保険関係は成立する。なお、雇用保険暫定任意適用事業の事業主が雇用保険の任意加入の申請をした場合も、同様である（法附則2条1項）。

× 029　　　　　　　　　　　　　　　　必修基本書 労働科目……490〜491p

（整備法5条2項）労災保険暫定任意適用事業の事業主は、その事業に使用される労働者の「過半数が希望する」ときは、労災保険の任意加入の申請をしなければならない。本肢の場合の過半数は3人以上である。

030 ■■■ 易 R元.災10-ウ

労災保険暫定任意適用事業の事業主が、その事業に使用される労働者の同意を得ずに労災保険に任意加入の申請をした場合、当該申請は有効である。

031 ■■■ 普通 H29.災9-C

労災保険暫定任意適用事業の事業主は、その事業に使用される労働者の過半数が希望するときは、労災保険の任意加入の申請をしなければならず、この申請をしないときは、6箇月以下の懲役又は30万円以下の罰金に処せられる。

032 ■■■ 普通 H28.雇8-C

雇用保険暫定任意適用事業の事業主が雇用保険の加入の申請をする場合において、当該申請に係る厚生労働大臣の認可権限は都道府県労働局長に委任されているが、この任意加入申請書は所轄公共職業安定所長を経由して提出する。

033 ■■■ 易 H29.災9-B

労災保険の適用事業が、使用労働者数の減少により、労災保険暫定任意適用事業に該当するに至ったときは、その翌日に、その事業につき所轄都道府県労働局長による任意加入の認可があったものとみなされる。

034 ■■■ 普通 R4.雇10-B

雇用保険の適用事業に該当する事業が、事業内容の変更、使用労働者の減少、経営組織の変更等により、雇用保険暫定任意適用事業に該当するに至ったときは、その翌日に、自動的に雇用保険の任意加入の認可があったものとみなされ、事業主は雇用保険の任意加入に係る申請書を所轄公共職業安定所長を経由して所轄都道府県労働局長に改めて提出することとされている。

○ 030　　　　　　　　　　　　必修基本書 労働科目……490〜491p

（整備法5条1項）本肢のとおりである。労災保険暫定任意適用事業についての労災保険に係る保険関係の成立の要件に、労働者の同意は必要とされていない。

× 031　　　　　　　　　　　　必修基本書 労働科目……490〜491p

（整備法5条2項ほか）労災保険暫定任意適用事業の事業主は、その事業に使用される労働者の過半数が希望するときは、労災保険の任意加入の申請をしなければならないが、当該事業主が当該申請をしないときであっても、「罰則の規定は設けられていない」。その他の記述については正しい。なお、雇用保険暫定任意適用事業の事業主が、その事業に使用される労働者の2分の1以上が希望するにもかかわらず、雇用保険の任意加入の申請しないときは、当該事業主は、6箇月以下の懲役又は30万円以下の罰金に処せられる（法附則7条1項）。また、雇用保険暫定任意適用事業の事業主は、その使用する労働者が当該事業場に係る雇用保険関係の成立を希望したことを理由として、当該労働者に対して解雇その他不利益な取扱いをしてはならず、これに違反した事業主は、6箇月以下の懲役又は30万円以下の罰金に処せられる（法附則7条1項）。

○ 032　　　　　　　　　　　　必修基本書 労働科目……490〜491p

（則附則1条の3、則78条1項2号）本肢のとおりである。なお、本肢の任意加入の申請は、その事業に使用される労働者の2分の1以上の同意を得なければ行うことができない（法附則2条2項）。

○ 033　　　　　　　　　　　　必修基本書 労働科目……491p

（整備法5条3項、同法8条の2ほか）本肢のとおりである。なお、本肢の認可に係る権限については、厚生労働大臣から所轄都道府県労働局長に委任されている。

× 034　　　　　　　　　　　　必修基本書 労働科目……491p

（法附則2条4項）本肢の場合、雇用保険暫定任意適用事業に該当するに至った日の翌日に、雇用保険の任意加入に係る厚生労働大臣の認可があったものとみなされるため、「事業主は改めて任意加入申請書を提出する必要はない」。

035 易 H29.災9-A

労働保険の保険関係が成立している事業の事業主は、当該事業を廃止したときは、当該事業に係る保険関係廃止届を所轄労働基準監督署長又は所轄公共職業安定所長に提出しなければならず、この保険関係廃止届が受理された日の翌日に、当該事業に係る労働保険の保険関係が消滅する。

036 易 R6.雇8-E

雇用保険法第5条第1項の適用事業及び雇用保険に係る保険関係が成立している雇用保険暫定任意適用事業の保険関係は、当該事業が廃止され、又は終了したときは、その事業についての保険関係は、その日に消滅する。

037 易 R3.災8-D

労災保険に係る保険関係の消滅を申請しようとする労災保険暫定任意適用事業の事業主は、保険関係消滅申請書を所轄労働基準監督署長を経由して所轄都道府県労働局長に提出し、厚生労働大臣の認可があった日の翌日に、当該事業についての保険関係が消滅する。

038 普通 R3.災8-C

労災保険に加入する以前に労災保険暫定任意適用事業において発生した業務上の傷病に関して、当該事業が労災保険に加入した後に事業主の申請により特例として行う労災保険の保険給付が行われることとなった労働者を使用する事業である場合、当該保険関係が成立した後1年以上経過するまでの間は脱退が認められない。

039 易 R6.雇8-D

雇用保険に係る保険関係が成立している雇用保険暫定任意適用事業の事業主については、その事業に使用される労働者の4分の3以上の同意を得て、その者が当該保険関係の消滅の申請をした場合、厚生労働大臣の認可があった日に、その事業についての当該保険関係が消滅する。

× 035

必修基本書 労働科目……491p

（法5条）労働保険の保険関係が成立している事業が廃止された場合において、事業主は「保険関係廃止届を提出する必要はなく」、当該事業に係る労働保険の保険関係は、当該事業が「**廃止された日の翌日**」に、「**法律上当然に消滅**」する。

× 036

必修基本書 労働科目……491p

（法5条）本肢の場合、その事業についての保険関係は、その**廃止され、又は終了**した日の「**翌日**」に消滅する。

○ 037

必修基本書 労働科目……492p

（整備法8条1項、整備省令3条1項、整備省令14条）本肢のとおりである。なお、労災保険の保険関係成立の場合と異なり、労働者が保険関係の消滅を希望したとしても、**事業主にその意思がないとき**は、保険関係の消滅の申請をする義務は生じない。

× 038

必修基本書 労働科目……492p

（整備法8条2項）本肢の特例による労災保険の保険給付が行われる労働者を使用する事業である場合、当該保険関係が成立した後1年を経過し、かつ、「**特別保険料が徴収される期間を経過**」するまでの間は、労災保険に係る保険関係の消滅の申請をすることができない。

× 039

必修基本書 労働科目……491~492p

（法附則4条）本肢の場合、厚生労働大臣の認可があった日の「**翌日**」に、その事業についての保険関係が消滅する。

労働保険の保険関係が成立している暫定任意適用事業の事業主は、その保険関係の消滅の申請を行うことができるが、労災保険暫定任意適用事業と雇用保険暫定任意適用事業で、その申請要件に違いはない。

労災保険に係る保険関係が成立している労災保険暫定任意適用事業の事業主が、労災保険に係る保険関係の消滅を申請する場合、保険関係消滅申請書に労働者の同意を得たことを証明することができる書類を添付する必要はない。

農業の事業で、労災保険関係が成立している労災保険暫定任意適用事業の事業主が当該事業を廃止した場合には、当該労災保険暫定任意適用事業に係る保険関係の消滅の申請をすることにより、所轄都道府県労働局長の認可があった日の翌日に、その事業につき労災保険に係る労働保険の保険関係が消滅する。

労災保険暫定任意適用事業の事業者がなした保険関係の消滅申請に対して厚生労働大臣の認可があったとき、当該保険関係の消滅に同意しなかった者については労災保険に係る保険関係は消滅しない。

✕ 040 　　　　　　　　　　　必修基本書 労働科目……492p

（整備法8条1項・2項、法附則4条1項・2項）労災保険暫定任意適用事業の事業主が保険関係の消滅の申請を行う場合には、当該事業に使用される労働者の「過半数」の同意を得ること及び「原則として労災保険に係る保険関係が成立した後1年を経過していること」が必要とされているが、雇用保険暫定任意適用事業の事業主が保険関係の消滅の申請を行う場合には、当該事業に使用される労働者の「4分の3以上」の同意を得ることが必要とされており、その申請要件には「違いがある」。

✕ 041 　　　　　　　　　　　必修基本書 労働科目……492p

（整備法8条1項・2項、整備省令3条2項）労災保険暫定任意適用事業の労災保険に係る保険関係の消滅の申請は、当該事業に使用される労働者の過半数の同意を得なければ行うことができないものとされており、当該労災保険に係る保険関係消滅申請書には、当該「**労働者の同意を得たことを証明することができる書類を添付しなければならない**」。

✕ 042 　　　　　　　　　　　必修基本書 労働科目……491〜492p

（法5条）労災保険関係が成立している労災保険暫定任意適用事業の事業主が当該事業を廃止した場合には、当該事業に係る保険関係は、法律上当然に、その**廃止の日の翌日**に消滅するのであって、本肢のように「保険関係消滅の申請をする必要はない」。

✕ 043 　　　　　　　　　　　必修基本書 労働科目……492p

（整備法8条1項）労災保険が成立している労災保険暫定任意適用事業については、労災保険に係る保険関係の消滅についての**厚生労働大臣**の認可があった場合、その**認可があった日の翌日**に労災保険に係る保険関係は消滅し、当該事業に使用される労働者については、「保険関係の消滅に同意しなかった者も含めて」労災保険は適用されなくなる。

③ 保険関係の一括

044 易 　　　　　　　　　　　　　　　　H28.災8-A

有期事業の一括の対象は、それぞれの事業が、労災保険に係る保険関係が成立している事業のうち、建設の事業であり、又は土地の耕作若しくは開墾又は植物の栽植、栽培、採取若しくは伐採の事業その他農林の事業とされている。

045 易 　　　　　　　　　　　　　　　　R3.災10-B

有期事業の一括が行われる要件の一つとして、それぞれの事業が、労災保険に係る保険関係が成立している事業であり、かつ建設の事業又は立木の伐採の事業であることが定められている。

046 易 　　　　　　　　　　　　　　　　H28.災8-C

労働保険徴収法第7条に定める有期事業の一括の要件を満たす事業は、事業主が一括有期事業開始届を所轄労働基準監督署長に届け出ることにより有期事業の一括が行われ、その届出は、それぞれの事業が開始された日の属する月の翌月10日までにしなければならないとされている。

047 易 　　　　　　　　　　　　　　　　H28.災8-B

有期事業の一括の対象となる事業に共通する要件として、それぞれの事業の規模が、労働保険徴収法による概算保険料を算定することとした場合における当該保険料の額が160万円未満であり、かつ期間中に使用する労働者数が常態として30人未満であることとされている。

048 易 　　　　　　　　　　　　　　　　R3.災10-A

有期事業の一括が行われるには、当該事業の概算保険料の額（労働保険徴収法第15条第2項第1号又は第2号の労働保険料を算定することとした場合における当該労働保険料の額）に相当する額が160万円未満でなければならない。

049 易 　　　　　　　　　　　　　　　　R3.災10-C

建設の事業に有期事業の一括が適用されるには、それぞれの事業の種類を同じくすることを要件としているが、事業の種類が異なっていたとしても、労災保険率が同じ事業は、事業の種類を同じくするものとみなして有期事業の一括が適用される。

× **044**　　　　　　　　　　　　　　　　必修基本書 労働科目……494p

（法7条、則6条2項）有期事業の一括の対象は、それぞれの事業が、労災保険に係る保険関係が成立している事業のうち、建設の事業であり、又は「**立木の伐採の事業**」であることとされている。

○ **045**　　　　　　　　　　　　　　　　必修基本書 労働科目……494p

（則6条2項）本肢のとおりである。なお、有期事業の一括が行われる要件の一つとして、本肢のほかに、それぞれの事業が**有期事業**であることが定められている（法7条2号）。

× **046**　　　　　　　　　　　　　　　　必修基本書 労働科目……494p

（法7条）有期事業の一括は、要件に該当すれば法律上当然に行われるものであり、「事業主の届出によって行われるものではなく、本肢の届出は規定されていない」。

× **047**　　　　　　　　　　　　　　　　必修基本書 労働科目……494p

（法7条、則6条）有期事業の一括の対象となる事業に共通する要件として、それぞれの事業の規模が厚生労働省令で定める規模以下であることとされているが、当該規模要件には「人数要件は規定されていない」。なお、当該規模要件は、概算保険料の額に相当する額が**160万円未満**であり、かつ、立木の伐採の事業にあっては素材の見込生産量が**1,000立方メートル未満**であること、建設の事業にあっては、請負金額が**1億8,000万円未満**であることとされている。

○ **048**　　　　　　　　　　　　　　　　必修基本書 労働科目……494p

（則6条1項）本肢のとおりである。なお、有期事業の一括が行われる要件の一つとして、本肢のほかに、他のいずれかの事業の全部又は一部が同時に行われることが定められている（法7条4号）。

× **049**　　　　　　　　　　　　　　　　必修基本書 労働科目……494p

（則6条2項）本肢のような規定はない。事業の種類が異なっている場合は、有期事業の一括は行われない。

050 □□□ 普通

同一人がX株式会社とY株式会社の代表取締役に就任している場合、代表取締役が同一人であることは、有期事業の一括が行われる要件の一つである「事業主が同一人であること」に該当せず、有期事業の一括は行われない。

051 □□□ 普通

2以上の有期事業が労働保険徴収法による有期事業の一括の対象になると、それらの事業が一括されて一の事業として労働保険徴収法が適用され、原則としてその全体が継続事業として取り扱われることになる。

052 □□□ 普通

当初、独立の有期事業として保険関係が成立した事業が、その後、事業の規模が変動し有期事業の一括のための要件を満たすに至った場合は、その時点から有期事業の一括の対象事業とされる。

053 □□□ 普通

有期事業の一括が行われると、その対象とされた事業はその全部が一つの事業とみなされ、みなされた事業に係る労働保険徴収法施行規則による事務については、労働保険料の納付の事務を行うこととなる一つの事務所の所在地を管轄する都道府県労働局長及び労働基準監督署長が、それぞれ、所轄都道府県労働局長及び所轄労働基準監督署長となる。

054 □□□ 普通

二以上の有期事業が一括されて一の事業として労働保険徴収法の規定が適用される事業の事業主は、確定保険料申告書を提出する際に、前年度中又は保険関係が消滅した日までに終了又は廃止したそれぞれの事業の明細を記した一括有期事業報告書を所轄都道府県労働局歳入徴収官に提出しなければならない。

055 □□□ 普通

2以上の有期事業が労働保険徴収法第7条に定める要件に該当し、一の事業とみなされる事業についての事業主は、当該事業が継続している場合、同法施行規則第34条に定める一括有期事業についての報告書を、次の保険年度の7月1日までに所轄都道府県労働局歳入徴収官に提出しなければならない

○ 050　　　　　　　　　　　　　　　　　必修基本書……該当ページなし

（法7条ほか）本肢のとおりである。「事業主が同一人である」とは、当該事業が同一企業に属していることをいう。

○ 051　　　　　　　　　　　　　　　　　必修基本書 労働科目……494p

（昭40.7.31基発901号）本肢のとおりである。なお、有期事業の一括が行われた場合でも、**雇用保険の被保険者に関する事務**、労災保険及び雇用保険の給付に**関する事務**並びに**印紙保険料の納付に関する事務**はそれぞれの事業ごとに行わなければならない。

✕ 052　　　　　　　　　　　　　　　　　必修基本書 労働科目……494p

（昭40.7.31基発901号ほか）当初、独立の有期事業として保険関係が成立した事業は、その後、事業規模の縮小等による変更があった場合でも、有期事業の一括の対象とはされない。

○ 053　　　　　　　　　　　　　　　　　必修基本書 労働科目……494p

（則6条2項・3項ほか）本肢のとおりである。なお、本肢の有期事業の一括が行われた場合であっても、雇用保険の**被保険者**に関する事務、労災保険及び雇用保険の給付に関する事務並びに**印紙保険料**の納付に関する事務はそれぞれの事業ごとに行わなければならない。

○ 054　　　　　　　　　　　　　　　　　必修基本書 労働科目……495p

（則34条）本肢のとおりである。なお、本肢の一括有期事業報告書は、次の保険年度の6月1日から起算して40日以内又は保険関係が消滅した日から起算して50日以内（当日起算）に提出しなければならない。

✕ 055　　　　　　　　　　　　　　　　　必修基本書 労働科目……495p

（則34条）一括有期事業報告書は、次の保険年度の6月1日から起算して40日以内、すなわち「7月10日」までに提出しなければならない。

056 ▢▢▢ 易 R2.災8-A

請負事業の一括は、労災保険に係る保険関係が成立している事業のうち、建設の事業又は立木の伐採の事業が数次の請負によって行われるものについて適用される。

057 ▢▢▢ 易 R2.災8-B

請負事業の一括は、元請負人が、請負事業の一括を受けることにつき所轄労働基準監督署長に届け出ることによって行われる。

058 ▢▢▢ 普通 R2.災8-C

請負事業の一括が行われ、その事業を一の事業とみなして元請負人のみが当該事業の事業主とされる場合、請負事業の一括が行われるのは、「労災保険に係る保険関係が成立している事業」についてであり、「雇用保険に係る保険関係が成立している事業」については行われない。

059 ▢▢▢ 普通 R6.災8-A

労働保険徴収法第8条に規定する請負事業の一括について、労災保険に係る保険関係が成立している事業のうち建設の事業であって、数次の請負によって行われる場合、雇用保険に係る保険関係については、元請事業に一括することなく事業としての適用単位が決められ、それぞれの事業ごとに労働保険徴収法が適用される。

060 ▢▢▢ 普通 R6.災8-B

労働保険徴収法第8条に規定する請負事業の一括について、下請負に係る事業については下請負人が事業主であり、元請負人と下請負人の使用する労働者の間には労働関係がないが、同条第2項に規定する場合を除き、元請負人は当該請負に係る事業について下請負をさせた部分を含め、そのすべての労働者について事業主として保険料の納付等の義務を負う。

061 ▢▢▢ 普通 R2.災8-D

請負事業の一括が行われ、その事業を一の事業とみなして元請負人のみが当該事業の事業主とされる場合、元請負人は、その請負に係る事業については、下請負をさせた部分を含め、そのすべてについて事業主として保険料の納付の義務を負い、更に労働関係の当事者として下請負人やその使用する労働者に対して使用者となる。

× 056 必修基本書 労働科目……495p

（法8条1項、則7条）請負事業の一括は、労災保険に係る保険関係が成立している事業のうち「建設の事業」が数次の請負によって行われるものについて適用される。したがって、「立木の伐採の事業については請負事業の一括は行われない」。

× 057 必修基本書 労働科目……495p

（法8条1項）請負事業の一括は、所定の要件を満たせば「法律上当然に行われる」ものであり、届出をすることによって行われるものではない。

○ 058 必修基本書 労働科目……495p

（法8条1項、則7条）本肢のとおりである。なお、請負事業の一括の制度の趣旨は、建設の事業においては、請負事業者がその請け負った工事をさらに他の請負事業者に請け負わせる場合がむしろ普通であり、保険技術的にも分割して労働保険徴収法を適用することは実情にそぐわず、困難でもあるので、これを一括して適用することとしたものである。

○ 059 必修基本書 労働科目……495p

（法8条1項、則7条）本肢のとおりである。なお、本肢の数次の請負によって行われる場合とは、例えば、ビル建築工事のように、工作物等の完成について注文者から直接に仕事を請負った請負人（元請負人）がその仕事の全部又は一部をさらに第三者（下請負人）に請け負わせることにより、その請負関係が数段階に及ぶ場合をいう。

○ 060 必修基本書 労働科目……495p

（法8条1項）本肢のとおりである。本肢の同条2項に規定する場合とは、下請負事業の元請負事業からの分離の規定が適用されることをいう。

× 061 必修基本書 労働科目……495p

（法8条1項）労災保険に係る保険関係について請負事業の一括が行われた場合、「労働保険徴収法の規定の適用」については、その事業を一の事業とみなし、元請負人のみを当該事業の事業主とするのであって、原則として、労働関係の当事者として、下請負人や下請負人の労働者の使用者となるわけではない。

062 ▮▮▮ 普通 　　　　　　　　　　　　　　　　H28.雇9-A

請負事業の一括の規定により元請負人が事業主とされる場合は、当該事業に係る労働者のうち下請負人が使用する日雇労働被保険者に係る印紙保険料についても、当該元請負人が納付しなければならない。

063 ▮▮▮ 普通 　　　　　　　　　　　　　　　　R2.災8-E

請負事業の一括が行われると、元請負人は、その請負に係る事業については、下請負をさせた部分を含め、そのすべてについて事業主として保険料の納付等の義務を負わなければならないが、元請負人がこれを納付しないとき、所轄都道府県労働局歳入徴収官は、下請負人に対して、その請負金額に応じた保険料を納付するよう請求することができる。

064 ▮▮▮ 易 　　　　　　　　　　　　　　　　H27.災10-B

厚生労働省令で定める事業が数次の請負によって行われる場合の元請負人及び下請負人が、下請負事業の分離の認可を受けるためには、当該下請負人の請負に係る事業が建設の事業である場合は、その事業の規模が、概算保険料を算定することとした場合における概算保険料の額に相当する額が160万円未満、かつ、請負金額が1億8,000万円未満でなければならない。

065 ▮▮▮ 普通 　　　　　　　　　　　　　　　　H27.災10-D

厚生労働省令で定める事業が数次の請負によって行われる場合の下請負人を事業主とする認可申請書については、天災、不可抗力等の客観的理由により、また、事業開始前に請負方式の特殊性から下請負契約が成立しない等の理由により期限内に当該申請書を提出できない場合を除き、保険関係が成立した日の翌日から起算して10日以内に、所轄都道府県労働局長に提出しなければならない。

066 ▮▮▮ 易 　　　　　　　　　　　　　　　　H27.災10-C

厚生労働省令で定める事業が数次の請負によって行われる場合の元請負人及び下請負人が、下請負事業の分離の認可を受けるためには、当該下請負人の請負に係る事業が立木の伐採の事業である場合は、その事業の規模が、素材の見込生産量が千立方メートル未満、かつ、請負金額が1億8,000万円未満でなければならない。

× 062

必修基本書 労働科目……495p

（法23条1項かっこ書）請負事業の一括の規定により元請負人が事業主とされる場合であっても、請負事業に係る労働者のうち下請負人が使用する日雇労働被保険者に係る印紙保険料については、当該日雇労働被保険者を使用する「下請負人が納付」しなければならない。

× 063

必修基本書 労働科目……495p

（法8条1項）本肢後段のような規定はない。所轄都道府県労働局歳入徴収官は、元請負人が労働保険料等を納付しない場合であっても、これを下請負人に対して請求することはできない。

× 064

必修基本書 労働科目……495p

（法8条2項、則9条）本肢の認可を受けるためには、概算保険料の額に相当する額が「160万円以上、又は、請負金額が1億8,000万円以上」でなければならない。

○ 065

必修基本書 労働科目……496p

（則8条、昭41.11.24労徴発41号）本肢のとおりである。なお、請負事業の一括については、厚生労働大臣の認可を必要とせず要件に該当すれば当然に一括されるが、本肢の下請け分離については**厚生労働大臣**（所轄都道府県労働局長に権限委任）の認可が必要となる。

× 066

必修基本書 労働科目……495～496p

（則9条ほか）立木の伐採の事業については、数次の請負によって行われている場合であっても、請負事業の一括の対象とされていないため、下請負事業の分離について考える余地はない。なお、建設の事業が数次の請負によって行われる場合において、下請負事業が分離するための要件は、下請負人の請負に係る事業の概算保険料の額に相当する額が「160万円以上であるか、又は、下請負人の請負に係る事業の請負金額が1億8,000万円以上」であることとされている。

067 □□□ 易 R6.災8-E

労働保険徴収法第8条第2項に定める下請負事業の分離に係る認可を受けるためには、当該下請負事業の概算保険料が160万円以上、かつ、請負金額が1億8,000万円以上（消費税等相当額を除く。）であることが必要とされている。

068 □□□ 普通 H27.災10-E

厚生労働省令で定める事業が数次の請負によって行われる場合の元請負人及び下請負人が、下請負事業の分離の認可を受けた場合、当該下請負人の請負に係る事業を一の事業とみなし、当該下請負人のみが当該事業の事業主とされ、当該下請負人以外の下請負人及びその使用する労働者に対して、労働関係の当事者としての使用者となる。

069 □□□ 普通 R3.災10-E

Ｘ会社がＹ会社の下請として施工する建設の事業は、その事業の規模及び事業の種類が有期事業の一括の要件を満たすものであっても、Ｘ会社が元請として施工する有期事業とは一括されない。

070 □□□ 普通 H27.災10-A

厚生労働省令で定める事業が数次の請負によって行われる場合の元請負人及び下請負人が、下請負事業の分離の認可を受けようとするときは、保険関係が成立した日の翌日から起算して10日以内であれば、そのいずれかが単独で、当該下請負人を事業主とする認可申請書を所轄都道府県労働局長に提出して、認可を受けることができる。

071 □□□ 普通 R6.災8-C

労働保険徴収法第8条第2項に定める下請負事業の分離に係る認可を受けようとする元請負人及び下請負人は、保険関係が成立した日の翌日から起算して10日以内に「下請負人を事業主とする認可申請書」を所轄都道府県労働局長に提出しなければならない。

× 067 必修基本書 労働科目……495p

（則9条）下請負事業の分離の認可を受けるためには、当該下請負事業の概算保険料が160万円以上であるか、「又は」請負金額が1億8,000万円以上（消費税相当額を除く）であることが必要である。

× 068 必修基本書 労働科目……496p

（法8条2項）本肢の下請負事業の分離が行われた場合、下請負人の事業について、独立した保険関係が成立する。この場合において、当該下請負人の事業については当該下請負人が「労働保険徴収法上の事業主」として労働保険料の納付等の義務を負うことにはなるが、「労働関係全般にわたってまで当事者としての使用者となるわけではない」。

○ 069 必修基本書 労働科目……494p

（法7条）本肢のとおりである。本肢のX会社が下請として施工する建設の事業が有期事業の一括の要件を満たしているとすると、元請負事業からの分離の要件は満たさないということになるため、当該建設の事業については元請負人Y会社が事業主となる（請負事業の一括）。そうすると、X会社が元請として施工する建設の事業の事業主はX会社となり、X会社がY会社の下請として施工する建設の事業の事業主はY会社となることから、事業主が同一人でないため有期事業の一括は行われない。

× 070 必修基本書 労働科目……496p

（則8条）本肢の下請負事業の分離の認可申請は、「元請負人及び下請負人が共同で行わなければならない」。なお、当該下請け分離に係る厚生労働大臣の認可は所轄都道府県労働局長に委任されている（法45条、則76条）。

○ 071 必修基本書 労働科目……496p

（法8条）本肢のとおりである。なお、本肢の下請負事業の分離に係る厚生労働大臣の認可は、都道府県労働局長にその権限が委任されている（則76条1号）。

072 ▢▢▢ 普通　　　　　　　　　　　　　　　　R6.災8-D

労働保険徴収法第8条第2項に定める下請負事業の分離に係る認可を受けようとする元請負人及び下請負人は、天災その他不可抗力等のやむを得ない理由により、同法施行規則第8条第1項に定める期限内に「下請負人を事業主とする認可申請書」を提出することができなかったときは、期限後であっても当該申請書を提出することができる。

073 ▢▢▢ 易　　　　　　　　　　　　　　　　　R5.災10-A

事業主が同一人である2以上の事業（有期事業以外の事業に限る。）であって、労働保険徴収法施行規則第10条で定める要件に該当するものに関し、当該事業主が当該2以上の事業について成立している保険関係の全部又は一部を一の保険関係とすることを継続事業の一括という。

074 ▢▢▢ 普通　　　　　　　　　　　　　　　　H30.災8-A

継続事業の一括について都道府県労働局長の認可があったときは、都道府県労働局長が指定する一の事業（指定事業）以外の事業に係る保険関係は、消滅する。

075 ▢▢▢ 易　　　　　　　　　　　　　　　　　R5.災10-B

継続事業の一括に当たって、労災保険に係る保険関係が成立している事業のうち二元適用事業と、一元適用事業であって労災保険及び雇用保険の両保険に係る保険関係が成立している事業とは、一括できない。

076 ▢▢▢ 易　　　　　　　　　　　　　　　　　R5.災10-C

継続事業の一括に当たって、雇用保険に係る保険関係が成立している事業のうち二元適用事業については、それぞれの事業が労災保険率表による事業の種類を同じくしている必要はない。

077 ▢▢▢ 普通　　　　　　　　　　　　　　　　H28.雇8-E

一元適用事業であって労働保険事務組合に労働保険事務の処理を委託するものに関する継続事業の一括の認可に関する事務は、所轄公共職業安定所長が行う。

○ 072 　　　　　　　　　　　　　　　　必修基本書……該当ページなし

（則8条、昭47.11.24労徴発41号）本肢のとおりである。本肢のやむを得ない
理由には、天災その他不可抗力により期限内に申請書を提出することができない
場合や請負方式の特殊事情から事業開始前に下請負契約が成立しなかったことに
より、期限内に申請書を提出することが困難であると認められる場合等がある。

○ 073 　　　　　　　　　　　　　　　　必修基本書 労働科目……496p

（法9条）本肢のとおりである。事業経営の合理化により、賃金計算等の事務を集
中管理する事業が増加していることから、事業主及び政府の事務処理の便宜と簡
素化を図るため、一定の継続事業については、申請に基づき、数個の事業を一括
して保険関係を成立させることとしたのが、継続事業の一括の規定である（昭
40.7.31基発第901号）。

○ 074 　　　　　　　　　　　　　　　　必修基本書……該当ページなし

（法9条、則76条）本肢のとおりである。なお、法9条（継続事業の一括）の規定
による認可及び指定事業の指定に関する**厚生労働大臣**の権限は、**都道府県労働局
長**に委任されている。

○ 075 　　　　　　　　　　　　　　　　必修基本書 労働科目……496p

（則10条1項）本肢のとおりである。継続事業の一括を行うためには、それぞれ
の事業について成立している保険関係に同一性があることが要件の1つとされて
いる。

✕ 076 　　　　　　　　　　　　　　　　必修基本書……該当ページなし

（則10条1項）継続事業の一括に当たって、雇用保険に係る保険関係が成立して
いる事業のうちに現適用事業については、それぞれの事業が労災保険率表による
事業の種類を同じくしている「必要がある」。

✕ 077 　　　　　　　　　　　　　　　　必修基本書 労働科目……497p

（則10条2項、則76条2号）一元適用事業であって労働保険事務組合に労働保険
事務の処理を委託するものに関する継続事業の一括の認可に関する事務は、「**所
轄都道府県労働局長**」が行う。なお、有期事業の一括及び請負事業の一括が法律
上当然に行われるのに対し、継続事業の一括は事業主の申請に基づき厚生労働大
臣の認可を受けて行われる。

078 □□□ 普通

H30.災8-B

継続事業の一括について都道府県労働局長の認可があったときは、被一括事業の労働者に係る労災保険給付（二次健康診断等給付を除く。）の事務や雇用保険の被保険者資格の確認の事務等は、その労働者の所属する被一括事業の所在地を管轄する労働基準監督署長又は公共職業安定所長がそれぞれの事務所掌に応じて行う。

079 □□□ 普通

H30.災8-C

一括扱いの認可を受けた事業主が新たに事業を開始し、その事業をも一括扱いに含めることを希望する場合の継続事業一括扱いの申請は、当該事業に係る所轄都道府県労働局長に対して行う。

080 □□□ 普通

R5.災10-D

暫定任意適用事業にあっては、継続事業の一括の申請前に労働保険の保険関係が成立していなくとも、任意加入の申請と同時に一括の申請をして差し支えない。

081 □□□ 普通

R5.災10-E

労働保険徴収法第9条の継続事業の一括の認可を受けようとする事業主は、所定の申請書を同条の規定による厚生労働大臣の一の事業の指定を受けることを希望する事業に係る所轄都道府県労働局長に提出しなければならないが、指定される事業は当該事業主の希望する事業と必ずしも一致しない場合がある。

082 □□□ 易

H30.災8-E

一括されている継続事業のうち、都道府県労働局長が指定する一の事業（指定事業）以外の事業の全部又は一部の事業の種類が変更されたときは、事業の種類が変更された事業について保険関係成立の手続をとらせ、指定事業を含む残りの事業については、指定事業の労働者数又は賃金総額の減少とみなして確定保険料報告の際に精算することとされている。

○ 078

必修基本書 労働科目……497p

（法9条、昭40.7.31基発901号ほか）本肢のとおりである。雇用保険の被保険者に関する事務並びに労災保険及び雇用保険の給付に関する事務については、法9条の継続事業の一括の規定は適用されないので、それぞれの事業ごとに行わなければならず、被一括事業（指定事業に一括される事業）それぞれの事業所の所在地を管轄する労働基準監督署長又は公共職業安定所長（二次健康診断等給付の支給に関する事務は都道府県労働局長）が、それぞれの事務所掌に応じて、これらの事務を行う。

× 079

必修基本書 労働科目……497p

（昭40.7.31基発901号）一括扱いの認可を受けた事業主が新たに事業を開始し、その事業をも一括扱いに含めることを希望する（被一括事業の認可の追加）場合の継続事業一括扱いの申請は、「**指定事業に係る**」所轄都道府県労働局長に提出しなければならない。

○ 080

必修基本書……該当ページなし

（則10条ほか）本肢のとおりである。則10条（継続事業の一括の要件）における「保険関係が成立している事業」とは、必ずしも継続事業の一括の申請前に保険関係が成立している場合に限られず、暫定任意適用事業にあっては、本肢のように任意加入の申請と同時に一括の申請をして差し支えないとされている。

○ 081

必修基本書……該当ページなし

（則10条2項ほか）本肢のとおりである。なお、本肢の厚生労働大臣の指定は、継続事業の一括が適用される事業のうち、労働保険事務を的確に処理する事務能力を有すると認められるものに限られることから、指定される事業は、本肢のように事業主の希望する事業と必ずしも一致しない場合がある。

○ 082

必修基本書 労働科目……497p

（昭40.7.31基発901号）本肢のとおりである。

❹ 労働保険料

083 □□□ 普通
R4.雇10-D

政府は、労働保険の事業に要する費用にあてるため保険料を徴収するが、当該費用は、保険給付に要する費用、社会復帰促進等事業及び雇用安定等の事業に要する費用、事務の遂行に要する費用（人件費、旅費、庁費等の事務費）、その他保険事業の運営のために要する一切の費用をいう。

084 □□□ 普通
R元.災8-A

労働保険徴収法第10条において政府が徴収する労働保険料として定められているものは、一般保険料、第1種特別加入保険料、第2種特別加入保険料、第3種特別加入保険料及び印紙保険料の計5種類である。

085 □□□ 易
R元.災8-B

一般保険料の額は、原則として、賃金総額に一般保険料率を乗じて算出されるが、労災保険及び雇用保険に係る保険関係が成立している事業にあっては、労災保険率、雇用保険率及び事務経費率を加えた率がこの一般保険料率になる。

086 □□□ 普通
H30.雇9-ア

1日30分未満しか働かない労働者に対しても労災保険は適用されるが、当該労働者が属する事業場に係る労災保険料は、徴収・納付の便宜を考慮して、当該労働者に支払われる賃金を算定の基礎となる賃金総額から除外して算定される。

087 □□□ 普通
H30.雇8-B

労働保険徴収法第39条第1項に規定する事業以外の事業（一元適用事業）の場合は、労災保険に係る保険関係と雇用保険に係る保険関係ごとに別個の事業として一般保険料の額を算定することはない。

088 □□□ 普通
R4.雇8-A

労働保険徴収法第39条第1項に規定する事業以外の事業（いわゆる一元適用事業）であっても、雇用保険法の適用を受けない者を使用するものについては、二元適用事業に準じ、当該事業を労災保険に係る保険関係及び雇用保険に係る保険関係ごとに別個の事業とみなして一般保険料の額を算定するが、一般保険料の納付（還付、充当、督促及び滞納処分を含む。）については、一元適用事業と全く同様である。

○ 083　　　　　　　　　　　　　　　必修基本書 労働科目……499p

（法10条1項ほか）本肢のとおりである。なお、本肢の保険料とは、①一般保険料、②第1種特別加入保険料、③第2種特別加入保険料、④第3種特別加入保険料、⑤印紙保険料及び⑥特例納付保険料をいう（同条2項）。

✕ 084　　　　　　　　　　　　　　　必修基本書 労働科目……499p

（法10条2項）本肢の労働保険料として定められているものは、一般保険料、第1種特別加入保険料、第2種特別加入保険料、第3種特別加入保険料、印紙保険料及び「特例納付保険料」の計「6種類」である。

✕ 085　　　　　　　　　　　　　　　必修基本書 労働科目……493p

（法11条1項、法12条1項）労災保険及び雇用保険に係る保険関係が成立している事業の一般保険料率は、「**労災保険率**と**雇用保険率**とを加えた率」である。その他の記述は正しい。

✕ 086　　　　　　　　　　　　　必修基本書 労働科目……499～500p

（法11条2項ほか）1日30分未満しか働かない労働者に対しても、労災保険は適用され、当該労働者が属する事業場に係る労災保険料は、その算定の基礎となる賃金総額から当該労働者に支払われる賃金を「除外しないで」算定される。

✕ 087　　　　　　　　　　　　　　　必修基本書……該当ページなし

（整備省令17条）一元適用事業であっても、労災保険に係る保険関係及び雇用保険に係る保険関係ごとに別個の事業とみなして一般保険料の額を算定することが「ある」。一元適用事業であって、雇用保険法の適用除外者を使用する事業については、労災保険に係る保険関係及び雇用保険に係る保険関係ごとに別個の事業とみなして一般保険料の額を算定するものとされている。

○ 088　　　　　　　　　　　　　　　必修基本書……該当ページなし

（整備省令17条1項）本肢のとおりである。

労働者派遣事業により派遣される者は派遣元事業主の適用事業の「労働者」とされるが、在籍出向による出向者は、出向先事業における出向者の労働の実態及び出向元による賃金支払の有無にかかわらず、出向元の適用事業の「労働者」とされ、出向元は、出向者に支払われた賃金の総額を出向元の賃金総額の算定に含めて保険料を納付する。

Ａ及びＢの2つの適用事業主に雇用される者ＸがＡとの間で主たる賃金を受ける雇用関係にあるときは、ＸはＡとの雇用関係においてのみ労働保険の被保険者資格が認められることになり、労働保険料の算定は、ＡにおいてＸに支払われる賃金のみをＡの賃金総額に含めて行い、ＢにおいてＸに支払われる賃金はＢの労働保険料の算定における賃金総額に含めない。

適用事業に雇用される労働者が事業主の命により日本国の領域外にある適用事業主の支店、出張所等に転勤した場合において当該労働者に支払われる賃金は、労働保険料の算定における賃金総額に含めない。

労働日の全部又はその大部分について事業所への出勤を免除され、かつ、自己の住所又は居所において勤務することを常とする者は、原則として労働保険の被保険者にならないので、当該労働者に支払われる賃金は、労働保険料の算定における賃金総額に含めない。

✕ 089 　　　　　　　　　　　　　　　　必修基本書……該当ページなし

（昭35.11.2基発932号、昭61.6.30発労徴41号・基発383号）在籍出向の場合、「出向の目的、出向元事業主と出向先事業主との間で当該出向者の出向につき行った契約、出向先事業における出向者の労働の実態等に基づき、労働関係の所在を判断」して、出向元事業主又は出向先事業主のいずれの労働者であるかを判断する。本肢前段の記述は正しい。

✕ 090 　　　　　　　　　　　　　　　　必修基本書……該当ページなし

（法11条、行政手引20352ほか）労災保険についてはA及びBのいずれについても適用があるため、労災保険料の計算については、AがXに支払う賃金はAの賃金総額に含め、「BがXに支払う賃金はBの賃金総額に含める」。一方、雇用保険については、原則として、労働者が生計を維持するに必要な主たる賃金を受ける一の雇用関係についてのみ被保険者となるため、XがAとの雇用関係において被保険者となる場合は、雇用保険料の計算において、AがXに支払う賃金はAの賃金総額に含めるが、BがXに支払う賃金はBの賃金総額に含めない。

✕ 091 　　　　　　　　　　　　　　　　必修基本書……該当ページなし

（労災保険法施行規則46条の25の3、行政手引20352ほか）労災保険においては、海外勤務を行う労働者が海外派遣者に該当する場合は、当該労働者に支払われる賃金は、労災保険料の計算において、賃金総額に含めない（当該労働者が海外派遣者の特別加入者となる場合には、3,500円から25,000円までのうちから希望した額に基づいて都道府県労働局長が決定された額が給付基礎日額となり、当該給付基礎日額に基づいて特別加入保険料算定基礎額が決定されるため、この場合も当該労働者に対して支払われる賃金は、賃金総額に含まれないこととなる）。しかし、雇用保険においては、本肢の者は引き続き被保険者となるため、雇用保険料の計算においては、当該労働者に対して支払われる賃金は、「賃金総額に含まれる」。

✕ 092 　　　　　　　　　　　　　　　　必修基本書……該当ページなし

（平16.3.5基発0305003号、行政手引20351）労災保険は、在宅勤務者についても適用されるため、労災保険料の計算において、「当該労働者に対して支払われる賃金は、賃金総額に含まれる」。雇用保険についても、原則として、本肢の者は被保険者となるため、雇用保険料の計算においても、「当該労働者に対して支払われる賃金は、賃金総額に含まれる」。

093 ▢▢▢ 普通　　　　　　　　　　　　　　　　　　　R5.雇10-B

国の行う立木の伐採の事業であって、賃金総額を正確に算定することが困難なものについては、特例により算定した額を当該事業に係る賃金総額とすることが認められている。

094 ▢▢▢ 普通　　　　　　　　　　　　　　　　　　　H30.雇8-C

請負による建設の事業に係る賃金総額については、常に厚生労働省令で定めるところにより算定した額を当該事業の賃金総額とすることとしている。

095 ▢▢▢ 普通　　　　　　　　　　　　　　　　　　　R元.災8-C

賃金総額の特例が認められている請負による建設の事業においては、請負金額に労務費率を乗じて得た額が賃金総額となるが、ここにいう請負金額とは、いわゆる請負代金の額そのものをいい、注文者等から支給又は貸与を受けた工事用物の価額等は含まれない。

096 ▢▢▢ 普通　　　　　　　　　　　　　　　　　　　R4.災10-C

労災保険に係る保険関係が成立している請負による建設の事業であって、労働保険徴収法第11条第1項、第2項に規定する賃金総額を正確に算定することが困難なものについては、その事業の種類に従い、請負金額に同法施行規則別表第2に掲げる労務費率を乗じて得た額を賃金総額とするが、その賃金総額の算定に当たっては、消費税等相当額を含まない請負金額を用いる。

097 ▢▢▢ 普通　　　　　　　　　　　　　　　　　　　R4.災10-B

労災保険に係る保険関係が成立している造林の事業であって、労働保険徴収法第11条第1項、第2項に規定する賃金総額を正確に算定することが困難なものについては、所轄都道府県労働局長が定める素材1立方メートルを生産するために必要な労務費の額に、生産するすべての素材の材積を乗じて得た額を賃金総額とする。

098 ▢▢▢ 普通　　　　　　　　　　　　　　　　　　　R2.雇10-E

事業主が負担すべき労働保険料に関して、保険年度の初日において64歳以上の労働者（短期雇用特例被保険者及び日雇労働被保険者を除く。）がいる場合には、当該労働者に係る一般保険料の負担を免除されるが、当該免除の額は当該労働者に支払う賃金総額に雇用保険率を乗じて得た額である。

✕ 093　　　　　　　　　　　　必修基本書 労働科目……486、500p

（労災保険法3条ほか）国の行う事業については労災保険に係る保険関係が成立する余地がないため、本肢のような取扱いはなされない。

✕ 094　　　　　　　　　　　　必修基本書 労働科目……500p

（法11条3項、則12条）労災保険関係が成立している請負による建設の事業のうち、「賃金総額を正確に算定することが困難なもの」については、厚生労働省令で定めるところにより算定した額を当該事業の賃金総額とすることとされている。

✕ 095　　　　　　　　　　　　必修基本書 労働科目……500p

（則13条）本肢の請負金額については、事業主が注文者その他の者からその事業に使用する物の支給を受け、又は機械器具等の貸与を受けた場合には、原則として、支給された物の価額に相当する額（消費税等相当額を除く）又は機械器具等の損料に相当する額（消費税等相当額を除く）を「請負代金の額（消費税等相当額を除く）に加算する」ものとされている。その他の記述は正しい。

◯ 096　　　　　　　　　　　　必修基本書 労働科目……500p

（則4条1項、則12条、則13条1項）本肢のとおりである。なお、労務費率は、請負金額中に占める賃金費用の一般的割合に応じて、建設の事業における事業の種類ごとに17％から38％の範囲で定められている（則別表第2）。

✕ 097　　　　　　　　　　　　必修基本書 労働科目……500p

（則12条、則15条）労災保険に係る保険関係が成立している造林の事業であって、賃金総額を正確に算定することが困難なものに係る賃金総額は、「その事業の労働者につき労働基準法12条8項の規定に基づき厚生労働大臣が定める平均賃金に相当する額に、それぞれの労働者の使用期間の総日数を乗じて得た額の合算額」である。本肢の特例による賃金総額の算定方法は、立木の伐採の事業に係るものである。

✕ 098　　　　　　　　　　　　必修基本書 労働科目……499〜500p

（法31条1項）免除対象高年齢労働者に係る雇用保険料の免除制度は、令和2年4月の改正によって廃止された。したがって、本肢の労働者に係る一般保険料（雇用保険料）の負担は免除されない。

労災保険率は、労災保険法の適用を受けるすべての事業の過去5年間の業務災害及び通勤災害に係る災害率並びに二次健康診断等給付に要した費用の額、社会復帰促進等事業として行う事業の種類及び内容その他の事情を考慮して厚生労働大臣が定める。

雇用保険率は、雇用保険法の規定による保険給付及び社会復帰促進等事業に要する費用の予想額に照らし、将来にわたって、雇用保険の事業に係る財政の均衡を保つことができるものでなければならないものとされる。

建設の事業における令和6年度の雇用保険率は、令和5年度の雇用保険率と同じく、1,000分の18.5である。

一般保険料における令和6年度の雇用保険率について、建設の事業、清酒製造の事業及び園芸サービスの事業は、それらの事業以外の一般の事業に適用する料率とは別に料率が定められている。

一般の事業について、令和6年度においては、雇用保険率が1,000分の15.5であり、二事業率が1,000分の3.5のとき、事業主負担は1,000分の9.5、被保険者負担は1,000分の6となる。

× 099 必修基本書 労働科目……503p

（法12条2項）労災保険率は、労災保険法の規定による保険給付及び社会復帰促進等事業に要する費用の予想額に照らし、将来にわたって、労災保険の事業に係る財政の均衡を保つことができるものでなければならないものとし、政令で定めるところにより、労災保険法の適用を受ける全ての事業の過去「3年間」の業務災害、「複数業務要因災害」及び通勤災害に係る災害率並びに二次健康診断等給付に要した費用の額、社会復帰促進等事業として行う事業の種類及び内容その他の事情を考慮して厚生労働大臣が定める。

× 100 必修基本書 労働科目……503～504p

（法12条2項・4項）本肢のような規定はない。なお、労災保険率は、労災保険法の規定による保険給付及び社会復帰促進等事業に要する費用の予想額に照らし、将来にわたって、労災保険の事業に係る財政の均衡を保つことができるものでなければならない。

○ 101 必修基本書 労働科目……503～504p

（法12条4項ほか）本肢のとおりである。なお、改正により、令和7年度からは、雇用保険率は、①失業等給付費等充当徴収保険率、②育児休業給付費充当徴収保険率及び③二事業費充当徴収保険率を合計して得た率とされる。

× 102 必修基本書 労働科目……503～504p

（法12条4項、昭50.3.24労告12号ほか）一般保険料における令和6年度の雇用保険率について、建設の事業、清酒製造の事業、農林水産の事業（季節的に休業し、又は事業の規模が縮小することのない事業として厚生労働大臣が指定する事業を除く）等は、一般の事業に適用する雇用保険率とは別に料率が定められているが、園芸サービスの事業は、季節的に休業し、又は事業の規模が縮小することのない事業として厚生労働大臣が指定する事業に該当するため、「一般の事業に適用する雇用保険率と同率」である。

○ 103 必修基本書 労働科目……503～504p

（法31条1項）本肢のとおりである。雇用保険率のうち、二事業率に係る部分及びそれ以外の部分の2分の1を事業主が負担し、残りを被保険者が負担する。したがって、令和6年度の雇用保険率においては、事業主負担は3.5/1,000＋（15.5/1,000－3.5/1,000）×1/2＝9.5/1,000となり、労働者負担は15.5/1,000－9.5/1,000＝6/1,000となる。

104 □□□ 普通 R2.雇8-E

厚生労働大臣は、毎会計年度において、徴収保険料額及び雇用保険に係る各種国庫負担額の合計額と失業等給付額等との差額が、労働保険徴収法第12条第5項に定める要件に該当するに至った場合、必要があると認めるときは、労働政策審議会の同意を得て、1年以内の期間を定めて雇用保険率（令和7年度以降においては、失業等給付費等充当徴収保険率）を一定の範囲内において変更することができる。

105 □□□ 普通 R5.雇10-D

厚生労働大臣は、労働保険徴収法第12条第5項の場合において、必要があると認めるときは、労働政策審議会の意見を聴いて、各保険年度の1年間単位で雇用保険率（令和7年度以降においては、失業等給付費等充当徴収保険率）を同項に定める率の範囲内において変更することができるが、1年間より短い期間で変更することはできない。

106 □□□ 易 R2.災10-A

第1種特別加入保険料率は、中小事業主等が行う事業に係る労災保険率と同一の率から、労災保険法の適用を受けるすべての事業の過去3年間の二次健康診断等給付に要した費用の額を考慮して厚生労働大臣の定める率を減じた率である。

107 □□□ 普通 R5.災8-A

中小事業主等が行う事業に係る労災保険率が1,000分の4であり、当該中小事業主等が労災保険法第34条第1項の規定により保険給付を受けることができることとされた者である場合、当該者に係る給付基礎日額が12,000円のとき、令和6年度の保険年度1年間における第1種特別加入保険料の額は17,520円となる。なお、本問においては保険年度の中途に特別加入者の事業の変更や異動等はないものとする。

108 □□□ 易 R2.災10-D

第2種特別加入保険料率は、事業又は作業の種類にかかわらず、労働保険徴収法施行規則によって同一の率に定められている。

109 □□□ 普通 R2.災10-C

第2種特別加入保険料額は、特別加入保険料算定基礎額の総額に第2種特別加入保険料率を乗じて得た額であり、第2種特別加入者の特別加入保険料算定基礎額は第1種特別加入者のそれよりも原則として低い。

| × | **104** | 必修基本書……該当ページなし |

（法12条5項）本肢の場合、厚生労働大臣は、**労働政策審議会**の「意見を聴いて」、1年以内の期間を定めて雇用保険率（令和7年度以降においては、失業等給付費等充当徴収保険率）を一定の範囲内において変更することができる。

| × | **105** | 必修基本書……該当ページなし |

（法12条5項）厚生労働大臣は、法12条5項の要件に該当する場合において、必要があると認めるときは、**労働政策審議会**の意見を聴いて、1年「以内」の期間を定めて、雇用保険率（令和7年度以降においては、失業等給付費等充当徴収保険率）を一定の範囲内において変更することができる。

| ○ | **106** | 必修基本書 労働科目……506p |

（法13条）本肢のとおりである。なお、本肢の「厚生労働大臣の定める率」は、現在のところ、「0」とされている（則21条の2）。

| ○ | **107** | 必修基本書 労働科目……504〜505p |

（法13条、則21条1項、則別表4）本肢のとおりである。第1種特別加入保険料の額は、特別加入保険料算定基礎額の総額に第1種特別加入保険料率を乗じて得た額であり、本肢の場合の特別加入保険料算定基礎額の総額は、12,000円×365＝4,380,000円となる。したがって、本肢の第1種特別加入保険料の額は、4,380,000円×4/1,000＝17,520円となる。

| × | **108** | 必修基本書 労働科目……506p |

（法14条1項、則23条、則別表5）第2種特別加入保険料率は、「事業又は**作業の種類に応じて定められている**」。

| × | **109** | 必修基本書 労働科目……506p |

（法14条1項、則21条1項、則22条、則別表4）第1種特別加入者の特別加入保険料算定基礎額も第2種特別加入者の特別加入保険料算定基礎額も、その者の給付基礎日額に365を乗じて得た額であるため、給付基礎日額が同じであれば、「特別加入保険料算定基礎額は同じである」。本肢前段の記述は正しい。

110 □□□ 普通　　　　　　　　　　　　　　　　　　　R5.災8-D

フードデリバリーの自転車配達員が労災保険法の規定により労災保険に特別加入をすることができる者とされた場合、当該者が納付する特別加入保険料は第2種特別加入保険料である。なお、本問においては保険年度の中途に特別加入者の事業の変更や異動等はないものとする。

111 □□□ 普通　　　　　　　　　　　　　　　　　　　R5.災8-C

労災保険法第35条第1項の規定により労災保険の適用を受けることができることとされた者に係る給付基礎日額が12,000円である場合、当該者の事業又は作業の種類がいずれであっても令和6年度の保険年度1年間における第2種特別加入保険料の額が227,760円を超えることはない。なお、本問においては保険年度の中途に特別加入者の事業の変更や異動等はないものとする。

112 □□□ 普通　　　　　　　　　　　　　　　　　　　R2.災10-E

第2種特別加入保険料率は、第2種特別加入者に係る保険給付及び社会復帰促進等事業に要する費用の予想額に照らして、将来にわたり労災保険の事業に係る財政の均衡を保つことができるものとされているが、第3種特別加入保険料率はその限りではない。

113 □□□ 普通　　　　　　　　　　　　　　　　　　　R5.災8-E

中小事業主等が行う事業に係る労災保険率が1,000分の9であり、当該中小事業主等に雇用される者が労災保険法第36条第1項の規定により保険給付を受けることができることとされた者である場合、当該者に係る給付基礎日額が12,000円のとき、令和6年度の保険年度1年間における第3種特別加入保険料の額は39,420円となる。なお、本問においては保険年度の中途に特別加入者の事業の変更や異動等はないものとする。

○ **110**　　　　　　　　　　　　　　必修基本書 労働科目……334、506p

（法14条1項、労災保険法施行規則46条の17第1号）本肢のとおりである。本肢の者は、所定の要件を満たすことで一人親方等として労災保険に特別加入をすることができる。また、第2種特別加入保険料率は、一人親方等の事業と同種又は類似の事業又は特定作業従事者の作業と同種又は類似の作業を行う事業についての業務災害、複数業務要因災害及び通勤災害に係る災害率（一定の者については、業務災害及び複数業務要因災害に係る災害率）、社会復帰促進等事業として行う事業の種類及び内容その他の事情を考慮して厚生労働大臣の定める率とされている。

○ **111**　　　　　　　　　　　　　　　　　必修基本書 労働科目……506p

（法14条、則22条、則別表4、則別表5）本肢のとおりである。第2種特別加入保険料の額は、特別加入保険料算定基礎額の総額に第2種特別加入保険料率を乗じて得た額である。本肢の場合の特別加入保険料算定基礎額の総額は、12,000円×365＝4,380,000円となり、令和6年度における第2種特別加入保険料率は、最も高いもので1,000分の52（林業の事業）であるため、令和6年度の第2種特別加入保険料の額は、4,380,000円×52/1,000＝227,760円を超えることはない。

× **112**　　　　　　　　　　　　　　　　　必修基本書 労働科目……506p

（法14条2項、法14条の2第2項）第3種特別加入保険料率は、第3種特別加入者に係る保険給付及び社会復帰促進等事業に要する費用の予想額に照らし、将来にわたって、労災保険の事業に係る**財政の均衡を保つ**ことができるものでなければならない。

× **113**　　　　　　　　　　　　　　　　　必修基本書 労働科目……506p

（法13条、則23条の2、則23条の3、則別表4）第3種特別加入保険料の額は、特別加入保険料算定基礎額の総額に第3種特別加入保険料率を乗じて得た額であり、本肢の場合の特別加入保険料算定基礎額の総額は、12,000円×365＝4,380,000円となり、第3種特別加入保険料率は1,000分の3である。したがって、本肢の第3種特別加入保険料の額は、4,380,000円×3/1,000＝「13,140円」となる。

114 □□□ 普通

有期事業について、中小事業主等が労災保険法第34条第1項の規定により保険給付を受けることができることとされた者である場合、当該者が概算保険料として納付すべき第1種特別加入保険料の額は、同項の承認に係る全期間における特別加入保険料算定基礎額の総額の見込額に当該事業についての第1種特別加入保険料率を乗じて算定した額とされる。なお、本問においては保険年度の中途に特別加入者の事業の変更や異動等はないものとする。

115 □□□ 普通

継続事業の場合で、保険年度の中途に第1種特別加入者でなくなった者の特別加入保険料算定基礎額は、特別加入保険料算定基礎額を12で除して得た額に、その者が当該保険年度中に第1種特別加入者とされた期間の月数を乗じて得た額とする。当該月数に1月未満の端数があるときはその月数を切り捨てる。

○ **114**　　　　　　　　　　　　　　　　　必修基本書 労働科目……505p

（法13条、則21条2項）本肢のとおりである。なお、有期事業の場合は、当該有期事業についての特別加入した期間（承認に係る全期間）に1月未満の端数がある場合に、これを1月に切り上げる（平7.3.30労徴発第28号）

× **115**　　　　　　　　　　　　　　　　　必修基本書 労働科目……505p

（則21条1項、平7.3.30労徴発第28号）本肢の月数に1月未満の端数があるときはこれを「1に切り上げる」。その他の記述は正しい。

⑤ 概算保険料・確定保険料の申告納付

令和5年6月1日に労働保険の保険関係が成立し、継続して交通運輸事業を営んできた事業主は、概算保険料の申告及び納付手続と確定保険料の申告及び納付手続とを令和6年度の保険年度において同一の用紙により一括して行うことができる。

継続事業（一括有期事業を含む。）について、前保険年度から保険関係が引き続く事業に係る労働保険料は保険年度の6月1日から起算して40日以内の7月10日までに納付しなければならないが、保険年度の中途で保険関係が成立した事業に係る労働保険料は保険関係が成立した日の翌日から起算して50日以内に納付しなければならない。

継続事業で特別加入者がいない場合の概算保険料は、その保険年度に使用するすべての労働者（保険年度の中途に保険関係が成立したものについては、当該保険関係が成立した日からその保険年度の末日までに使用するすべての労働者）に係る賃金総額（その額に1,000円未満の端数があるときは、その端数は、切り捨てる。以下本肢において同じ。）の見込額が、直前の保険年度の賃金総額の100分の50以上100分の200以下である場合は、直前の保険年度に使用したすべての労働者に係る賃金総額に当該事業についての一般保険料に係る保険料率を乗じて算定する。

○ **116** 　　　　　　　　　　　　　　必修基本書 労働科目……506p

（法15条1項、法19条1項）本肢のとおりである。いわゆる年度更新の手続である。

○ **117** 　　　　　　　　　　　　　　必修基本書 労働科目……507p

（法15条1項）本肢のとおりである。なお、有期事業（一括有期事業を除く）については、その事業主は、法15条2項に掲げる労働保険料を、その労働保険料の額その他厚生労働省令で定める事項を記載した申告書に添えて、保険関係が成立した日（保険関係が成立した日の翌日以後に中小事業主等の特別加入の承認があった事業に係る第1種特別加入保険料の申告・納付期限については、その承認があった日）から20日以内（翌日起算）に納付しなければならない（同条2項）。

○ **118** 　　　　　　　　　　　　　　必修基本書 労働科目……508p

（法15条1項、則24条1項）本肢のとおりである。なお、概算保険料の額に1円未満の端数があるときは、その端数を切り捨てる。

119 □□□ 普通

次に示す業態をとる事業について、令和2年度における賃金総額はその年度当初には7,400万円が見込まれていたので、当該年度の概算保険料については、下記の算式により算定し、111万円とされた。なお、本問においては、保険料の滞納はないものとし、また、一般保険料以外の対象となる者はいないものとする。

7,400万円 × 1000分の15 ＝ 111万円

　保険関係成立年月日：令和元年7月10日
　事業の種類：食料品製造業
　令和2年度及び3年度の労災保険率：1000分の6
　令和2年度及び3年度の雇用保険率：1000分の9
　令和元年度の確定賃金総額：4,000万円
　令和2年度に支払いが見込まれていた賃金総額：7,400万円
　令和2年度の確定賃金総額：7,600万円
　令和3年度に支払いが見込まれる賃金総額：3,600万円

120 □□□ 易

建設の有期事業を行う事業主は、当該事業に係る労災保険の保険関係が成立した場合には、その成立した日の翌日から起算して20日以内に、概算保険料を概算保険料申告書に添えて、申告・納付しなければならない。

121 □□□ 易

複数年にわたる建設の有期事業の事業主が納付すべき概算保険料の額は、その事業の当該保険関係に係る全期間に使用するすべての労働者に係る賃金総額（その額に1,000円未満の端数があるときは、その端数は切り捨てる。）の見込額に、当該事業についての一般保険料率を乗じて算定した額となる。

122 □□□ 易

令和6年4月1日から2年間の有期事業（一括有期事業を除く。）の場合、概算保険料として納付すべき一般保険料の額は、各保険年度ごとに算定し、当該各保険年度に使用するすべての労働者に係る賃金総額の見込額の合計額に当該事業の一般保険料率を乗じて得た額となる。この場合、令和7年度の賃金総額の見込額については、令和6年度の賃金総額を使用することができる。

（法15条1項、則24条1項）令和2年度の賃金総額見込額7,400万円は、令和元年度の賃金総額4,000万円の100分の50以上100分の200以下の範囲内にあるため、令和2年度の概算保険料の計算における賃金総額は、令和元年度の賃金総額4,000万円を使用する。したがって、令和2年度の概算保険料は「4,000万円×1,000分の15＝60万円」である。

（法15条2項）本肢のとおりである。単独有期事業の概算保険料の申告納付期限に関しては、早期に現場が解散するなどの可能性があることから、保険関係成立日の翌日から起算して50日ではなく、「20日以内」とされている。

（法15条2項1号）本肢のとおりである。単独有期事業については年度更新がないためすべての期間の賃金総額によって概算保険料を算定する。

（法15条2項）単独有期事業に係る概算保険料の額は、当該事業の保険関係に係る「全期間」に使用するすべての労働者に係る賃金総額の見込額に当該事業についての一般保険料率を乗じて算定した一般保険料である。また、全期間の賃金総額見込額を使用するため、本肢後段のような例外もない。

徴収法

❺概算保険料・確定保険料の申告納付

123 □□□ 普通　　　　　　　　　　　　　　　　　　　　R3.災9-D

概算保険料の納付は事業主による申告納付方式がとられているが、事業主が所定の期限までに概算保険料申告書を提出しないとき、又はその申告書の記載に誤りがあると認めるときは、都道府県労働局歳入徴収官が労働保険料の額を決定し、これを事業主に通知する。なお、本肢における「概算保険料申告書」とは、労働保険徴収法第15条第1項及び第2項の申告書をいう。

124 □□□ 易　　　　　　　　　　　　　　　　　　　　　R3.災9-E

事業主の納付した概算保険料の額が、労働保険徴収法第15条第3項の規定により政府の決定した概算保険料の額に足りないとき、事業主はその不足額を同項の規定による通知を受けた日の翌日から起算して15日以内に納付しなければならない。

125 □□□ 普通　　　　　　　　　　　　　　　　　　　　R4.雇9-B

事業主は、労災保険に係る保険関係のみが成立している事業について、保険年度又は事業期間の中途に、労災保険及び雇用保険に係る保険関係が成立している事業に該当するに至ったため、当該事業に係る一般保険料率が変更した場合、労働保険徴収法施行規則に定める要件に該当するときは、一般保険料率が変更された日の翌日から起算して30日以内に、変更後の一般保険料率に基づく労働保険料の額と既に納付した労働保険料の額との差額を納付しなければならない。

126 □□□ 普通　　　　　　　　　　　　　　　　　　　　R4.雇9-C

事業主は、保険年度又は事業期間の中途に、一般保険料の算定の基礎となる賃金総額の見込額が増加した場合に、労働保険徴収法施行規則に定める要件に該当するに至ったとき、既に納付した概算保険料と増加を見込んだ賃金総額の見込額に基づいて算定した概算保険料との差額（以下「増加概算保険料」という。）を納期限までに増加概算保険料に係る申告書に添えて申告・納付しなければならないが、その申告書の記載に誤りがあると認められるときは、所轄都道府県労働局歳入徴収官は正しい増加概算保険料の額を決定し、これを事業主に通知することとされている。

127 □□□ 易　　　　　　　　　　　　　　　　　　　　　H30.災9-オ

追加徴収される増加概算保険料については、事業主が増加概算保険料申告書を提出しないとき、又はその申告書の記載に誤りがあると認められるときは、所轄都道府県労働局歳入徴収官は増加概算保険料の額を決定し、これを当該事業主に通知しなければならない。

○ **123** 　　　　　　　　　　　　　　　　必修基本書 労働科目……510p

（法15条3項、則1条3項）本肢のとおりである。本肢の手続き（概算保険料の認定決定）は、主に事業主の自主的な申告がない場合に行われる政府の措置であり、さらに納付書等によって保険料を納付させることによって、その確実な徴収を図っている。

○ **124** 　　　　　　　　　　　　　　　　必修基本書 労働科目……510p

（法15条4項）本肢のとおりである。なお、本肢の納付は、納付書によって行わなければならない（則38条4項）。

○ **125** 　　　　　　　　　　　　　　　　必修基本書 労働科目……511p

（法16条、法附則5条）本肢のとおりである。いわゆる増加概算保険料に関する記述である。

× **126** 　　　　　　　　　　　　　　　　必修基本書 労働科目……511p

（法15条3項、法16条）増加概算保険料については、「認定決定は行われない」。本肢前段の記述は正しい。

× **127** 　　　　　　　　　　　　　　　　必修基本書 労働科目……511p

（法16条ほか）増加概算保険料については、政府による「認定決定は行われない」。

128 ▢▢▢ 普通　　　　　　　　　　　　　　　　　　　　R3.雇10-D

次に示す業態をとる事業について、令和3年度に支払いを見込んでいた賃金総額が3,600万円から6,000万円に増加した場合、増加後の賃金総額の見込額に基づき算定した概算保険料の額と既に納付した概算保険料の額との差額を増加概算保険料として納付しなければならない。なお、本肢においては、保険料の滞納はないものとし、また、一般保険料以外の対象となる者はいないものとする。

　保険関係成立年月日：令和元年7月10日

　事業の種類：食料品製造業

　令和2年度及び3年度の労災保険率：1000分の6

　令和2年度及び3年度の雇用保険率：1000分の9

　令和元年度の確定賃金総額：4,000万円

　令和2年度に支払いが見込まれていた賃金総額：7,400万円

　令和2年度の確定賃金総額：7,600万円

　令和3年度に支払いが見込まれる賃金総額：3,600万円

129 ▢▢▢ 難　　　　　　　　　　　　　　　　　　　　　R3.災9-C

労働保険徴収法第16条の厚生労働省令で定める要件に該当するときは、既に納付した概算保険料と増加を見込んだ賃金総額の見込額に基づいて算定した概算保険料との差額（以下「増加概算保険料」という。）を、その額その他厚生労働省令で定める事項を記載した申告書に添えて納付しなければならないが、当該申告書の記載事項は増加概算保険料を除き概算保険料申告書と同一である。なお、本肢における「概算保険料申告書」とは、労働保険徴収法第15条第1項及び第2項の申告書をいう。

130 ▢▢▢ 易　　　　　　　　　　　　　　　　　　　　　H30.災9-ア

政府が、保険年度の中途に、一般保険料率、第1種特別加入保険料率、第2種特別加入保険料率又は第3種特別加入保険料率の引上げを行ったときは、増加した保険料の額の多少にかかわらず、法律上、当該保険料の額について追加徴収が行われることとなっている。

✕	**128**	必修基本書 労働科目……511p

（法16条、則25条1項）本肢の場合、増加後の賃金総額見込額6,000万円は増加前の賃金総額見込額3,600万円の100分の200（7,200万円）を超えていないため、増加概算保険料の納付義務はない。

✕	**129**	必修基本書……該当ページなし

（法16条、則24条2項、則25条2項）増加概算保険料申告書には、概算保険料申告書には記載することはない「保険料算定基礎額の見込額が増加した年月日」等を記載しなければならないため、これらの申告書の記載事項は「同一ではない」。

○	**130**	必修基本書 労働科目……511〜512p

（法17条1項）本肢のとおりである。

131 ▢▢▢ 易   H30.災9-ウ

追加徴収される概算保険料については、所轄都道府県労働局歳入徴収官が当該概算保険料の額の通知を行うが、その納付は納付書により行われる。

132 ▢▢▢ 易   R4.雇9-E

事業主は、政府が保険年度の中途に一般保険料率、第一種特別加入保険料率、第二種特別加入保険料率、第三種特別加入保険料率の引上げを行ったことにより、概算保険料の増加額を納付するに至ったとき、所轄都道府県労働局歳入徴収官が追加徴収すべき概算保険料の増加額等を通知した納付書によって納付することとなり、追加徴収される概算保険料に係る申告書を提出する必要はない。

133 ▢▢▢ 普通   H30.災9-イ

政府が、保険年度の中途に、一般保険料率、第1種特別加入保険料率、第2種特別加入保険料率又は第3種特別加入保険料率の引下げを行ったときは、法律上、引き下げられた保険料の額に相当する額の保険料の額について、未納の労働保険料その他この法律による徴収金の有無にかかわらず還付が行われることとなっている。

134 ▢▢▢ 普通   R4.雇9-A

事業主は、労災保険及び雇用保険に係る保険関係が成立している事業が、保険年度又は事業期間の中途に、労災保険に係る保険関係のみ成立している事業に該当するに至ったため、当該事業に係る一般保険料率が変更した場合、既に納付した概算保険料の額と変更後の一般保険料率に基づき算定した概算保険料の額との差額について、保険年度又は事業期間の中途にその差額の還付を請求できない。

135 ▢▢▢ 普通   R4.雇9-D

事業主は、政府が保険年度の中途に一般保険料率、第一種特別加入保険料率、第二種特別加入保険料率、第三種特別加入保険料率の引下げを行ったことにより、既に納付した概算保険料の額が保険料率引下げ後の概算保険料の額を超える場合は、保険年度の中途にその超える額の還付を請求できない。

○ **131**　　　　　　　　　　　　　必修基本書 労働科目……512p

（則26条、則38条4項・5項）本肢のとおりである。労働保険料（印紙保険料を除く）その他徴収法の規定による徴収金の納付は、納入告知書に係るものを除き、納付書によって行わなければならない。なお、有期事業のメリット制の適用に伴う確定保険料の差額徴収、追徴金、特例納付保険料、認定決定による確定保険料及び認定決定による印紙保険料の通知は、納入告知書によって行われる。

○ **132**　　　　　　　　　　　　　必修基本書 労働科目……512p

（法17条、則26条ほか）本肢のとおりである。労働保険料（印紙保険料を除く）その他法の規定による徴収金の納付は、**納入告知書**に係るものを除き**納付書**によって行なわなければならない。

× **133**　　　　　　　　　　　　　必修基本書……該当ページなし

（法17条1項ほか）本肢のような規定は設けられていないため、政府が、保険年度の中途に、一般保険料率、第1種特別加入保険料率、第2種特別加入保険料率又は第3種特別加入保険料率の引下げを行ったときであっても、保険年度の中途においては、引き下げられた保険料の額に相当する保険料の額は、「還付されない」。

○ **134**　　　　　　　　　　　　　必修基本書……該当ページなし

（法19条6項ほか）本肢のとおりである。

○ **135**　　　　　　　　　　　　　必修基本書 労働科目……524p

（法19条6項ほか）本肢のとおりである。一般保険料率、第1種特別加入保険料率、第2種特別加入保険料率又は第3種特別加入保険料率の引下げを行ったときであっても、保険年度の中途に概算保険料の還付の請求をすることはできない。

136 ▢▢▢ 普通　　　　　　　　　　　　　　　　　　　　R3.災9-A

事業主が概算保険料を納付する場合には、当該概算保険料を、その労働保険料の額その他厚生労働省令で定める事項を記載した概算保険料申告書に添えて、納入告知書に係るものを除き納付書によって納付しなければならない。なお、本問における「概算保険料申告書」とは、労働保険徴収法第15条第1項及び第2項の申告書をいう。

137 ▢▢▢ 普通　　　　　　　　　　　　　　　　　　　　H30.雇9-エ

特別加入保険料に係る概算保険料申告書は、所轄都道府県労働局歳入徴収官に提出しなければならないところ、労働保険徴収法第21条の2第1項の承認を受けて労働保険料の納付を金融機関に委託している場合、日本銀行（本店、支店、代理店、歳入代理店をいう。以下本肢において同じ。）を経由して提出することができるが、この場合には、当該概算保険料については、日本銀行に納付することができない。

138 ▢▢▢ 普通　　　　　　　　　　　　　　　　　　　　H30.雇9-オ

雇用保険に係る保険関係のみが成立している事業の一般保険料については、所轄公共職業安定所は当該一般保険料の納付に関する事務を行うことはできない。

139 ▢▢▢ 普通　　　　　　　　　　　　　　　　　　　　H29.災10-オ

労働保険事務の処理が労働保険事務組合に委託されている事業についての事業主は、納付すべき概算保険料の額が20万円（労災保険に係る保険関係又は雇用保険に係る保険関係のみが成立している事業については、10万円）以上（当該保険年度において10月1日以降に保険関係が成立したものを除く。）となる場合であれば、労働保険徴収法に定める申請をすることにより、その概算保険料を延納することができる。

140 ▢▢▢ 普通　　　　　　　　　　　　　　　　　　　　R5.雇8-D

令和6年4月1日に労働保険の保険関係が成立して以降金融業を継続して営んでおり、労働保険事務組合に労働保険事務の処理を委託している事業主は、令和7年度の保険年度の納付すべき概算保険料の額が10万円であるとき、その延納の申請を行うことはできない。

○ **136** 必修基本書 労働科目……512〜513p

（法15条1項・2項、則38条4項）本肢のとおりである。なお、事業主は、概算保険料の申告・納付を行う場合、**概算保険料申告書を所轄都道府県労働局歳入徴収官に提出**し、**納付書によって所轄都道府県労働局収入官吏に概算保険料を納付**する。

× **137** 必修基本書 労働科目……512〜513p

（則38条2項・3項）法21条の2第1項の承認を受けて労働保険料の納付を金融機関に委託して行う（口座振替による納付）場合に提出する概算保険料申告書は、日本銀行を経由して提出することは「できない」。この場合の当該概算保険料については、日本銀行に納付することが「できる」。

○ **138** 必修基本書 労働科目……512〜513p

（則38条3項ほか）本肢のとおりである。

× **139** 必修基本書 労働科目……513〜515p

（則27条、則28条ほか）労働保険事務の処理が労働保険事務組合に委託されている事業については、「概算保険料の額の如何にかかわらず」、その他の要件を満たしていれば、事業主が延納の申請をすることにより、その概算保険料を延納することができる。

× **140** 必修基本書 労働科目……513〜515p

（則27条1項）労働保険事務の処理が労働保険事務組合に委託されている場合、概算保険料の額にかかわらず、申請により概算保険料を延納することができる。したがって、本肢の事業主は、概算保険料の「延納の申請を行うことができる」。

141 ▢▢▢ 普通 R3.雇10-A

次に示す業態をとる事業について、令和元年度の概算保険料を納付するに当たって概算保険料の延納を申請した。当該年度の保険料は3期に分けて納付することが認められ、第1期分の保険料の納付期日は保険関係成立の日の翌日から起算して50日以内の令和元年8月29日までとされた。なお、本肢においては、保険料の滞納はないものとし、また、一般保険料以外の対象となる者はいないものとする。

　保険関係成立年月日：令和元年7月10日
　事業の種類：食料品製造業
　令和2年度及び3年度の労災保険率：1000分の6
　令和2年度及び3年度の雇用保険率：1000分の9
　令和元年度の確定賃金総額：4,000万円
　令和2年度に支払いが見込まれていた賃金総額：7,400万円
　令和2年度の確定賃金総額：7,600万円
　令和3年度に支払いが見込まれる賃金総額：3,600万円

142 ▢▢▢ 普通 H29.災10-ウ

継続事業（一括有期事業を含む。）の概算保険料については、令和6年10月1日に保険関係が成立したときは、その延納はできないので、令和6年11月20日までに当該概算保険料を納付しなければならない。

143 ▢▢▢ 易 R元.災8-E

政府は、厚生労働省令で定めるところにより、事業主の申請に基づき、その者が労働保険徴収法第15条の規定により納付すべき概算保険料を延納させることができるが、有期事業以外の事業にあっては、当該保険年度において9月1日以降に保険関係が成立した事業はその対象から除かれる。

144 ▢▢▢ 普通 H29.災10-ア

概算保険料17万円を3期に分けて納付する場合、第1期及び第2期の納付額は各56,667円、第3期の納付額は56,666円である。

✕ **141**　　　　　　　　　　　　　　　　必修基本書 労働科目……513～515p

（則27条）本肢の場合、令和元年7月10日から同年11月30日までを最初の期、同年12月1日から令和2年3月31日を第2期として「2回」の延納が認められる。その他の記述は正しい。

◯ **142**　　　　　　　　　　　　　　　　必修基本書 労働科目……513～515p

（法15条1項、則27条1項）本肢のとおりである。本肢の場合の概算保険料については、延納をすることはできず、11月20日（保険関係成立日である10月1日の翌日から起算して50日）までに納付しなければならない。

✕ **143**　　　　　　　　　　　　　　　　必修基本書 労働科目……513～515p

（則27条1項）有期事業以外の事業にあっては、当該保険年度において「10月1日」以降に保険関係が成立した事業は、当該保険年度において概算保険料の延納の対象から除かれる。その他の記述は正しい。

✕ **144**　　　　　　　　　　　　　　　　必修基本書 労働科目……516p

（則27条2項、則28条2項ほか）本肢の場合、第2期及び第3期の納付額は各「56,666円」、第1期の納付額は「56,668円」である。延納に係る各期分の納付額は、概算保険料の額を延納に係る期の数で等分した額であるが、当該等分した額に1円未満の端数があるときは、それらの端数は最初の期分の納付額に加算する。

145 □□□ 易　　　　　　　　　　　　　　　　　　　H27.雇9-D

概算保険料についての延納が認められ、前保険年度より保険関係が引き続く継続
事業（一括有期事業を含む。）の事業主の4月1日から7月31日までの期分の概算
保険料の納期限は、労働保険事務組合に労働保険事務の処理を委託している場合
であっても、7月10日とされている。

146 □□□ 普通　　　　　　　　　　　　　　　　　　　R2.雇8-A

概算保険料について延納できる要件を満たす継続事業の事業主が、7月1日に保
険関係が成立した事業について保険料の延納を希望する場合、2回に分けて納付
することができ、最初の期分の納付期限は8月20日となる。

147 □□□ 普通　　　　　　　　　　　　　　　　　　　R3.災9-B

有期事業（一括有期事業を除く。）の事業主は、概算保険料を、当該事業を開始
した日の翌日から起算して20日以内に納付しなければならないが、当該事業の全
期間が200日であり概算保険料の額が80万円の場合には、概算保険料申告書を
提出する際に延納の申請をすることにより、当該概算保険料を分割納付すること
ができる。なお、本肢における「概算保険料申告書」とは、労働保険徴収法第15
条第1項及び第2項の申告書をいう。

148 □□□ 易　　　　　　　　　　　　　　　　　　　H27.雇9-E

概算保険料について延納が認められている有期事業（一括有期事業を除く。）の
事業主の4月1日から7月31日までの期分の概算保険料の納期限は、労働保険事
務組合に労働保険事務の処理を委託している場合であっても、3月31日とされて
いる。

149 □□□ 普通　　　　　　　　　　　　　　　　　　　R2.雇8-B

概算保険料について延納できる要件を満たす有期事業（一括有期事業を除く。）
の事業主が、6月1日に保険関係が成立した事業について保険料の延納を希望する
場合、11月30日までが第1期となり、最初の期分の納付期限は6月21日となる。

○ **145**　　　　　　　　　必修基本書 労働科目……513〜515p

（則27条）本肢のとおりである。

○ **146**　　　　　　　　　必修基本書 労働科目……513〜515p

（則27条）本肢のとおりである。保険年度の中途に保険関係が成立した継続事業の最初の期分の概算保険料の納期限は、保険関係が成立した日の翌日から起算して50日以内である。

○ **147**　　　　　　　　　必修基本書 労働科目……516〜517p

（法15条2項、則28条1項）本肢のとおりである。本肢の有期事業の全期間は6月を超えており、かつ、概算保険料の額が75万円を超えているため、概算保険料を延納することができる。

○ **148**　　　　　　　　　必修基本書 労働科目……516〜517p

（則28条）本肢のとおりである。

○ **149**　　　　　　　　　必修基本書 労働科目……516〜517p

（則28条）本肢のとおりである。本誌の場合、保険関係成立の日（6月1日）からその日の属する期の末日（7月31日）までの期間が2月以内であるため、保険関係成立の日（6月1日）からその日の属する期の次の期の末日（11月30日）までが最初の期となる。また、最初の期分の概算保険料の納期限は、保険関係成立の日の翌日から起算して20日以内である。

150 □□□ 普通　　　　　　　　　　　　　　　　　　　　　H29.災10-イ

延納できる要件を満たす有期事業（一括有期事業を除く。）の概算保険料については、令和6年6月15日に事業を開始し、翌年の6月5日に事業を終了する予定の場合、3期に分けて納付することができ、その場合の第1期の納期限は令6年7月5日となる。

151 □□□ 普通　　　　　　　　　　　　　　　　　　　　　　R5.雇8-E

令和5年5月1日から令和7年2月28日までの期間で道路工事を行う事業について、事業主が納付すべき概算保険料の額が120万円であったとき、延納の申請により第1期に納付すべき概算保険料の額は24万円とされる。

152 □□□ 普通　　　　　　　　　　　　　　　　　　　　　H29.災10-エ

認定決定された概算保険料については延納をすることができるが、認定決定された増加概算保険料については延納することはできない。

○ 150 必修基本書 労働科目……516〜517p

（則28条）本肢のとおりである。本肢場合、第1期（6月15日から11月30日まで）、第2期（12月1日から翌年3月31日まで）及び第3期（翌年4月1日から同6月5日まで）の3期に分けて概算保険料を納付することができ、第1期の納期限は7月5日（保険関係成立日である6月15日の翌日から起算して20日）となる。

✕ 151 必修基本書 労働科目……516〜517p

（則28条1項）本肢の有期事業については6回の延納が認められるため、第1期に納付すべき概算保険料の額は、120万円÷6＝「20万円」である。

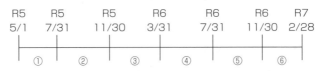

✕ 152 必修基本書 労働科目……518p

（法15条3項・4項、法16条、法18条ほか）増加概算保険料については「認定決定は行われない」。認定決定された概算保険料については延納することができるとする点は正しい。なお、政府は、厚生労働省令で定めるところにより、事業主の申請に基づき、その者が法15条（概算保険料（概算保険料の認定決定を含む））、法16条（増加概算保険料）及び法17条（概算保険料の追加徴収）の規定により納付すべき労働保険料を延納させることができる。

153 普通 R3.雇10-E

次に示す業態をとる事業について、令和3年度の概算保険料の納付について延納を申請し、定められた納期限に従って保険料を納付後、政府が、申告書の記載に誤りがあったとして概算保険料の額を決定し、事業主に対し、納付した概算保険料の額が政府の決定した額に足りないと令和3年8月16日に通知した場合、事業主はこの不足額を納付しなければならないが、この不足額については、その額にかかわらず、延納を申請することができない。なお、本肢においては、保険料の滞納はないものとし、また、一般保険料以外の対象となる者はいないものとする。

保険関係成立年月日：令和元年7月10日
事業の種類：食料品製造業
令和2年度及び3年度の労災保険率：1000分の6
令和2年度及び3年度の雇用保険率：1000分の9
令和元年度の確定賃金総額：4,000万円
令和2年度に支払いが見込まれていた賃金総額：7,400万円
令和2年度の確定賃金総額：7,600万円
令和3年度に支払いが見込まれる賃金総額：3,600万円

154 易 H27.雇9-A

概算保険料について延納が認められる継続事業（一括有期事業を含む。）の事業主は、増加概算保険料の納付については、増加概算保険料申告書を提出する際に延納の申請をすることにより延納することができる。

155 普通 R2.雇8-C

概算保険料について延納が認められている継続事業（一括有期事業を含む。）の事業主が、増加概算保険料の納付について延納を希望する場合、7月1日に保険料算定基礎額の増加が見込まれるとき、3回に分けて納付することができ、最初の期分の納付期限は7月31日となる。

156 易 H30.災9-エ

追加徴収される概算保険料については、延納をすることはできない。

✕ 153　　　　　　　　　　必修基本書 労働科目……517〜518p

（法18条、則29条）本肢の事業主は当初の概算保険料について延納をしているため、認定決定された概算保険料についても延納をすることができる。

○ 154　　　　　　　　　　必修基本書 労働科目……518〜519p

（法18条、則30条）本肢のとおりである。なお、増加概算保険料を延期することができるのは、当初の概算保険料（認定決定による概算保険料を含む）を延納している場合に限られている。

○ 155　　　　　　　　　　必修基本書 労働科目……518〜519p

（法18条、則30条1項・2項）本肢のとおりである。最初の期分の増加概算保険料の納期限は、保険料算定基礎額の増加が見込まれた日の翌日から起算して30日以内である。

✕ 156　　　　　　　　　　必修基本書 労働科目……519p

（法18条、則31条）追加徴収された概算保険料については、要件を満たせば、延納をすることが「できる」。

概算保険料について、延納が認められている継続事業（一括有期事業を含む。）の事業主が、労働保険徴収法第17条第2項の規定により概算保険料の追加徴収の通知を受けた場合、当該事業主は、その指定された納期限までに延納の申請をすることにより、追加徴収される概算保険料を延納することができる。

次に示す業態をとる事業について、令和3年度の概算保険料については、賃金総額の見込額を3,600万円で算定し、延納を申請した。また、令和2年度の確定保険料の額は同年度の概算保険料の額を上回った。この場合、第1期分の保険料は下記の算式により算定した額とされた。なお、本肢においては、保険料の滞納はないものとし、また、一般保険料以外の対象となる者はいないものとする。

3,600万円×1000分の15÷3＝18万円 ⋯⋯⋯⋯⋯⋯⋯⋯⋯⋯⋯ ①
（令和2年度の確定保険料）－（令和2年度の概算保険料）⋯⋯ ②
第1期分の保険料＝①＋②

保険関係成立年月日：令和元年7月10日
事業の種類：食料品製造業
令和2年度及び3年度の労災保険率：1000分の6
令和2年度及び3年度の雇用保険率：1000分の9
令和元年度の確定賃金総額：4,000万円
令和2年度に支払いが見込まれていた賃金総額：7,400万円
令和2年度の確定賃金総額：7,600万円
令和3年度に支払いが見込まれる賃金総額：3,600万円

小売業を継続して営んできた事業主が令和6年10月31日限りで事業を廃止した場合、確定保険料申告書を同年12月10日までに所轄都道府県労働局歳入徴収官あてに提出しなければならない。

○ **157**　必修基本書 労働科目……519p

（法18条、則31条）本肢のとおりである。追加徴収の保険料を延納することができるのは、当初の概算保険料（認定決定による概算保険料を含む）を延納している場合に限られている。

○ **158**　必修基本書 労働科目……P514〜515p

（法15条1項、法19条1項、則27条2項）本肢のとおりである。なお、本肢①は、本肢の場合において令和3年度の概算保険料を延納したときの計算式を表したものであり、3,600万円（令和3年度に支払いが見込まれる賃金総額）×1000分の15（令和3年度の労災保険率（1000分の6）＋令和3年度の雇用保険率（1000分の9）÷3（延納の回数）となっている。

× **159**　必修基本書 労働科目……520p

（法19条1項）保険年度の中途に保険関係が消滅したものについては、当該保険関係が消滅した日から50日以内（当日起算）に確定保険料申告書を提出しなければならない。本肢の保険関係が消滅した日は令和6年11月1日となるため、同日から起算して50日目である「令和6年12月20日」までに確定保険料申告書を提出しなければならない。

160 ▢▢▢ 易 H27.雇9-C

概算保険料について延納が認められている継続事業（一括有期事業を含む。）の事業主が、納期限までに確定保険料申告書を提出しないことにより、所轄都道府県労働局歳入徴収官が労働保険料の額を決定し、これを事業主に通知した場合において、既に納付した概算保険料の額が、当該決定された確定保険料の額に足りないときは、その不足額を納付する際に延納の申請をすることができる。

161 ▢▢▢ 易 R元.災9-B

継続事業（一括有期事業を含む。）の事業主は、保険年度の中途に労災保険法第34条第1項の承認が取り消された事業に係る第1種特別加入保険料に関して、当該承認が取り消された日から50日以内に確定保険料申告書を提出しなければならない。

162 ▢▢▢ 普通 R6.雇10-A

前保険年度より保険関係が引き続く継続事業の事業主は、労働保険徴収法第19条第1項に定める確定保険料申告書を、保険年度の7月10日までに所轄都道府県労働局歳入徴収官に提出しなければならないが、当該事業が3月31日に廃止された場合には同年5月10日までに提出しなければならない。

163 ▢▢▢ 普通 R6.雇10-D

前保険年度より保険関係が引き続く継続事業の事業主は、前保険年度の3月31日に賃金締切日があり当該保険年度の4月20日に当該賃金を支払う場合、当該賃金は前保険年度の確定保険料として申告すべき一般保険料の額を算定する際の賃金総額に含まれる。

164 ▢▢▢ 普通 R6.雇10-B

3月31日に事業が終了した有期事業の事業主は、労働保険徴収法第19条第1項に定める確定保険料申告書を、同年5月10日までに所轄都道府県労働局歳入徴収官に提出しなければならない。

165 ▢▢▢ 易 H27.災9-C

建設の有期事業を行う事業主は、当該事業に係る労災保険の保険関係が消滅した場合であって、納付した概算保険料の額が確定保険料の額として申告した額に足りないときは、当該保険関係が消滅した日から起算して50日以内にその不足額を、確定保険料申告書に添えて、申告・納付しなければならない。

| × | **160** | 必修基本書 労働科目……521p |

（法19条5項ほか）「確定保険料については延納することができない」。本肢の場合、納期限までに確定保険料申告書を提出しないことにより、認定決定を受けているため、事業主は、**納入告知書**によって通知を受けた日から15日以内にその不足分を納付しなければならない。

| ○ | **161** | 必修基本書 労働科目……520p |

（法19条1項）本肢のとおりである。なお、確定保険料の額に1円未満の端数があるときは、その端数を**切り捨てる**。

| × | **162** | 必修基本書 労働科目……520p |

（法19条1項）継続事業が廃止された場合、事業主は、保険関係が消滅した日から50日以内（当日起算）に確定保険料申告書を提出しなければならない。したがって、本肢の継続事業の事業主は、「5月20日」までに確定保険料申告書を提出しなければならない。

| ○ | **163** | 必修基本書 労働科目……520p |

（昭24.10.5基災収5178号）本肢のとおりである。本肢の賃金総額には、その保険年度中に支払うことが確定した賃金であれば、現実にまだ支払われていないものも含まれる。

| × | **164** | 必修基本書 労働科目……521p |

（法19条2項）有期事業が終了した場合、事業主は、保険関係が消滅した日から50日以内（当日起算）に確定保険料申告書を提出しなければならない。したがって、本肢の有期事業の事業主は、「5月20日」までに確定保険料申告書を提出しなければならない。

| ○ | **165** | 必修基本書 労働科目……521〜522p |

（法19条2項・3項）本肢のとおりである。

166 ☐☐☐ 難 R4.災8-A

労災保険の適用事業場のすべての事業主は、労働保険の確定保険料の申告に併せて一般拠出金（石綿による健康被害の救済に関する法律第35条第1項の規定により徴収する一般拠出金をいう。以下同じ。）を申告・納付することとなっており、一般拠出金の額の算定に当たって用いる料率は、労災保険のいわゆるメリット制の対象事業場であってもメリット料率（割増・割引）の適用はない。

167 ☐☐☐ 易 R元.災9-E

事業主が提出した確定保険料申告書の記載に誤りがあり、労働保険料の額が不足していた場合、所轄都道府県労働局歳入徴収官は労働保険料の額を決定し、これを事業主に通知する。このとき事業主は、通知を受けた日の翌日から起算して30日以内にその不足額を納付しなければならない。

168 ☐☐☐ 普通 H29.雇8-エ

有期事業（一括有期事業を除く。）について、事業主が確定保険料として申告すべき労働保険料の額は、特別加入者がいない事業においては一般保険料の額となり、特別加入者がいる事業においては第1種又は第3種特別加入者がいることから、これらの者に係る特別加入保険料の額を一般保険料の額に加算した額となる。

169 ☐☐☐ 普通 H29.雇8-ウ

都道府県労働局歳入徴収官により認定決定された概算保険料の額及び確定保険料の額の通知は、納入告知書によって行われる。

170 ☐☐☐ 普通 H30.雇9-イ

確定保険料申告書は、納付した概算保険料の額が確定保険料の額以上の場合でも、所轄都道府県労働局歳入徴収官に提出しなければならない。

171 ☐☐☐ 普通 R元.災9-D

事業主は、既に納付した概算保険料の額と確定保険料の額が同一であり過不足がないときは、確定保険料申告書を所轄都道府県労働局歳入徴収官に提出するに当たって、日本銀行（本店、支店、代理店及び歳入代理店をいう。）、年金事務所（日本年金機構法第29条の年金事務所をいう。）又は労働基準監督署を経由して提出できる。

○ **166**　　　　　　　　　　　　　必修基本書 労働科目……524、528〜529p

（石綿健康被害救済法35条2項、同法38条1項、平25.12.19環境省告示111号）
本肢のとおりである。なお、厚生労働大臣は、本肢の一般拠出金を徴収したときは、
独立行政法人環境再生保全機構に対し、徴収した額から当該一般拠出金の徴収に
要する費用の額として政令で定めるところにより算定した額を控除した額に相当
する金額を交付するものとする（同法36条）。

× **167**　　　　　　　　　　　　　　　　必修基本書 労働科目……522p

（法19条4項・5項ほか）確定保険料の認定決定による労働保険料の不足額の納
付は、所轄都道府県労働局歳入徴収官から通知を受けた日の翌日から起算して「15
日以内」に行わなければならない。その他の記述は正しい。

× **168**　　　　　　　　　　　　　　　　必修基本書 労働科目……522p

（労災保険法33条、法19条2項）有期事業から派遣される海外派遣者については、
そもそも特別加入ができないため、有期事業に係る確定保険料として申告すべき
労働保険料の額に「第3種特別加入保険料は含まれない」。

× **169**　　　　　　　　　　　　　　必修基本書 労働科目……510、522p

（則38条4項・5項）概算保険料の認定決定に係る通知は、「納付書」によって行
われる。その他の記述については正しい。

○ **170**　　　　　　　　　　　　　　　　必修基本書 労働科目……523p

（則38条1項ほか）本肢のとおりである。なお、確定保険料申告書の提出は、一
定の区分に従って、日本銀行、年金事務所又は労働基準監督署を経由して行うこ
とができる場合があるが、納付すべき労働保険料がない場合には、日本銀行を経
由して行うことはできない。

× **171**　　　　　　　　　　　　　　　　必修基本書 労働科目……523p

（則38条2項）納付すべき確定保険料がない場合における確定保険料申告書の提
出については、労働基準監督署又は一定の場合に年金事務所を経由して行うこと
はできるが、「日本銀行を経由して行うことはできない」。

172 □□□ 普通　　　　　　　　　　　　　　　R元.災9-C

事業主は、既に納付した概算保険料の額のうち確定保険料の額を超える額（超過額）の還付を請求できるが、その際、労働保険料還付請求書を所轄都道府県労働局歳入徴収官に提出しなければならない。

173 □□□ 普通　　　　　　　　　　　　　　　R4.災8-E

労働保険料の納付を口座振替により金融機関に委託して行っている社会保険適用事業所（厚生年金保険又は健康保険法による健康保険の適用事業所）の事業主は、労働保険徴収法第19条第3項の規定により納付すべき労働保険料がある場合、有期事業以外の事業についての一般保険料に係る確定保険料申告書を提出するとき、年金事務所を経由して所轄都道府県労働局歳入徴収官に提出することができる。

174 □□□ 普通　　　　　　　　　　　　　　　R6.災9-D

労働保険料を口座振替によって納付する事業主は、概算保険料申告書及び確定保険料申告書（労働保険徴収法施行規則第38条第2項第4号の申告書を除く。）を、日本銀行、年金事務所又は所轄公共職業安定所長を経由して所轄都道府県労働局歳入徴収官に提出することはできない。

175 □□□ 普通　　　　　　　　　　　　　　　R4.災8-B

概算保険料を納付した事業主が、所定の納期限までに確定保険料申告書を提出しなかったとき、所轄都道府県労働局歳入徴収官は当該事業主が申告すべき正しい確定保険料の額を決定し、これを事業主に通知することとされているが、既に納付した概算保険料の額が所轄都道府県労働局歳入徴収官によって決定された確定保険料の額を超えるとき、当該事業主はその通知を受けた日の翌日から起算して10日以内に労働保険料還付請求書を提出することによって、その超える額の還付を請求することができる。

176 □□□ 普通　　　　　　　　　　　　　　　R4.災9-D

労働保険徴収法第20条に規定する確定保険料の特例の適用により、確定保険料の額が引き下げられた場合、その引き下げられた額と当該確定保険料の額との差額について事業主から所定の期限内に還付の請求があった場合においても、当該事業主から徴収すべき未納の労働保険料その他の徴収金（石綿による健康被害の救済に関する法律第35条第1項の規定により徴収する一般拠出金を含む。）があるときには、所轄都道府県労働局歳入徴収官は当該差額をこの未納の労働保険料等に充当するものとされている。

× **172**　　　　　　　　　　必修基本書 労働科目……523p

（則36条）本肢の労働保険料還付請求書は、「**官署支出官又は所轄都道府県労働局資金前渡官吏**」に提出しなければならない。

× **173**　　　　　　5修基本書 労働科目……512～513、523～525p

（則38条2項3号）口座振替納付による場合の確定保険料申告書は、「**年金事務所を経由することはできない**」。

○ **174**　　　　　　　　　　必修基本書……該当ページなし

（則38条2項）本肢のとおりである。

○ **175**　　　　　　　　　　必修基本書 労働科目……522～523p

（法19条4項、則36条1項）本肢のとおりである。なお、確定保険料の認定決定の通知を受けた事業主は、納付した労働保険料の額が政府の決定した労働保険料の額に足りないときはその不足額を、納付した労働保険料がないときは政府の決定した労働保険料を、その通知を受けた日から15日以内に納付しなければならない（法19条5項）。

× **176**　　　　　　　　　　必修基本書 労働科目……524p

（則37条1項）本肢の充当は、「**還付の請求がない**」場合に行われる。

事業主による納付した概算保険料の額のうち確定保険料の額を超える額（以下本肢において「超過額」という）の還付の請求がない場合であって、当該事業主から徴収すべき次の保険年度の概算保険料その他未納の労働保険料等があるときは、所轄都道府県労働局歳入徴収官は、当該超過額を当該概算保険料等に充当することができるが、この場合、当該事業主による充当についての承認及び当該事業主への充当後の通知は要しない。

労働保険料の口座振替による納付制度は、一括有期事業の事業主も、単独有期事業の事業主も対象となる。

都道府県労働局歳入徴収官から労働保険料の納付に必要な納付書の送付を受けた金融機関が口座振替による納付を行うとき、当該納付書が金融機関に到達した日から2取引日を経過した最初の取引日までに納付された場合には、その納付の日が納期限後であるときにおいても、その納付は、納期限においてなされたものとみなされる。

労働保険料の口座振替の承認は、労働保険料の納付が確実と認められれば、法律上、必ず行われることとなっている。

労働保険料の口座振替による納付制度は、納付が確実と認められ、かつ、口座振替の申出を承認することが労働保険料の徴収上有利と認められるときに限り、その申出を承認することができ、納入告知書によって行われる納付についても認められる。

× 177

必修基本書 労働科目……524p

（則37条）本肢の場合、充当についての承認は必要ないが、充当に関する事業主への「通知は必要となる」。

○ 178

必修基本書 労働科目……524p

（法21条の2第1項）本肢のとおりである。労働保険料の口座振替による納付が規定されている法21条の2における事業主は、一括有期事業の事業主や単独有期事業の事業主は除かれていない。

○ 179

必修基本書……該当ページなし

（法21条の2第2項、則38条の5第1項）本肢のとおりである。なお、本肢の「取引日」とは、金融機関の休日以外の日をいう（則38条の5第2項）。

× 180

必修基本書 労働科目……524〜525p

（法21条の2第1項）労働保険料の口座振替による納付を希望する旨の申出の承認については、労働保険料の納付が確実と認められ、「かつ、その申出を承認することが労働保険料の徴収上有利と認められるときに限り」、その申出を承認することが「できる」ものとされている。

× 181

必修基本書 労働科目……525p

（法21条の2第1項、則38条の4）口座振替納付の対象となる労働保険料は、納付書によって納付が行われる労働保険料のうち一定のものであり、「納入告知書によって納付が行われる労働保険料については口座振替納付の対象とならない」。

182 ■■■ 易 　　　　　　　　　　　　　　　　　　　　　H30.災10-E

労働保険料の追徴金の納付については、口座振替による納付の対象とならない。

183 ■■■ 普通 　　　　　　　　　　　　　　　　　　　H30.災10-A

口座振替により納付することができる労働保険料は、納付書により行われる概算
保険料（延納する場合を除く。）と確定保険料である。

184 ■■■ 普通 　　　　　　　　　　　　　　　　　　　H30.災10-C

労働保険徴収法第16条の規定による増加概算保険料の納付については、口座振
替による納付の対象となる。

185 ■■■ 普通 　　　　　　　　　　　　　　　　　　　　H27.災9-E

労働保険徴収法第21条の2の規定に基づく口座振替による納付の承認を受けてい
る建設の事業を行う事業主が、建設の有期事業で、納期限までに確定保険料申告
書を提出しないことにより、所轄都道府県労働局歳入徴収官が労働保険料の額を
決定し、これを事業主に通知した場合において、既に納付した概算保険料の額が
当該決定された確定保険料の額に足りないときは、その不足額を口座振替により
納付することができる。

186 ■■■ 普通 　　　　　　　　　　　　　　　　　　　　　R3.雇8-C

政府は、事業主から、特例納付保険料の納付をその預金口座又は貯金口座のある
金融機関に委託して行うことを希望する旨の申出があった場合には、その納付が
確実と認められ、かつ、その申出を承認することが労働保険料の徴収上有利と認
められるときに限り、その申出を承認することができる。

187 ■■■ 普通 　　　　　　　　　　　　　　　　　　　　　R2.雇9-A

事業主は、概算保険料及び確定保険料の納付を口座振替によって行うことを希望
する場合、労働保険徴収法施行規則に定める事項を記載した書面を所轄都道府県
労働局歳入徴収官に提出することによって、その申出を行わなければならない。

○ 182 必修基本書 労働科目……524〜525p

（則38条の4、法21条の2第1項）本肢のとおりである。なお、法21条の2第1
項に規定する口座振替による納付の申出は、事業主の氏名又は名称及び住所又は
所在地、預金口座又は貯金口座の番号及び名義人、預金又は貯金の種別並びに納
付書を送付する金融機関及び店舗の名称を記載した書面を所轄都道府県労働局歳
入徴収官に提出することによって行なわれなければならない（則38条の2）。

✕ 183 必修基本書 労働科目……524〜525p

（則38条の4、法21条の2第1項）口座振替により納付することができる労働保
険料は、納付書によって行われる概算保険料（延納する場合を「含む」）と確定保
険料である。

✕ 184 必修基本書 労働科目……524〜525p

（則38条の4、法21条の2第1項）増加概算保険料の納付については、口座振替
による納付の対象と「ならない」。

✕ 185 必修基本書 労働科目……524〜525p

（法21条の2第1項、則38条の4）認定決定された確定保険料は口座振替納付の
対象にならない。なお、口座振替納付の対象となるのは、納付書によって行われ
る次の労働保険料の納付に限られている。
　①概算保険料（延納する場合における概算保険料も含む）
　②確定保険料の申告に伴う労働保険料又はその不足額

✕ 186 必修基本書 労働科目……524〜525p

（則38条の4）特例納付保険料は、口座振替納付の対象とされていない。

○ 187 必修基本書 労働科目…524〜525p

（則38条の2）本肢のとおりである。なお、所轄都道府県労働局歳入徴収官は、
口座振替による納付に係る承認を行なった場合には、原則として、口座振替によ
る労働保険料の納付に必要な納付書を所定の金融機関に送付するものとする（則
38条の3）。

188 □□□ 普通 R6.災9-C

労働保険料を口座振替によって納付することを希望する事業主は、労働保険徴収法施行規則第38条の2に定める事項を記載した書面を所轄都道府県労働局歳入徴収官に提出することによって申出を行わなければならない。

189 □□□ 普通 R6.災9-E

口座振替による納付制度を利用する事業主から納付に際し添えることとされている申告書の提出を受けた所轄都道府県労働局歳入徴収官は、労働保険料の納付に必要な納付書を労働保険徴収法第21条の2第1項の金融機関へ送付するものとされている。

190 □□□ 難 H30.災10-B

口座振替による労働保険料の納付が承認された事業主は、概算保険料申告書及び確定保険料申告書を所轄都道府県労働局歳入徴収官に提出するが、この場合には労働基準監督署を経由して提出することはできない。

○ 188

必修基本書 労働科目…525p

（則38条の2）本肢のとおりである。なお、則38の2に定める事項とは、事業主の氏名又は名称及び住所又は所在地、預金口座又は貯金口座の番号及び名義人、預金又は貯金の種別並びに納付書を送付する金融機関及び店舗の名称をいう。

○ 189

必修基本書……該当ページなし

（則38条の3）本肢のとおりである。なお、政府は、事業主から、預金又は貯金の払出しとその払い出した金銭による印紙保険料以外の労働保険料の納付（厚生労働省令で定めるものに限る）をその預金口座又は貯金口座のある金融機関に委託して行うことを希望する旨の申出があつた場合には、その納付が確実と認められ、かつ、その申出を承認することが労働保険料の徴収上有利と認められるときに限り、その申出を承認することができる（法21条の2第1項）。

× 190

必修基本書……該当ページなし

（則38条1項・2項）口座振替による労働保険料の納付が承認された事業主は、概算保険料申告書及び確定保険料申告書を所轄都道府県労働局歳入徴収官に提出するが、この場合、**労働基準監督署**を経由して提出することが「できる場合がある」。例えば口座振替納付に係る承認を受けて労働保険料の納付を金融機関に委託して行う場合に提出する概算保険料申告書及び確定保険料申告書であって、一元適用事業で労働保険事務組合に労働保険事務の処理を委託しないものの一般保険料に係るもの等については、**労働基準監督署**を経由して提出することができる。

6 メリット制

191 　　　 易

継続事業のメリット制とは、一定期間における業務災害に関する給付の額と業務災害に係る保険料の額の収支の割合（収支率）に応じて、有期事業を含め一定の範囲内で労災保険率を上下させる制度である。

192 　　　 易

継続事業のメリット制においては、個々の事業の災害率の高低等に応じ、事業の種類ごとに定められた労災保険率を一定の範囲内で引き上げ又は引き下げた率を労災保険率とするが、雇用保険率についてはそのような引上げや引下げは行われない。

193 　　　 普通

メリット制が適用される事業の要件である①100人以上の労働者を使用する事業及び②20人以上100人未満の労働者を使用する事業であって所定の要件を満たすものの労働者には、第1種特別加入者も含まれる。

194 　　　 普通

有期事業の一括の適用を受けている建築物の解体の事業であって、その事業の当該保険年度の確定保険料の額が40万円未満のとき、その事業の請負金額（消費税等相当額を除く。）が1億1,000万円以上であれば、労災保険のいわゆるメリット制の適用対象となる場合がある。

195 　　　 普通

令和4年7月1日に労災保険に係る保険関係が成立した継続事業のメリット収支率は、令和4年度から令和6年度までの3保険年度の収支率で算定される。

× **191**　　　　　　　　　　　　　　必修基本書 労働科目……527〜528p

（法12条3項、法20条ほか）有期事業のメリット制では、労災保険率ではなく、「確定保険料の額」を一定の範囲内で引き上げ又は引き下げる制度である。継続事業（一括有期事業を含む）のメリット制における内容としては、本肢の記述は正しい。

○ **192**　　　　　　　　　　　　　　必修基本書 労働科目……527〜528p

（法12条3項）本肢のとおりである。メリット制は、労災保険率を所定の範囲で上げ下げする制度であり、雇用保険率についてはメリット制の適用はない。

○ **193**　　　　　　　　　　　　　　必修基本書 労働科目……527〜528p

（法12条3項、昭40.11.1基発1454号ほか）本肢のとおりである。なお、本肢の「所定の要件」とは、本肢の労働者の数に当該事業と同種の事業に係る労災保険率から非業務災害率を減じた率を乗じて得た数（災害度係数）が0.4以上であることをいう（則17条2項。）

× **194**　　　　　　　　　　　　　　必修基本書 労働科目……527〜528p

（則17条3項）一括有期事業である建設の事業については、確定保険料の額が40万円未満である場合は「メリット制は適用されない」。また、一括有期事業のメリット制の適用に当たって、「請負金額の多寡は関係ない」。

× **195**　　　　　　　　　　　　　　必修基本書 労働科目……527〜528p

（法12条3項）メリット制は、連続する3保険年度中の最後の保険年度に属する3月31日において労災保険に係る保険関係が成立した後3年以上経過した場合に適用されるものであるため、令和4年7月1日に保険関係が成立した継続事業の場合、令和8年3月31日（令和7年度末）時点で初めて労災保険に係る保険関係が成立した後3年以上経過することとなる。したがって、メリット収支率は「令和5年度から令和7年度まで」の3保険年度の収支率で算定される。

196 普通

メリット収支率を算定する基礎となる保険給付の額には、第3種特別加入者のうち労災保険法第33条第6号又は第7号に掲げる事業により当該業務災害が生じた場合に係る保険給付の額は含まれない。

197 難

メリット収支率を算定する基礎となる保険給付の額には、特定の業務に長期間従事することにより発症する一定の疾病にかかった者に係る保険給付の額は含まれないが、この疾病には鉱業の事業における粉じんを飛散する場所における業務によるじん肺症が含まれる。

198 難

継続事業のメリット収支率の算定基礎に、労災保険特別支給金支給規則の規定による特別支給金で業務災害に係るものは含める。

199 難

継続事業の一括を行った場合には、労働保険徴収法第12条第3項に規定する労災保険に係る保険関係の成立期間は、一括の認可の時期に関係なく、一の事業として指定された事業の労災保険に係る保険関係成立の日から起算し、指定された事業以外の事業については保険関係が消滅するので、これに係る一括前の保険料及び一括前の災害に係る給付は、指定事業のメリット収支率の算定基礎に算入しない。

○ **196**　　　　　　　　　　必修基本書 労働科目……528〜529p

（法12条3項ほか）本肢のとおりである。なお、次に掲げるものは、本肢の「メリット収支率を算定する基礎となる保険給付の額」から除かれている。

　①障害補償年金差額一時金の額
　②遺族補償年金の受給権者が失権し他の受給権者となる遺族がいない場合に支給される遺族補償一時金の額
　③特定疾病にかかった者に係る保険給付の額
　④通勤災害に係る保険給付の額
　⑤複数業務要因災害に係る保険給付
　⑥二次健康診断等給付の額
　⑦第3種特別加入者のうち労災保険法33条6号又は7号に掲げる事業により当該業務災害が生じた場合に係る保険給付の額

× **197**　　　　　　　　　　必修基本書 労働科目……528〜529p

（法12条3項、則17条の2）メリット収支率を算定する基礎となる保険給付の額には、特定の業務に長時間従事することにより発生する一定の疾病にかかった者に係る保険給付（「特定疾病にかかった者に係る保険給付」）の額は含まれないが、この疾病には、「建設の事業」における粉じんを飛散する場所における業務によるじん肺症が含まれる。

○ **198**　　　　　　　　　　必修基本書 労働科目……528〜529p

（法12条3項、則18条の2）本肢のとおりである。

○ **199**　　　　　　　　　　必修基本書……該当ページなし

（法12条3項ほか）本肢のとおりである。なお、継続事業の一括に係る厚生労働大臣の認可及び指定に関する権限は、**都道府県労働局長**に委任されている（則76条2号）。

200 ☐☐☐ 難   R4.災9-A

継続事業の一括（一括されている継続事業の一括を含む。）を行った場合には、労働保険徴収法第12条第3項に規定する労災保険のいわゆるメリット制に関して、労災保険に係る保険関係の成立期間は、一括の認可の時期に関係なく、当該指定事業の労災保険に係る保険関係成立の日から起算し、当該指定事業以外の事業に係る一括前の保険料及び一括前の災害に係る給付は当該指定事業のいわゆるメリット収支率の算定基礎に算入しない。

201 ☐☐☐ 易   R2.災9-B

労災保険率を継続事業のメリット制によって引き上げ又は引き下げた率は、当該事業についての基準日の属する保険年度の次の次の保険年度の労災保険率となる。

202 ☐☐☐ 普通   H28.災10-エ

継続事業（建設の事業及び立木の伐採の事業以外の事業に限る。）に係るメリット制においては、所定の要件を満たす中小企業事業主については、その申告により、メリット制が適用される際のメリット増減幅（メリット制による、労災保険率から非業務災害率を減じた率を増減させる範囲）が、最大40％から45％に拡大される。

203 ☐☐☐ 普通   R4.災9-C

有期事業の一括の適用を受けていない立木の伐採の有期事業であって、その事業の素材の見込生産量が1,000立方メートル以上のとき、労災保険のいわゆるメリット制の適用対象となるものとされている。

204 ☐☐☐ 普通   R4.災9-E

労働保険徴収法第20条第1項に規定する確定保険料の特例は、第一種特別加入保険料に係る確定保険料の額及び第二種特別加入保険料に係る確定保険料の額について準用するものとされている。

○ **200** 　　　　　　　　　　　必修基本書……該当ページなし

（法12条3項ほか）本肢のとおりである。なお、指定事業を一括に係る他の事業に変更する場合又は指定事業の所在地を変更した場合（旧所在地に事業が継続しない場合に限る）については、変更前の指定事業の労災保険に係る保険成立関係期間を通算することとし、この場合のメリット収支率の算定については、変更前の指定事業に係る保険料の額及び保険給付の額並びに特別支給金の額を新たに指定された指定事業の保険料の額及び保険給付の額並びに特別支給金の額に加算する。

○ **201** 　　　　　　　　　　必修基本書 労働科目……529p

（法12条3項）本肢のとおりである。なお、本肢の基準日とは、「連続する3保険年度中の最後の保険年度に属する3月31日」をいう。

○ **202** 　　　　　　　　必修基本書 労働科目……531～532p

（法12条の2、則別表3の3ほか）本肢のとおりである。なお、一括有期事業である建設の事業及び立木の伐採の事業には、特例メリット制は適用されない。

✕ **203** 　　　　　　　　必修基本書 労働科目……531～532p

（法20条1項、則35条1項）単独有期事業である立木の伐採の事業については、素材の「生産量」が1,000立方メートル以上である場合にメリット制が適用される。

✕ **204** 　　　　　　　　　　必修基本書 労働科目……533p

（法20条2項）確定保険料の特例（単独有期事業のメリット制）の規定は、第1種特別加入保険料に係る確定保険料の額について準用されるが、「第2種特別加入保険料に係る確定保険料の額については準用されない」。

❼ 印紙保険料

205 ☐☐☐ 易　　　　　　　　　　　　　　　　　　　H30.雇8-A

賃金の日額が、11,300円以上である日雇労働被保険者に係る印紙保険料の額は、その労働者に支払う賃金の日額に1.5%を乗じて得た額である。

206 ☐☐☐ 易　　　　　　　　　　　　　　　　　　　R2.雇10-D

日雇労働被保険者は、労働保険徴収法第31条第1項の規定によるその者の負担すべき額のほか、印紙保険料の額が176円のときは88円を負担するものとする。

207 ☐☐☐ 易　　　　　　　　　　　　　　　　　　　H28.雇9-B

事業主は、その使用する日雇労働被保険者については、印紙保険料を納付しなければならないが、一般保険料を負担する義務はない。

208 ☐☐☐ 普通　　　　　　　　　　　　　　　　　　　R2.雇9-C

印紙保険料の納付は、日雇労働被保険者手帳へ雇用保険印紙を貼付して消印又は納付印の押印によって行うため、事業主は、日雇労働被保険者を使用する場合には、その者の日雇労働被保険者手帳を提出させなければならず、使用期間が終了するまで返還してはならない。

209 ☐☐☐ 易　　　　　　　　　　　　　　　　　　　R2.雇9-D

事業主は、日雇労働被保険者手帳に貼付した雇用保険印紙の消印に使用すべき認印の印影をあらかじめ所轄公共職業安定所長に届け出なければならない。

210 ☐☐☐ 易　　　　　　　　　　　　　　　　　　　R5.雇9-C

印紙保険料納付計器を厚生労働大臣の承認を受けて設置した事業主は、使用した日雇労働被保険者に賃金を支払う都度、その使用した日の被保険者手帳における該当日欄に納付印をその使用した日数に相当する回数だけ押した後、納付すべき印紙保険料の額に相当する金額を所轄都道府県労働局歳入徴収官に納付しなければならない。

✕ 205 必修基本書 労働科目……536p

（法22条1項）賃金の日額が11,300円以上である日雇労働被保険者に係る印紙保険料の額は、1人につき、1日当たり「176円」である。

◯ 206 必修基本書 労働科目……536p

（法22条1項1号、法31条2項）本肢のとおりである。日雇労働被保険者は、法31条1項の規定によるその者の負担すべき額のほか、印紙保険料の額の2分の1の額（その額に1円未満の端数があるときは、その端数は、切り捨てる）を負担するものとする。

✕ 207 必修基本書 労働科目……536p

（法31条）事業主は、その使用する日雇労働被保険者については、印紙保険料のほか、一般保険料についても負担しなければならない。

✕ 208 必修基本書 労働科目……536～537p

（法23条2項・3項・6項）事業主は、日雇労働被保険者を使用する場合には、その者の日雇労働被保険者手帳を提出させなければならないが、その提出を受けた日雇労働被保険者手帳は、その者から「請求があったときは、これを返還しなければならない」。その他の記述は正しい。

◯ 209 必修基本書 労働科目……537p

（則40条2項）本肢のとおりである。なお、日雇労働被保険者手帳に貼付した雇用保険印紙の消印に使用すべき認印を変更する場合においても、あらかじめ所轄公共職業安定所長に届け出なければならない。

✕ 210 必修基本書 労働科目……537p

（則51条2項）印紙保険料納付計器の設置の承認を受けた者は、当該印紙保険料納付計器を使用する前に、始動票札の交付を受ける必要があるが、この始動票札の交付を受けようとする者は、当該印紙保険料納付計器により表示することができる印紙保険料の額に相当する金額の総額を、「あらかじめ」当該印紙保険料納付計器を設置した事業場の所在地を管轄する都道府県労働局収入官吏に納付しなければならないとされている。したがって、納付印を押した後に印紙保険料の額に相当する金額の総額を納付するわけではない。

事業主は、雇用保険印紙を購入しようとするときは、あらかじめ、労働保険徴収法施行規則第42条第1項に掲げる事項を記載した申請書を所轄都道府県労働局歳入徴収官に提出して、雇用保険印紙購入通帳の交付を受けなければならない。

雇用保険印紙購入通帳は、その交付の日の属する保険年度に限りその効力を有するが、有効期間の更新を受けた当該雇用保険印紙購入通帳は、更新前の雇用保険印紙購入通帳の有効期間が満了する日の翌日の属する保険年度に限り、その効力を有する。

雇用保険印紙購入通帳の有効期間の満了後引き続き雇用保険印紙を購入しようとする事業主は、当該雇用保険印紙購入通帳の有効期間が満了する日の翌日の1月前から当該期間が満了する日までの間に、当該雇用保険印紙購入通帳を添えて雇用保険印紙購入通帳更新申請書を所轄公共職業安定所長に提出して、有効期間の更新を受けなければならない。

事業主は、雇用保険印紙購入通帳の雇用保険印紙購入申込書がなくなった場合であって、当該保険年度中に雇用保険印紙を購入しようとするときは、その旨を所轄公共職業安定所長に申し出て、再交付を受けなければならない。

事業主は、その所持する雇用保険印紙購入通帳の有効期間が満了したときは、速やかに、その所持する雇用保険印紙購入通帳を所轄公共職業安定所長に返納しなければならない。

事業主は、雇用保険印紙が変更されたときは、その変更された日から1年間、雇用保険印紙を販売する日本郵便株式会社の営業所に雇用保険印紙購入通帳を提出し、その保有する雇用保険印紙の買戻しを申し出ることができる。

× 211 必修基本書 労働科目……537p

（則42条1項）事業主は、雇用保険印紙を購入しようとするときは、**あらかじめ**、所定の申請書を「所轄公共職業安定所長」に提出して、雇用保険印紙購入通帳の交付を受けなければならない。

○ 212 必修基本書 労働科目……537p

（則42条2項・5項）本肢のとおりである。なお、雇用保険印紙購入通帳の有効期間の更新を受けようとする事業主は、当該雇用保険印紙購入通帳の有効期間が満了する日の翌日の1月前から当該期間が満了する日までの間に、当該雇用保険印紙購入通帳を添えて、所定の事項を記載した申請書を所轄公共職業安定所長に提出して、新たに雇用保険印紙購入通帳の交付を受けなければならない（同条4項）。

○ 213 必修基本書 労働科目……537p

（則42条3項・4項）本肢のとおりである。なお、事業主その他正当な権限を有する者を除いては、**何人も消印を受けない**雇用保険印紙を**所持**してはならない（則41条3項）。

○ 214 必修基本書 労働科目……538p

（則42条6項）本肢のとおりである。なお、雇用保険印紙購入通帳をき損し、又は購入申込書がなくなったことにより本肢の再交付を申し出る事業主は、当該き損し、又は購入申込書がなくなった雇用保険印紙購入通帳を所轄公共職業安定所長に提出しなければならない（同条7項）。

○ 215 必修基本書 労働科目……538p

（則42条8項）本肢のとおりである。

× 216 必修基本書 労働科目……538〜539p

（則43条2項）事業主は、雇用保険印紙が変更されたときは、その変更された日から「6月間」、雇用保険印紙を販売する日本郵便株式会社の営業所に雇用保険印紙購入通帳を提出し、その保有する雇用保険印紙の買戻しを申し出ることができる。

雇用保険印紙購入通帳の交付を受けている事業主は、印紙保険料納付状況報告書により、毎月における雇用保険印紙の受払状況を翌月末日までに、所轄公共職業安定所長を経由して、所轄都道府県労働局歳入徴収官に報告しなければならないが、日雇労働被保険者を一人も使用せず雇用保険印紙の受払いのない月に関しても、報告する義務がある。

事業主は、雇用保険印紙と印紙保険料納付計器を併用して印紙保険料を納付する場合、労働保険徴収法施行規則第54条に定める印紙保険料納付状況報告書によって、毎月における雇用保険印紙の受払状況及び毎月における印紙保険料納付計器の使用状況を、所轄公共職業安定所長を経由して、所轄都道府県労働局歳入徴収官に報告しなければならない。

事業主は、印紙保険料納付計器の全部又は一部を使用しなくなったときは、当該使用しなくなった印紙保険料納付計器を納付計器に係る都道府県労働局歳入徴収官に提示しなければならず、当該都道府県労働局歳入徴収官による当該印紙保険料納付計器の封の解除その他必要な措置を受けることとなる。

○ **217**　　　　　　　　　　　必修基本書 労働科目……539p

（則54条ほか）本肢のとおりである。なお、印紙保険料納付計器を設置した事業主は、印紙保険料納付計器使用状況報告書によって、毎月における印紙保険料納付計器の使用状況を**翌月末日**までに、所轄公共職業安定所長を経由して、納付計器に係る都道府県労働局歳入徴収官に報告しなければならない（則55条）。

× **218**　　　　　　　　　　　必修基本書 労働科目……539p

（則54条、則55条）雇用保険印紙と印紙保険料納付計器を併用して印紙保険料を納付する事業主は、印紙保険料納付状況報告書と印紙保険料納付計器使用状況報告書を「それぞれ」提出しなければならない。

○ **219**　　　　　　　　　　　必修基本書……該当ページなし

（則52条1項・2項）本肢のとおりである。なお、印紙保険料納付計器の全部を使用しなくなった事業主が、印紙保険料納付計器を再び使用しようとするときは、則47条1項に規定する印紙保険料納付計器の設置に係る承認を受けなければならない（同条3項）。

220 □□□ 普通 　　　　　　　　　　　　　　　　　H27.雇10-A

特例納付保険料の対象となる事業主は、特例対象者を雇用していた事業主で、雇用保険に係る保険関係が成立していたにもかかわらず、労働保険徴収法第4条の2第1項の規定による届出をしていなかった者である。

221 □□□ 普通 　　　　　　　　　　　　　　　　　　R3.雇8-A

雇用保険の被保険者となる労働者を雇い入れ、労働者の賃金から雇用保険料負担額を控除していたにもかかわらず、労働保険徴収法第4条の2第1項の届出を行っていなかった事業主は、納付する義務を履行していない一般保険料のうち徴収する権利が時効によって既に消滅しているものについても、特例納付保険料として納付する義務を負う。

222 □□□ 難 　　　　　　　　　　　　　　　　　　　H27.雇10-E

特例納付保険料の基本額は、当該特例対象者に係る被保険者の負担すべき額に相当する額がその者に支払われた賃金から控除されていたことが明らかである時期のすべての月に係る賃金が明らかである場合には、各月それぞれの賃金の額に各月それぞれに適用される雇用保険率を乗じて得た額の合計額とされている。

223 □□□ 普通 　　　　　　　　　　　　　　　　　H27.雇10-B

雇用保険法第7条の規定による被保険者自らに関する届出がされていなかった事実を知っていた者については、特例対象者から除かれている。

224 □□□ 易 　　　　　　　　　　　　　　　　　　　H27.雇10-C

特例納付保険料は、その基本額のほか、その額に100分の10を乗じて得た額を加算したものとされている。

○ 220

必修基本書 労働科目……540p

（法26条1項）本肢のとおりである。なお、本肢の届出とは、**保険関係の成立の**
届出のことである。

× 221

必修基本書 労働科目……540p

（法26条1項）本肢の事業主（対象事業主）は、特例納付保険料を納付すること
が「できる」のであって、特例納付保険料の納付の申出をするまでは「特例保険
料を納付する義務を負わない」。

× 222

必修基本書 労働科目……541p

（則56条1項かっこ書・2項）本肢の場合（遡及適用期間のすべての賃金の額が明
らかであるとき）の特例納付保険料の基本額は、遡及適用期間の賃金の合計額を
その月数で除して得た額（平均額）に遡及適用期間の直近の日の雇用保険率と遡
及適用期間の月数（1月未満の端数切捨て）を乗じて得た額となる。なお、当該
平均額において遡及適用期間の賃金のすべてが明らかでない場合、「**最も古い月**
の賃金」と「**直近の月の賃金**」との合計額を2で除した額をもとに算出する。

○ 223

必修基本書 労働科目……540p

（雇用保険法22条5項かっこ書）本肢のとおりである。「特例対象者」とは、次
に掲げる要件のいずれにも該当する者（下記①に規定する事実を知っていた者を
除く）をいう。

　①その者に係る雇用保険被保険者資格取得の届出がされていなかったこと（す
　　なわち、雇用保険に未加入とされていたこととなる）
　②厚生労働省令で定める書類（給与明細書等）に基づき、雇用保険の被保険者
　　となったことの確認があった日の2年前の日より前に被保険者の負担すべき
　　雇用保険料相当額がその者に支払われた賃金から控除されていたことが明ら
　　かである時期があること

○ 224

必修基本書 労働科目……541p

（法26条1項、則57条）本肢のとおりである。

225 □□□ 普通 　　　　　　　　　　　　　　　　　　R3.雇8-B

特例納付保険料の納付額は、労働保険徴収法第26条第1項に規定する厚生労働省令で定めるところにより算定した特例納付保険料の基本額に、当該特例納付保険料の基本額に100分の10を乗じて得た同法第21条第1項の追徴金の額を加算して求めるものとされている。

226 □□□ 普通 　　　　　　　　　　　　　　　　　　H27.雇10-D

厚生労働大臣による特例納付保険料の納付の勧奨を受けた事業主から当該保険料を納付する旨の申出があった場合には、都道府県労働局歳入徴収官が、通知を発する日から起算して30日を経過した日をその納期限とする納入告知書により、当該事業主に対し、決定された特例納付保険料の額を通知する。

227 □□□ 普通 　　　　　　　　　　　　　　　　　　R3.雇8-E

所轄都道府県労働局歳入徴収官は、労働保険徴収法第26条第4項の規定に基づき、特例納付保険料を徴収しようとする場合には、通知を発する日から起算して30日を経過した日をその納期限と定め、事業主に、労働保険料の増加額及びその算定の基礎となる事項並びに納期限を通知しなければならない。

228 □□□ 普通 　　　　　　　　　　　　　　　　　　R3.雇8-D

労働保険徴収法第26条第2項の規定により厚生労働大臣から特例納付保険料の納付の勧奨を受けた事業主が、特例納付保険料を納付する旨を、厚生労働省令で定めるところにより、厚生労働大臣に対して書面により申し出た場合、同法第27条の督促及び滞納処分の規定並びに同法第28条の延滞金の規定の適用を受ける。

✕ **225**　　　　　　　　　　　　　　　　　　　　必修基本書 労働科目……541p

（法26条1項、則56条、則57条）特例保険料の納付額は、基本額に、基本額に100分の10を乗じて得た「加算額」を加算して求める。

○ **226**　　　　　　　　　　　　　　　　　　　　修基本書 労働科目……542p

（法26条2項・3項・4項、則38条5項、則59条）本肢のとおりである。なお、特例納付保険料を納付することができる事業主は、特例対象者を雇用していた事業主であって、雇用保険の保険関係が成立していたにも関わらず保険関係成立届を提出していなかった事業主である。

✕ **227**　　　　　　　　　　　　　　　　　　　　修基本書 労働科目……542p

（則59条）本肢の場合、所轄都道府県労働局歳入徴収官は、事業主に「**特例納付保険料の額**」及び納期限を通知しなければならない。本肢前段の記述は正しい。

○ **228**　　　　　　　　　　　　　　　　必修基本書 労働科目……499、540、545p

（法27条、法28条1項）本肢のとおりである。特例納付保険料は、労働保険料の定義に含まれていることから、法27条の督促及び滞納処分の規定並びに法28条の延滞金の規定の適用を受ける（法10条）。

❾ 徴収金の徴収等

229 ☐☐☐ 普通　　　　　　　　　　　　　　　R6.雇10-E

労働保険徴収法第21条の規定により追徴金を徴収しようとする場合、所轄都道府県労働局歳入徴収官は、事業主が通知を受けた日から起算して30日を経過した日をその納期限と定め、納入告知書により、事業主に、当該追徴金の額、その算定の基礎となる事項及び納期限を通知しなければならない。

230 ☐☐☐ 普通　　　　　　　　　　　　　　　H28.雇9-E

印紙保険料を所轄都道府県労働局歳入徴収官が認定決定したときは、納付すべき印紙保険料については、日本銀行（本店、支店、代理店及び歳入代理店をいう。）に納付することはできず、所轄都道府県労働局収入官吏に現金で納付しなければならない。

231 ☐☐☐ 易　　　　　　　　　　　　　　　　H28.雇9-D

事業主は、正当な理由がないと認められるにもかかわらず、印紙保険料の納付を怠ったときは、認定決定された印紙保険料の額（その額に1000円未満の端数があるときは、その端数は、切り捨てる）の100分の10に相当する追徴金を徴収される。

232 ☐☐☐ 普通　　　　　　　　　　　　　　　R4.災8-D

事業主が所定の納期限までに確定保険料申告書を提出したが、当該事業主が法令の改正を知らなかったことによりその申告書の記載に誤りが生じていると認められるとき、所轄都道府県労働局歳入徴収官が正しい確定保険料の額を決定し、その不足額が1,000円以上である場合には、労働保険徴収法第21条に規定する追徴金が徴収される。

233 ☐☐☐ 普通　　　　　　　　　　　　　　　R元.雇8-A

労働保険徴収法第27条第1項は、「労働保険料その他この法律の規定による徴収金を納付しない者があるときは、政府は、期限を指定して督促しなければならない。」と定めているが、この納付しない場合の具体的な例には、保険年度の6月1日を起算日として40日以内又は保険関係成立の日の翌日を起算日として50日以内に（延納する場合には各々定められた納期限までに）納付すべき概算保険料の完納がない場合がある。

× **229**　　　　　　　　　　　　　　　必修基本書 労働科目……544p

（法25条3項、則26条、則38条5項）所轄都道府県労働局歳入徴収官は、追徴金を徴収しようとする場合には、「通知を発する日」から起算して30日を経過した日をその納期限と定め、納入告知書により、事業主に、当該追徴金の額、その算定の基礎となる時効及び納期限を通知しなければならない。

× **230**　　　　　　　　　　　　　　　必修基本書 労働科目……545p

（則38条3項2号ほか）認定決定に係る印紙保険料については、所轄都道府県労働局収入官吏又は「日本銀行（本店、支店、代理店及び歳入代理店をいう）」に**現金**で納付しなければならない。

× **231**　　　　　　　　　　　　　　　必修基本書 労働科目……544p

（法25条2項）事業主は、正当な理由がないと認められるにもかかわらず、印紙保険料の納付を怠ったときは、原則として、認定決定された印紙保険料の額（その額に1000円未満の端数があるときは、その端数は、切り捨てる）の「100分の25」に相当する追徴金が徴収される。

○ **232**　　　　　　　　　　　　　　　必修基本書 労働科目……544p

（法21条1項・2項）本肢のとおりである。なお、事業主が天災その他やむを得ない理由により、法19条5項の規定による労働保険料又はその不足額を納付しなければならなくなった場合は、法21条（追徴金）の規定は適用されないが、当該天災その他やむを得ない理由とは、地震、暴風雨等の不可抗力的なできごと及びこれに類する真にやむを得ない客観的な事故をいい、法令の不知や営業の不振等は含まれない（平15.3.31基発0331002号）。

○ **233**　　　　　　　　　　　　　　　必修基本書 労働科目……545p

（法27条1項ほか）本肢のとおりである。なお、「督促」とは、債務者が**納期限**を過ぎてもなお債務の履行をしない場合において、その履行を催告する行為をいう。

234 　　　　普通 　　　　　　　　　　　　　　　　　　　　R5.雇8-A

不動産業を継続して営んできた事業主が令和5年7月10日までに確定保険料申告書を提出しなかった場合、所轄都道府県労働局歳入徴収官が労働保険料の額を決定し、これを当該事業主に通知するとともに労働保険徴収法第27条に基づく督促が行われる。

235 　　　　難 　　　　　　　　　　　　　　　　　　　　　R元.雇8-C

労働保険徴収法第27条第2項により政府が発する督促状で指定すべき期限は、「督促状を発する日から起算して10日以上経過した日でなければならない。」とされているが、督促状に記載した指定期限経過後に督促状が交付され、又は公示送達されたとしても、その督促は無効であり、これに基づいて行った滞納処分は違法となる。

236 　　　　普通 　　　　　　　　　　　　　　　　　　　　R元.雇8-B

労働保険徴収法第27条第3項に定める「労働保険料その他この法律の規定による徴収金」には、法定納期限までに納付すべき概算保険料、法定納期限までに納付すべき確定保険料及びその確定不足額等のほか、追徴金や認定決定に係る確定保険料及び確定不足額も含まれる。

237 　　　　普通 　　　　　　　　　　　　　　　　　　　　R4.雇10-E

政府は、労働保険料その他労働保険徴収法の規定による徴収金を納付しない事業主に対して、同法第27条に基づく督促を行ったにもかかわらず、督促を受けた当該事業主がその指定の期限までに労働保険料その他同法の規定による徴収金を納付しないとき、同法に別段の定めがある場合を除き、政府は、当該事業主の財産を差し押さえ、その財産を強制的に換価し、その代金をもって滞納に係る労働保険料等に充当する措置を取り得る。

238 　　　　易 　　　　　　　　　　　　　　　　　　　　　R元.雇8-E

政府は、労働保険料の督促をしたときは、労働保険料の額につき年14.6％の割合で、督促状で指定した期限の翌日からその完納又は財産差押えの日の前日までの期間の日数により計算した延滞金を徴収する。

✕ 234 必修基本書 労働科目……544〜545p

（法27条1項ほか）7月10日までに確定保険料申告書の提出がなかった場合、確定保険料について認定決定が行われるが、当該確定保険料に係る督促は、当該認定決定の通知による納期限（通知を受けた日から15日以内）までに、当該認定決定に係る確定保険料が納付されなかったときに行われる。したがって、認定決定の通知と同時に督促を行うことはできない。

◯ 235 必修基本書 労働科目……545p

（法27条2項ほか）本肢のとおりである。なお、実務上、督促状に指定する期限は、督促状を発する日から起算して10日以上経過した休日でない日とすることとされている（昭62.3.26労徴発19号）。

◯ 236 必修基本書 労働科目……545p

（法27条3項、昭55.6.5発労徴40号）本肢のとおりである。なお、「労働保険料その他この法律の規定による徴収金」には、本肢のほかに、印紙保険料などがある。

◯ 237 必修基本書 労働科目……545p

（法27条3項）本肢のとおりである。なお、本肢の督促は、納付義務者に督促状を発することによって行う。この場合において、納期限として指定する日は、督促状を発する日から起算して10日以上経過した日でなければならない（同条2項）。

✕ 238 必修基本書 労働科目……545〜546p

（法28条1項）政府は、労働保険料の納付を督促したときは、労働保険料の額に、「（本来の）納期限の翌日から」その完納又は財産差押えの日の前日までの期間の日数に応じ、原則として、年14.6％（当該納期限の翌日から2月を経過する日までの期間については、年7.3％）の割合を乗じて計算した延滞金を徴収する。

239 ▢▢▢ 易 　　　　　　　　　　　　　　　　　　H29.雇9-E

労働保険料を納付しない者に対して、令和6年中に、所轄都道府県労働局歳入徴収官が督促したときは、労働保険料の額に、納期限の翌日からその完納又は財産差押えの日までの期間の日数に応じ、原則として年14.6％（当該納期限の翌日から2月を経過する日までの期間については、原則として年7.3％）を乗じて計算した延滞金が徴収される。

240 ▢▢▢ 易 　　　　　　　　　　　　　　　　　　H29.雇9-A

事業主が労働保険料その他労働保険徴収法の規定による徴収金を法定納期限までに納付せず督促状が発せられた場合でも、当該事業主が督促状に指定された期限までに当該徴収金を完納したときは、延滞金は徴収されない。

241 ▢▢▢ 易 　　　　　　　　　　　　　　　　　　R元.雇8-D

延滞金は、労働保険料の額が1,000円未満であるとき又は延滞金の額が100円未満であるときは、徴収されない。

242 ▢▢▢ 易 　　　　　　　　　　　　　　　　　　H29.雇9-C

認定決定された確定保険料に対しては追徴金が徴収されるが、滞納した場合には、この追徴金を含めた額に対して延滞金が徴収される。

243 ▢▢▢ 難 　　　　　　　　　　　　　　　　　　H29.雇9-D

労働保険料の納付義務者の住所及び居所が不明な場合は、公示送達（都道府県労働局の掲示場に掲示すること。）の方法により、督促を行うことになるが、公示送達の場合は、掲示を始めた日から起算して7日を経過した日、すなわち掲示日を含めて8日目にその送達の効力が生じるところ、その末日が休日に該当したときは延期される。

244 ▢▢▢ 難 　　　　　　　　　　　　　　　　　　H29.雇9-B

労働保険料その他労働保険徴収法の規定による徴収金の先取特権の順位は、国税及び地方税に次ぐものとされているが、徴収金について差押えをしている場合は、国税の交付要求があったとしても、当該差押えに係る徴収金に優先して国税に配当しなくてもよい。

✕ 239 必修基本書 労働科目……545〜546p

（法28条1項）本肢の場合、労働保険料の額に、**納期限の翌日からその完納又は財産差押えの日**の「**前日**」までの期間の日数に応じた延滞金が徵収される。なお、当分の間、延滞金の割合の特例の規定が適用されるため、令和6年中の延滞金の割合については、本肢の年**14.6%**及び年**7.3%**とあるのは、当該割合よりも、それぞれ低い割合となっている（法附則12条ほか）。

○ 240 必修基本書 労働科目……545〜546p

（法28条5項）本肢のとおりである。なお、本肢の督促をするときは、政府は、納付義務者に対して督促状を発する。この場合において、督促状により指定すべき期限は、督促状を発する日から起算して10日以上経過した日でなければならない（法27条2項）。

○ 241 必修基本書 労働科目……545〜546p

（法28条1項ただし書・5項）本肢のとおりである。

✕ 242 必修基本書 労働科目……545〜546p

（法21条1項、法28条1項）「追徵金に対して延滞金は徵収されない」。本肢前段の記述については正しい。

✕ 243 必修基本書……該当ページなし

（法30条、国税通則法14条3項ほか）督促が公示送達により行われる場合、掲示日を含めて8日目にその送達の効力が生じるが、8日目が「休日であってもその期間は延期されず」、8日目に送達の効力が生じる。その他の記述については正しい。

✕ 244 必修基本書……該当ページなし

（法28条ほか）本肢にあるとおり、労働保険徵収法の徵収金の先取特権の順位は国税及び地方税に次ぐことから、労働保険徵収法の徵収金について差押えをした後に国税の交付要求（滞納者の財産について強制換価手続による財産の金銭化が行われた場合にその金銭から滞納税への交付（配当）を要求すること）があったときは、原則として、当該「差押えに係る徵収金に優先して国税に配当しなければならない」。

245 ☐☐☐ 難　　　　　　　　　　　　　　　　H29.雇8-ア

事業主が、納付した概算保険料の額のうち確定保険料の額を超える額の還付を請求したときは、国税通則法の例にはよらず、還付加算金は支払われない。

246 ☐☐☐ 普通　　　　　　　　　　　　　　　　R2.雇10-C

労災保険及び雇用保険に係る保険関係が成立している事業に係る被保険者は、「当該事業に係る一般保険料の額」から、「当該事業に係る一般保険料の額に相当する額に二事業率を乗じて得た額」を減じた額の2分の1の額を負担するものとする。

247 ☐☐☐ 易　　　　　　　　　　　　　　　　R元.雇10-A

事業主は、被保険者が負担すべき労働保険料相当額を被保険者に支払う賃金から控除できるが、日雇労働被保険者の賃金から控除できるのは、当該日雇労働被保険者が負担すべき一般保険料の額に限られており、印紙保険料に係る額については部分的にも控除してはならない。

248 ☐☐☐ 普通　　　　　　　　　　　　　　　　R5.雇9-A

日雇労働被保険者が負担すべき額を賃金から控除する場合において、労働保険徴収法施行規則第60条第2項に定める一般保険料控除計算簿を作成し、事業場ごとにこれを備えなければならないが、その形式のいかんを問わないため賃金台帳をもってこれに代えることができる。

○ **245**　　　　　　　　　必修基本書……該当ページなし

（法19条6項、法20条3項、法30条）本肢のとおりである。労働保険徴収法30条において、労働保険料その他労働保険徴収法の規定による徴収金は、労働保険徴収法に別段の定めがある場合を除き、国税徴収の例により徴収するとされており、国税通則法58条1項において還付加算金の規定が定められている。しかし、労働保険徴収法19条6項及び同法20条3項において、労働保険料の還付についての具体的な規定があるため、労働保険徴収法30条にいう「労働保険徴収法に別段の定めがある場合」に該当し、国税徴収の例によることとはされないこととなる。そして、労働保険徴収法19条6項及び同法20条3項においては還付加算金の定めがないことから、超過額の還付について還付加算金は加算されない。

× **246**　　　　　　　　　必修基本書 労働科目……543p

（法31条1項1号）労災保険及び雇用保険に係る保険関係が成立している事業に係る被保険者は、「当該事業に係る一般保険料の額のうち『雇用保険率に応ずる部分の額』」から、「当該事業に係る一般保険料の額のうち『雇用保険率に応ずる部分の額』に二事業率を乗じて得た額」を減じた額の**2分の1**の額を負担するものとされている。

× **247**　　　　　　　　　必修基本書 労働科目……543p

（法31条2項、法32条1項）日雇労働被保険者は、一般保険料の被保険者負担分のほか、印紙保険料の2分の1の額についても負担するものとされており、日雇労働被保険者が負担すべき一般保険料の額のみならず、「日雇労働被保険者が負担すべき印紙保険料の額についても、事業主は、日雇労働被保険者に支払う賃金から控除することができる」。

○ **248**　　　　　　　　　必修基本書……該当ページなし

（則60条2項ほか）本肢のとおりである。なお、賃金台帳に関する規定は、労働基準法に規定されており、使用者は、各事業場ごとに賃金台帳を調製し、賃金計算の基礎となる事項及び賃金の額その他厚生労働省令で定める事項を**賃金支払の都度遅滞なく**記入しなければならないとされている（労働基準法108条）。

⑩ 労働保険事務組合

249 ☐☐☐ 普通　　　　　　　　　　　　　　　　　　　R5.災9-C

労働保険事務組合は労働保険徴収法第33条第2項に規定する厚生労働大臣の認可を受けることによって全く新しい団体が設立されるわけではなく、既存の事業主の団体等がその事業の一環として、事業主が処理すべき労働保険事務を代理して処理するものである。

250 ☐☐☐ 易　　　　　　　　　　　　　　　　　　　　R3.雇9-B

労働保険徴収法第33条第1項に規定する事業主の団体の構成員又はその連合団体を構成する団体の構成員である事業主以外の事業主であっても、労働保険事務の処理を委託することが必要であると認められる事業主は、労働保険事務組合に労働保険事務の処理を委託することができる。

251 ☐☐☐ 普通　　　　　　　　　　　　　　　　　　　R5.災9-B

労働保険事務組合の主たる事務所の所在地を管轄する都道府県労働局長は、必要があると認めたときは、当該労働保険事務組合に対し、当該労働保険事務組合が労働保険事務の処理の委託を受けることができる事業の行われる地域について必要な指示をすることができる。

252 ☐☐☐ 普通　　　　　　　　　　　　　　　　　　　H29.雇10-C

労働保険事務組合の認可を受けようとする事業主の団体又はその連合団体は、事業主の団体の場合は法人でなければならないが、その連合団体の場合は代表者の定めがあれば法人でなくともよい。

253 ☐☐☐ 普通　　　　　　　　　　　　　　　　　　　H29.雇10-A

労働保険事務組合に労働保険事務の処理を委託することができる事業主は、当該労働保険事務組合の主たる事務所が所在する都道府県に主たる事務所をもつ事業の事業主に限られる。

○ **249**　　　　　　　　　　　　　必修基本書 労働科目……549p

（法33条1項ほか）本肢のとおりである。

○ **250**　　　　　　　　　　　　　必修基本書 労働科目……550～551p

（法33条1項、則62条1項）本肢のとおりである。なお、本肢の「労働保険事務の処理を委託することが必要であると認められるもの」とは、労働保険事務組合に労働保険事務の処理を委託しなければ労働保険への加入が困難である場合及び労働保険事務の処理を委託することにより当該事業における負担が軽減されると認められるものをいい、都道府県労働局において当該地域の実情を勘案のうえ、判断するものとする。

○ **251**　　　　　　　　　　　　　必修基本書……該当ページなし

（則62条3項）本肢のとおりである。

× **252**　　　　　　　　　　　　　必修基本書 労働科目……549p

（平12.3.31発労徴31号）労働保険事務組合の認可を受けようとする事業主の団体又は連合団体は、「法人であるか否かは問わない」が、法人でない団体又は連合団体にあっては、代表者の定めがあること等により団体性が明確であることが必要とされる。そして、この要件を満たすことは「労働保険事務組合の認可を受けようとする者が事業主の団体であるか、その連合団体であるかにかかわらず」、必要とされる。

× **253**　　　　　　　　　　　　　必修基本書 労働科目……550～551p

（平12.3.31発労徴31号ほか）労働保険事務組合に労働保険事務の処理を委託することができる事業主は、当該労働保険事務組合の主たる事務所が所在する都道府県に主たる事務所をもつ事業の事業主に「限られない」。

254 □□□ 普通　　　　　　　　　　　　　　　　　　　　R5.災9-A

労働保険事務組合の主たる事務所が所在する都道府県に主たる事務所を持つ事業の事業主のほか、他の都道府県に主たる事務所を持つ事業の事業主についても、当該労働保険事務組合に労働保険事務を委託することができる。

255 □□□ 易　　　　　　　　　　　　　　　　　　　　　R元.雇9-C

労働保険事務組合は、定款に記載された事項に変更を生じた場合には、その変更があった日の翌日から起算して14日以内に、その旨を記載した届書を厚生労働大臣に提出しなければならない。

256 □□□ 普通　　　　　　　　　　　　　　　　　　　　H28.雇8-D

労働保険事務組合の認可及び認可の取消しに関する権限を行使し、並びに業務廃止の届出の提出先となっているのは、厚生労働大臣の委任を受けた所轄都道府県労働局長である。

257 □□□ 普通　　　　　　　　　　　　　　　　　　　H29.雇10-D

労働保険事務組合の主たる事務所の所在地を管轄する都道府県労働局長は、労働保険事務組合の認可の取消しがあったときには、その旨を、当該労働保険事務組合に係る委託事業主に対し通知しなければならない。なお、本肢において「委託事業主」とは、労働保険事務組合に労働保険事務の処理を委託している事業主をいう。

258 □□□ 易　　　　　　　　　　　　　　　　　　　　H29.雇10-B

労働保険事務組合に労働保険事務の処理を委託することができる事業主は、継続事業（一括有期事業を含む。）のみを行っている事業主に限られる。

259 □□□ 易　　　　　　　　　　　　　　　　　　　　　R元.雇9-A

金融業を主たる事業とする事業主であり、常時使用する労働者が50人を超える場合、労働保険事務組合に労働保険事務の処理を委託することはできない。

○ **254** 必修基本書……該当ページなし

（令2.2.28基発0228第1号）本肢のとおりである。以前は地域制限が課せられていたが、令和2年4月の改正により廃止された。

× **255** 必修基本書 労働科目……549〜550p

（則65条）本肢の届書は、「所轄都道府県労働局長」に提出しなければならない。その他の記述は正しい。

○ **256** 必修基本書 労働科目……549〜550p

（則76条3号）本肢のとおりである。なお、労働保険事務組合の認可の取消しは、当該労働保険事務組合に対し文書をもって行なうものとされている（則67条1項）。

○ **257** 必修基本書 労働科目……550p

（則67条2項）本肢のとおりである。

× **258** 必修基本書 労働科目……550〜551p

（則62条）単独有期事業を行う事業主も、所定の要件を満たす限り、労働保険事務組合に労働保険事務の処理を委託することができる。

○ **259** 必修基本書 労働科目……550〜551p

（法33条1項、則62条2項）本肢のとおりである。常時300人（金融業若しくは保険業、不動産業又は小売業を主たる事業とする事業主については50人、卸売業又はサービス業を主たる事業とする事業主については100人）を超える数の労働者を使用する事業主は、労働保険事務組合に労働保険事務の処理を委託することはできない。

260 □□□ 普通   R5.災9-E

清掃業を主たる事業とする事業主は、その使用する労働者数が臨時に増加し一時的に300人を超えることとなった場合でも、常態として300人以下であれば労働保険事務の処理を労働保険事務組合に委託することができる。

261 □□□ 普通   R元.雇9-D

労働保険事務組合は、団体の構成員又は連合団体を構成する団体の構成員である事業主その他厚生労働省令で定める事業主（厚生労働省令で定める数を超える数の労働者を使用する事業主を除く。）の委託を受けて、労災保険の保険給付に関する請求の事務を行うことができる。

262 □□□ 普通   R3.雇9-C

保険給付に関する請求書等の事務手続及びその代行、雇用保険二事業に係る事務手続及びその代行、印紙保険料に関する事項などは、事業主が労働保険事務組合に処理を委託できる労働保険事務の範囲に含まれない。

263 □□□ 普通   R3.雇9-E

労働保険事務組合は、労働保険事務の処理の委託があったときは、委託を受けた日の翌日から起算して14日以内に、労働保険徴収法施行規則第64条に定める事項を記載した届書を、その主たる事務所の所在地を管轄する都道府県労働局長に提出しなければならない。

264 □□□ 普通   R元.雇9-B

労働保険事務組合は、労災保険に係る保険関係が成立している二元適用事業の事業主から労働保険事務の処理に係る委託があったときは、労働保険徴収法施行規則第64条に掲げられている事項を記載した届書を、所轄労働基準監督署長又は所轄公共職業安定所長を経由して都道府県労働局長に提出しなければならない。

○ 260 必修基本書 労働科目……550〜551p

（則62条2項、平25.3.29基発0329第7号ほか）本肢のとおりである。清掃業は、金融業、保険業、不動産業、小売業、卸売業又はサービス業のいずれにも該当しないため、常時300人以下の労働者を使用するものであれば、所定の要件を満たす限り、労働保険事務の処理を労働保険事務組合に委託することができる。また、「常時300人以下の労働者を使用する」とは、常態として300人以下の労働者を使用することをいうため、臨時に労働者数が増加する等の結果、一時的に使用労働者数が300人を超えることとなった場合でも、常態として300人以下であればこれに該当する。

✕ 261 必修基本書 労働科目……551p

（法33条1項、平12.3.31発労徴31号ほか）労災保険の保険給付に関する請求書等に係る事務手続き及びその代行は、労働保険事務組合の受託業務の範囲に含まれないため、労働保険事務組合は、事業主の委託を受けて労災保険の保険給付に関する請求の事務を行うことは「できない」。

○ 262 必修基本書 労働科目……551p

（平25.3.29基発0329第7号ほか）本肢のとおりである。なお、労災保険の特別加入の申請については、事業主が労働保険事務組合に処理を委託できる労働保険事務の範囲に含まれる。

✕ 263 必修基本書 労働科目……551p

（則64条1項）労働保険事務組合は、労働保険事務の処理の委託があったときは、「遅滞なく」、所定の事項を記載した届書を、その主たる事務所の所在地を管轄する都道府県労働局長に提出しなければならない。

✕ 264 必修基本書……該当ページなし

（則64条1項、則78条3項）労災保険に係る保険関係が成立している二元適用事業の事業主から委託があった場合の本肢の届書は、所轄労働基準監督署長を経由して行うものとされており、「所轄公共職業安定所長を経由するものとはされていない」。

265 □□□ 普通
R3.雇9-D

労働保険事務組合に労働保険事務の処理を委託している事業場の所在地を管轄する行政庁が、当該労働保険事務組合の主たる事務所の所在地を管轄する行政庁と異なる場合、当該事業場についての一般保険料の徴収は、労働保険事務組合の主たる事務所の所在地の都道府県労働局歳入徴収官が行う。

266 □□□ 普通
H29.雇10-E

労働保険事務組合に労働保険事務の処理を委託している事業主（以下本肢において「委託事業主」という）が労働保険料その他の徴収金の納付のため金銭を労働保険事務組合に交付したときは、当該委託事業主は当該徴収金を納付したものとみなされるので、当該労働保険事務組合が交付を受けた当該徴収金について滞納があり滞納処分をしてもなお徴収すべき残余がある場合においても、当該委託事業主は、当該徴収金に係る残余の額を徴収されることはない。

267 □□□ 普通
R5.災9-D

労働保険事務組合事務処理規約に規定する期限までに、確定保険料申告書を作成するための事実を事業主が報告したにもかかわらず、労働保険事務組合が労働保険徴収法の定める申告期限までに確定保険料申告書を提出しなかったため、所轄都道府県労働局歳入徴収官が確定保険料の額を認定決定し、追徴金を徴収することとした場合、当該事業主が当該追徴金を納付するための金銭を当該労働保険事務組合に交付しなかったときは、当該労働保険事務組合は政府に対して当該追徴金の納付責任を負うことはない。

268 □□□ 普通
R元.雇9-E

労働保険事務組合が、委託を受けている事業主から交付された追徴金を督促状の指定期限までに納付しなかったために発生した延滞金について、政府は当該労働保険事務組合と当該事業主の両者に対して同時に当該延滞金に関する処分を行うこととなっている。

○ **265**

（則69条）本肢のとおりである。

× **266**

（法35条1項・3項）労働保険事務組合が徴収金の納付のために本肢の委託事業主から交付を受けた金銭について滞納があり、これにつき政府が労働保険事務組合に対して滞納処分をしてもなお徴収すべき残余がある場合は、政府は、その残余の額を当該「事業主から徴収することができる」。また、本肢前段の「委託事業主が労働保険料その他の徴収金の納付のため金銭を労働保険事務組合に交付したときは、当該委託事業主は当該徴収金を納付したものとみなされる」とする規定はなく、委託事業主が労働保険料その他の徴収金の納付のため金銭を労働保険事務組合に交付したときは、「その金額の限度で、労働保険事務組合は、政府に対して当該徴収金の納付の責めに任ずるものとする」とされている。

× **267**

（法35条2項、平25.3.29基発0329第7号ほか）労働保険関係法令の規定により政府が追徴金又は延滞金を徴収する場合において、その徴収について労働保険事務組合の責めに帰すべき理由があるときは、その限度で、労働保険事務組合は、政府に対して当該徴収金の納付の責めに任ずるものとされている。事業主から規約に規定する期限までに報告を受けたにもかかわらず、所定の申告期限までに申告を行わなかったことは、労働保険事務組合の責めに帰すべき理由がある場合に該当する。したがって、本肢の労働保険事務組合は、その限度で、「追徴金の納付責任を負う」。

× **268**

（法35条2項・3項）労働保険関係法令の規定により政府が追徴金又は延滞金を徴収する場合において、その徴収について労働保険事務組合の責めに帰すべき理由があるときは、その限度で、労働保険事務組合は、政府に対して当該徴収金の納付の責めに任ずるものとされているが、この場合の労働保険事務組合が納付すべき徴収金については、政府は、当該労働保険事務組合に対して滞納処分をしてもなお徴収すべき残余がある場合に限り、その残余の額を委託事業主から徴収することができる。したがって、本肢の場合、政府は、本肢の労働保険事務組合と本肢の委託事業主の「両者に対して同時に当該延滞金に対する処分を行うことはできない」。

易 　　　　　　　　　　　　　　　　　　　　R3.雇9-A

労働保険事務組合は、雇用保険に係る保険関係が成立している事業にあっては、労働保険事務の処理の委託をしている事業主ごとに雇用保険被保険者関係届出事務等処理簿を事務所に備えておかなければならない。

270 普通 　　　　　　　　　　　　　　　　　　　　H30.雇10-B

労働保険事務組合は、その納付すべき労働保険料を完納していた場合に限り、政府から、労働保険料に係る報奨金の交付を受けることができる。

271 普通 　　　　　　　　　　　　　　　　　　　　H30.雇10-A

労働保険事務組合が、政府から、労働保険料に係る報奨金の交付を受けるには、前年度の労働保険料（当該労働保険料に係る追徴金を含み延滞金を除く。）について、国税滞納処分の例による処分を受けたことがないことがその要件とされている。

272 普通 　　　　　　　　　　　　　　　　　　　　H30.雇10-E

労働保険料に係る報奨金の額は、現在、労働保険事務組合ごとに、2千万円以下の額とされている。

273 易 　　　　　　　　　　　　　　　　　　　　H30.雇10-D

労働保険料に係る報奨金の交付を受けようとする労働保険事務組合は、労働保険事務組合報奨金交付申請書を、所轄公共職業安定所長に提出しなければならない。

○ 269

（法36条、則68条3号）本肢のとおりである。なお、労働保険事務組合が事務所に備えるべき書類及びその保存期間は、次のとおりである（則72条）。

①労働保険事務等処理委託事業主名簿………その完結の日から3年間

②労働保険料等徴収及び納付簿………………その完結の日から3年間

③雇用保険被保険者関係届出事務等処理簿…その完結の日から4年間

× 270

（報奨金政令1条）労働保険事務組合は、その納付すべき労働保険料を「完納していた場合でなくても」、政府から、労働保険料に係る報奨金の交付を「受けることができる場合がある」。原則として、7月10日において、前年度の労働保険料（当該保険料に係る追徴金及び延滞金を含む）であって、常時15人以下の労働者を使用する事業の事業主の委託に係るものにつき、その確定保険料の額（労働保険料に係る追徴金及び延滞金を納付すべき場合にあっては、確定保険料の額と当該追徴金及び延滞金の額との合計額）の合計額の**100分の95以上の額**が納付されていれば、その他の要件を満たすことにより、労働保険事務組合は、政府から、労働保険料に係る報奨金の交付を受けることができる。

× 271

（報奨金政令1条）労働保険事務組合が、政府から、労働保険料に係る報奨金の交付を受けるには、前年度の労働保険料（当該労働保険料に係る追徴金「及び延滞金を含む」）について、国税滞納処分の例による処分を受けたことがないことがその要件の1つとされている。

× 272

（報奨金政令2条）労働保険料に係る報奨金の額は、現在、労働保険事務組合ごとに、「1千万円以下」の額とされている。労働保険料に係る報奨金の額は、労働保険事務組合ごとに、1千万円又は常時15人以下の労働者を使用する事業の事業主の委託を受けて納付した前年の労働保険料（督促を受けて納付した労働保険料を除く）の額（その額が確定保険料の額を超えるときは、当該確定保険料の額）に100分の2を乗じて得た額に厚生労働省令で定める額を加えた額のいずれか低い額以内とされている。

× 273

（報奨金省政令2条）労働保険料に係る報奨金の交付を受けようとする労働保険事務組合は、労働保険事務組合報奨金交付申請書を、「所轄都道府県労働局長」に提出しなければならない。

徴収法

⑩労働保険事務組合

労働保険料に係る報奨金の交付要件である労働保険事務組合が委託を受けて労働保険料を納付する事業主とは、常時15人以下の労働者を使用する事業の事業主のことをいうが、この「常時15人」か否かの判断は、事業主単位ではなく、事業単位（一括された事業については、一括後の事業単位）で行う。

（報奨金省令1条、平23.8.4基発0804第1号ほか）本肢のとおりである。

徴収法

❿労働保険事務組合

275 ☐☐☐ 易
H28.災9-ア

概算保険料に係る認定決定に不服のある事業主は、当該認定決定について、その処分庁である都道府県労働局歳入徴収官に対し、審査請求を行うことができる。

276 ☐☐☐ 易
H28.災9-イ

概算保険料に係る認定決定に不服のある事業主は、当該認定決定について、その処分に係る都道府県労働局に置かれる労働者災害補償保険審査官に対し、審査請求を行うことができる。

277 ☐☐☐ 易
H28.災9-ウ

概算保険料に係る認定決定に不服のある事業主は、当該認定決定について、厚生労働大臣に対し、再審査請求を行うことができる。

278 ☐☐☐ 易
R2.雇10-B

労働保険徴収法の規定による処分に不服がある者は、処分があったことを知った日の翌日から起算して3か月以内であり、かつ、処分があった日の翌日から起算して1年以内であれば、厚生労働大臣に審査請求をすることができる。ただし、当該期間を超えた場合はいかなる場合も審査請求できない。

279 ☐☐☐ 易
H28.災9-エ

概算保険料に係る認定決定に不服のある事業主は、当該認定決定について、直ちにその取消しの訴えを提起することができる。

280 ☐☐☐ 易
H28.災9-オ

概算保険料に係る認定決定に不服のある事業主は、当該認定決定について、取消しの訴えを提起する場合を除いて、代理人によらず自ら不服の申立てを行わなければならない。

281 ☐☐☐ 易
H28.雇10-ア

労働保険料その他労働保険徴収法の規定による徴収金を徴収する権利は、国税通則法第72条第1項の規定により、これらを行使することができる時から5年を経過したときは時効によって消滅する。

✕ 275 　　　　　　　　　　　　　必修基本書 労働科目……556p

（行政不服審査法2条、同法4条）概算保険料に係る認定決定に関する処分に不服がある場合、事業主は、「**厚生労働大臣**」に対して審査請求をすることができる。

✕ 276 　　　　　　　　　　　　　必修基本書 労働科目……556p

（行政不服審査法2条、同法4条）概算保険料に係る認定決定に関する処分に不服がある場合、事業主は、「**厚生労働大臣**」に対して「**審査請求**」をすることができる。

✕ 277 　　　　　　　　　　　　　必修基本書 労働科目……556p

（行政不服審査法2条、同法4条ほか）概算保険料に係る認定決定に不服がある場合、事業主は、**厚生労働大臣**に対して審査請求をすることができ、当該認定決定に関する処分の裁決に不服がある場合は、処分取消しの訴えをすることとなる。

✕ 278 　　　　　　　　　　　　　必修基本書……該当ページなし

（行政不服審査法18条1項・2項）労働保険徴収法の規定による処分に不服がある者は、処分があったことを知った日の翌日から起算して3箇月以内であり、かつ、処分があった日の翌日から起算して1年以内であれば、**厚生労働大臣**に審査請求をすることができる。当該期間を経過したときは、原則として、審査請求をすることができないが、「正当な理由があるとき」は、この限りでない。

◯ 279 　　　　　　　　　　　　　必修基本書 労働科目……556p

（行政不服審査法2条、同法4条ほか）本肢のとおりである。なお、本肢の「概算保険料に係る認定決定」に関する処分だけでなく、労働保険徴収法の規定における処分について不服がある者は、**厚生労働大臣**に審査請求するか、処分取消しの訴えを提起するかを選択することができる。

✕ 280 　　　　　　　　　　　　　必修基本書……該当ページなし

（行政不服審査法12条）概算保険料に係る認定決定に関する処分に不服がある場合、事業主は、厚生労働大臣に対して審査請求をすることができるが、この審査請求は、「**代理人によってすることができる**」。

✕ 281 　　　　　　　　　　　　　必修基本書 労働科目……556p

（法41条1項）労働保険料その他労働保険徴収法の規定による徴収金を徴収し、又はその還付を受ける権利は、「**労働保険徴収法41条1項の規定により**」、これらを行使することができる時から「**2年**」を経過したときは、時効によって消滅する。

282 □□□ 難　　　　　　　　　　　　　　　　　　　　H28.雇10-イ

時効で消滅している労働保険料その他労働保険徴収法の規定による徴収金について、納付義務者がその時効による利益を放棄して納付する意思を示したときは、政府はその徴収権を行使できる。

283 □□□ 普通　　　　　　　　　　　　　　　　　　　H28.雇10-ウ

政府が行う労働保険料その他労働保険徴収法の規定による徴収金の徴収の告知は、時効更新の効力を生ずるので、納入告知書に指定された納期限の翌日から、新たな時効が進行することとなる。

284 □□□ 易　　　　　　　　　　　　　　　　　　　　R2.雇10-A

労働保険料その他労働保険徴収法の規定による徴収金を納付しない者に対して政府が行う督促は時効の更新の効力を生ずるが、政府が行う徴収金の徴収の告知は時効の更新の効力を生じない。

285 □□□ 易　　　　　　　　　　　　　　　　　　　R6.災10-E

事業主が概算保険料の申告書を提出していない場合、政府が労働保険徴収法第15条第3項の規定に基づき認定決定した概算保険料について通知を行ったとき、当該通知によって未納の当該労働保険料について時効の更新の効力を生ずる。

286 □□□ 普通　　　　　　　　　　　　　　　　　　　R6.災10-C

前保険年度より保険関係が引き続く継続事業における年度当初の確定精算に伴う精算返還金に係る時効の起算日は6月1日となるが、確定保険料申告書が法定納期限内に提出された場合、時効の起算日はその提出された日の翌日となる。

287 □□□ 普通　　　　　　　　　　　　　　　　　　　R6.災10-D

継続事業の廃止及び有期事業の終了に伴う精算返還金に係る時効の起算日は事業の廃止又は終了の日の翌日となるが、確定保険料申告書が法定納期限内に提出された場合、時効の起算日はその提出された日となる。

288 □□□ 易　　　　　　　　　　　　　　　　　　　　R元.雇10-D

行政庁は、厚生労働省令で定めるところにより、労働保険の保険関係が成立している事業主又は労働保険事務組合に対して、労働保険徴収法の施行に関して出頭を命ずることができるが、過去に労働保険事務組合であった団体に対しては命ずることができない。

× **282**　　　　　　　　　　　　必修基本書……該当ページなし

（法41条1項ほか）2年の消滅時効の絶対的効力として、時効の援用（一定の事実を自己の利益のために主張すること）を要せず、また、その利益を放棄することができないものとされている。つまり、時効の完成により、当該権利は当然に消滅する。

○ **283**　　　　　　　　　　　必修基本書 労働科目……556～557p

（法41条2項ほか）本肢のとおりである。なお、「時効の更新」とは、新たな時効の進行（時効期間のリセット）のことである。つまり、更新事由が生ずると、それまでに経過した時効期間がなかったことになり、更新事由が終了すれば、新たに時効が進行することとなる。

× **284**　　　　　　　　　　　必修基本書 労働科目……556～557p

（法41条2項）政府が行う労働保険料その他労働保険徴収法の規定による「徴収金の徴収の告知」又は督促は、時効の更新の効力を生ずる。

○ **285**　　　　　　　　　　　　必修基本書 労働科目……557p

（法41条2項）本肢のとおりである。本肢の認定決定した概算保険料について通知は、法41条2項に規定する「徴収の告知又は督促」に該当することから、当該通知によって未納の当該労働保険料について時効の更新の効力を生ずる。

○ **286**　　　　　　　　　　　　必修基本書……該当ページなし

（昭55.9.25労徴発49号）本肢のとおりである。なお、有期事業においてメリット制の適用により労働保険料が引き下げられた場合に生ずる精算返還金に係る時効の起算日は、その旨の通知があった日の翌日とされている。

× **287**　　　　　　　　　　　　必修基本書……該当ページなし

（昭55.9.25労徴発49号）本肢の場合において、確定保険料申告書が法定納期限内に提出された場合、時効の起算日はその提出された日の「翌日」となる。本肢前段の記述は正しい。

× **288**　　　　　　　　　　　必修基本書 労働科目……557p

（法42条）行政庁は、厚生労働省令で定めるところにより、保険関係が成立し、若しくは成立していた事業の事業主又は労働保険事務組合のみならず、「過去に労働保険事務組合であった団体に対しても、労働保険徴収法の施行に関して出頭を命ずることができる」。

289 ☐☐☐ 易 R6.災10-B

所轄都道府県労働局長、所轄労働基準監督署長又は所轄公共職業安定所長は、保険関係が成立し、若しくは成立していた事業の事業主又は労働保険事務組合若しくは労働保険事務組合であった団体に対して、労働保険徴収法の施行に関し必要な報告、文書の提出又は出頭を命ずる場合、文書によって行わなければならない。

290 ☐☐☐ 難 H28.雇10-オ

厚生労働大臣、都道府県労働局長、労働基準監督署長又は公共職業安定所長が労働保険徴収法の施行のため必要があると認めるときに、その職員に行わせる検査の対象となる帳簿書類は、労働保険徴収法及び労働保険徴収法施行規則の規定による帳簿書類に限られず、賃金台帳、労働者名簿等も含む。

291 ☐☐☐ 易 H28.雇10-エ

事業主若しくは事業主であった者又は労働保険事務組合若しくは労働保険事務組合であった団体は、労働保険徴収法又は労働保険徴収法施行規則の規定による書類をその完結の日から3年間（雇用保険被保険者関係届出事務等処理簿にあっては、4年間）保存しなければならない。

292 ☐☐☐ 普通 R元.雇10-E

事業主は、あらかじめ代理人を選任した場合であっても、労働保険徴収法施行規則によって事業主が行わなければならない事項については、その代理人に行わせることができない。

293 ☐☐☐ 普通 R6.災10-A

事業主は、あらかじめ代理人を選任し、所轄労働基準監督署長又は所轄公共職業安定所長に届け出ている場合、労働保険徴収法施行規則によって事業主が行わなければならない労働保険料の納付に係る事項を、その代理人に行わせることができる。

294 ☐☐☐ 普通 H27.雇8-A

労働保険事務組合が、労働保険徴収法第36条及び同法施行規則第68条で定めるところにより、その処理する労働保険料等徴収及び納付簿を備えておかない場合には、その違反行為をした当該労働保険事務組合の代表者又は代理人、使用人その他の従業者に罰則規定の適用がある。

○ **289**　　　　　　　　　　　　　必修基本書 労働科目……557p

（法42条、則74条）本肢のとおりである。なお、行政庁は、保険関係の成立又は労働保険料に関し必要があると認めるときは、官公署に対し、法人の事業所の名称、所在地その他必要な資料の提供を求めることができる（法43条の2）。

○ **290**　　　　　　　　　　　　　必修基本書 労働科目……557p

（法43条ほか）本肢のとおりである。なお、本肢の検査をする職員は、その**身分**を示す証票を携帯し、**関係人**の請求があるときは、これを提示しなければならない（法43条2項）。

○ **291**　　　　　　　　　　　　　必修基本書 労働科目……557p

（則72条）本肢のとおりである。なお、「雇用保険被保険者関係届出事務等処理簿」とは、雇用保険の被保険者についての届出事務の処理の状況を委託事業主の事業所ごとに明確にしておくために、労働保険事務組合が備えておかなければならない帳簿のことである（則68条ほか）。

× **292**　　　　　　　　　　　　　必修基本書……該当ページなし

（則73条1項）事業主は、あらかじめ代理人を選任した場合には、労働保険徴収法施行規則によって事業主が行わなければならない事項を、その代理人に行わせることが「できる」。

○ **293**　　　　　　　　　　　　　必修基本書……該当ページなし

（則73条1項）本肢のとおりである。事業主は、本肢の代理人を選任し、又は解任したときは、所定の事項を記載した届書により、その旨を所轄労働基準監督署長又は所轄公共職業安定所長に届け出なければならない。当該届書に記載された事項であって代理人の選任に係るものに変更を生じたときも、同様とする（同条2項）。

○ **294**　　　　　　　　　　　　　必修基本書 労働科目……558p

（法47条1項）本肢のとおりである。なお、法人（法人でない労働保険事務組合を含む）の代表者又は法人若しくは人の代理人、使用人その他の従業者が、その法人又は人の業務に関して、本肢の違反行為をしたときは、本肢のとおり行為者が罰せられるほか、その法人又は人に対しても、所定の罰金刑が科せられる（法48条1項）。

295 □□□ 普通　　　　　　　　　　　　　　　　　　　　　R5.雇9-E

日雇労働被保険者を使用する事業主が、正当な理由がないと認められるにもかかわらず、雇用保険印紙を日雇労働被保険者手帳に貼付することを故意に怠り、1,000円以上の額の印紙保険料を納付しなかった場合、労働保険徴収法第46条の罰則が適用され、6月以下の懲役又は所轄都道府県労働局歳入徴収官が認定決定した印紙保険料及び追徴金の額を含む罰金に処せられる。

296 □□□ 普通　　　　　　　　　　　　　　　　　　　　　H27.雇8-C

日雇労働被保険者を使用している事業主が、印紙保険料納付状況報告書によって、毎月におけるその雇用保険印紙の受払状況を翌月末日までに所轄都道府県労働局歳入徴収官に報告をしなかった場合には、当該事業主に罰則規定の適用がある。

297 □□□ 普通　　　　　　　　　　　　　　　　　　　　　R元.雇10-B

行政庁の職員が、確定保険料の申告内容に疑いがある事業主に対して立入検査を行う際に、当該事業主が立入検査を拒み、これを妨害した場合、30万円以下の罰金刑に処せられるが懲役刑に処せられることはない。

298 □□□ 普通　　　　　　　　　　　　　　　　　　　　　H27.雇8-B

日雇労働被保険者を使用している事業主が、雇用保険印紙を譲り渡し、又は譲り受けた場合は、当該事業主に罰則の適用がある。

299 □□□ 普通　　　　　　　　　　　　　　　　　　　　　H27.雇8-D

雇用保険暫定任意適用事業の事業主が、当該事業に使用される労働者が労働保険徴収法附則第2条第1項の規定による雇用保険の保険関係の成立を希望したことを理由として、労働者に対して解雇その他不利益な取扱いをした場合には、当該事業主に罰則規定の適用がある。

300 □□□ 普通　　　　　　　　　　　　　　　　　　　　　H27.雇8-E

法人でない労働保険事務組合であっても、当該労働保険事務組合の代表者又は代理人、使用人その他の従業者が、当該労働保険事務組合の業務に関して、労働保険徴収法第46条又は第47条に規定する違反行為をしたときには、その行為者を罰するほか、当該労働保険事務組合に対しても、罰則規定の適用がある。

✕ **295** 必修基本書 労働科目……558p

（法46条）事業主が印紙保険料の納付を規定する法23条2項の規定に違反して雇用保険印紙を貼らなかった場合、「その納付しなかった印紙保険料の額にかかわらず」、当該事業主は、6月以下の懲役又は30万円以下の罰金に処せられる。また、当該罰金の額には、認定決定した印紙保険料額及び追徴金の額は含まれない。

○ **296** 必修基本書 労働科目……558p

（法46条）本肢のとおりである。雇用保険印紙は労働保険料そのものであり厳格に管理されるべきであることから、罰則規定が設けられている。

✕ **297** 必修基本書……該当ページなし

（法46条）本肢の場合、事業主は、6月以下の懲役又は30万円以下の罰金に処せられる。したがって、罰金刑のみならず、「懲役刑に処せられることもある」。

✕ **298** 必修基本書 労働科目……558p

（法46条ほか）事業主による雇用保険印紙の譲渡し、譲受けに関して「罰則規定は設けられていない」。

○ **299** 必修基本書……該当ページなし

（法附則6条、法附則7条）本肢のとおりである。なお、労災保険の適用を希望した労働者に関して不利益取り扱いをした場合の罰則規定はない。

○ **300** 必修基本書 労働科目……558p

（法48条1項）本肢のとおりである。法48条1項（両罰規定）により、「法人（法人でない労働保険事務組合及び労災保険法35条1項に規定する団体を含む。以下本肢において同じ）の代表者又は法人若しくは人の代理人、使用人その他の従業者が、その法人又は人の業務に関して、法46条又は法47条の違反行為をしたときは、行為者を罰するほか、その法人又は人に対しても、各本条の罰金刑を科する。」とされている。

第3編

労務管理その他の労働に関する一般常識

※本書に掲載している「社会保険労務士法」は、社会保険に関する一般常識として出題されたものを含みます。

※本書の統計に関する問題及びその解説については、出題傾向の把握のため、特段の記載のない限り、当時の数値等のまま記載しております。

① 労働契約法

001 □□□ 易 H29.1-A

労働契約法第2条第2項の「使用者」とは、「労働者」と相対する労働契約の締結当事者であり、「その使用する労働者に対して賃金を支払う者」をいうが、これは、労働基準法第10条の「使用者」と同義である。

002 □□□ 普通 H28.1-オ

労働契約法は、使用者が同居の親族のみを使用する場合の労働契約及び家事使用人の労働契約については、適用を除外している。

003 □□□ 普通 H27.1-A

労働契約法第3条第2項では、労働契約は就業の実態に応じて、均衡を考慮しつつ締結し、又は変更すべきとしているが、これには、就業の実態が異なるいわゆる正社員と多様な正社員の間の均衡は含まれない。

004 □□□ 普通 H27.1-B

労働契約の基本的な理念及び労働契約に共通する原則を規定する労働契約法第3条のうち、第3項は様々な雇用形態や就業実態を広く対象とする「仕事と生活の調和への配慮の原則」を規定していることから、いわゆる正社員と多様な正社員との間の転換にも、かかる原則は及ぶ。

005 □□□ 普通 R元.3-A

労働契約法第4条第1項は、「使用者は、労働者に提示する労働条件及び労働契約の内容について、労働者の理解を深めるようにする」ことを規定しているが、これは労働契約の締結の場面及び変更する場面のことをいうものであり、労働契約の締結前において使用者が提示した労働条件について説明等をする場面は含まれない。

必修基本書 労働科目……570～571p

（労働契約法2条2項、労働基準法10条、平24.8.10基発0810第2号）労働契約法2条2項の「使用者」とは、「労働者」と相対する労働契約の当事者であり、「その使用する労働者に対して**賃金を支払う者**」をいい、個人企業の場合はその企業主個人を、会社その他の法人組織の場合はその法人そのものをいうものである。これは、労働基準法10条の「**事業主**」に相当するものであり、同条の「使用者」より狭い概念である。

× 002 必修基本書 労働科目……571p

（労働契約法21条2項）労働契約法においては、使用者が**同居の親族のみ**を使用する場合の労働契約については同法は適用除外とされるが、**家事使用人**は適用除外ではなく、要件に該当すれば、労働者に該当し、同法が適用される。

× 003 必修基本書……該当ページなし

（労働契約法3条2項、「多様な正社員」の普及・拡大のための有識者懇談会報告書26頁）労働契約法3条2項では、労働契約は**就業の実態**に応じて、均衡を考慮しつつ締結し、又は変更すべきものとしているが、これには、いわゆる正社員と多様な正社員の間の均衡を考慮することも「含まれる」。なお、「多様な正社員」とは、企業における職務、勤務地又は労働時間のいずれかが限定された正社員をいう（平26.7.30基発0730第1号ほか）。

○ 004 必修基本書……該当ページなし

（労働契約法3条3項、「多様な正社員」の普及・拡大のための有識者懇談会報告書23頁）本肢のとおりである。労働契約法3条3項の「仕事と生活の調和への配慮」に、多様な正社員への転換制度も含まれることとされている。なお、「多様な正社員」とは、企業における**職務**、**勤務地**又は**労働時間**のいずれかが**限定**された正社員をいう（平26.7.30基発0730第1号ほか）。

× 005 必修基本書 労働科目……571p

（労働契約法4条1項、平24.8.10基発0810第2号）労働契約法4条1項は、「労働契約の締結前において使用者が提示した労働条件について説明等をする場面や、労働契約が締結又は変更されて継続している間の各場面」が広く「含まれる」ものであることとされている。本肢前段の記述は正しい。

労
一

❶労働契約法

006 □□□ 普通　　　　　　　　　　　　　　　　　　　　　　　　　H27.1-C

労働契約法第4条は、労働契約の内容はできるだけ書面で確認するものとされているが、勤務地、職務、勤務時間の限定についても、この確認事項に含まれる。

007 □□□ 易　　　　　　　　　　　　　　　　　　　　　　　　　　　H30.3-イ

使用者は、労働契約に特段の根拠規定がなくとも、労働契約上の付随的義務として当然に、安全配慮義務を負う。

008 □□□ 普通　　　　　　　　　　　　　　　　　　　　　　　　　H28.1-ア

労働契約法第5条は労働者の安全への配慮を定めているが、その内容は、一律に定まるものではなく、使用者に特定の措置を求めるものではないが、労働者の職種、労務内容、労務提供場所等の具体的な状況に応じて、必要な配慮をすることが求められる。

009 □□□ 難　　　　　　　　　　　　　　　　　　　　　　　　　　H27.2-B

使用者は、労働者にとって過重な業務が続く中でその体調の悪化が看取される場合には、神経科の医院への通院、その診断に係る病名、神経症に適応のある薬剤の処方など労働者の精神的健康に関する情報については労働者本人からの積極的な申告が期待し難いことを前提とした上で、必要に応じてその業務を軽減するなど労働者の心身の健康への配慮に努める必要があるものというべきであるとするのが、最高裁判所の判例である。

010 □□□ 難　　　　　　　　　　　　　　　　　　　　　　　　　　H30.3-ア

いわゆる採用内定の制度は、多くの企業でその実態が類似しているため、いわゆる新卒学生に対する採用内定の法的性質については、当該企業における採用内定の事実関係にかかわらず、新卒学生の就労の始期を大学卒業直後とし、それまでの間、内定企業の作成した誓約書に記載されている採用内定取消事由に基づく解約権を留保した労働契約が成立しているものとするのが、最高裁判所の判例である。

○ **006**
必修基本書 労働科目……571p

（労働契約法4条2項、「多様な正社員」の普及・拡大のための有識者懇談会報告書17頁）本肢のとおりである。なお、同報告書では、職務や勤務地の限定をめぐる紛争を未然に防止し、将来の予測可能性を高める一助と して、限定がある場合はその旨と限定の内容について当面のものか、将来的にも限定されたものか明示していくことは重要であると考えられるとしている（同報告書16頁）。

○ **007**
必修基本書 労働科目……572p

（労働契約法5条、平24.8.10基発0810第2号）本肢のとおりである。なお、使用者は、本肢の安全配慮義務として、労働者の**心身の健康**についてもその義務を負う（平24.8.10基発0810第2号）。

○ **008**
必修基本書 労働科目……572p

（労働契約法5条、平24基発0810第2号）本肢のとおりである。通常の場合、労働者は、使用者の指定した場所に配置され、使用者の供給する設備、器具等を用いて労働に従事するものであることから、判例において、労働契約の内容として具体的に定めずとも、労働契約に伴い信義則上当然に、使用者は、労働者を危険から保護するよう配慮すべき安全配慮義務を負っているものとされているが、これは、民法等の規定からは明らかになっていないため、労働契約法5条に「労働者の安全への配慮」が規定された。

○ **009**
必修基本書……該当ページなし

（最高裁第二小法廷判決 平26.3.24 東芝事件）本肢のとおりである。労働者に過重な業務によってうつ病が発症し増悪させた場合、一定の事情の下では、使用者の安全配慮義務違反等に基づく損害賠償の額を定めるに当たり、当該労働者が自らの精神的健康に関する一定の情報を使用者に申告しなかったことをもって過失相殺をすることはできないとした判決である。

× **010**
必修基本書……該当ページなし

（昭54.7.20 最高裁第二小法廷判決 大日本印刷事件）企業が大学の新規卒業予定者を採用するに際して実施するいわゆる採用内定制度の「実態は多様である」ため、採用内定の法的性質について「一義的に論断することは困難」というべきである。したがって、具体的事案につき、採用内定の法的性質を判断するにあたっては、「当該企業の当該年度における採用内定の事実関係に即して」これを検討する必要があるとするのが、最高裁判所の判例である。

011 □□□ 易 H28.1-イ

労働契約は、労働者が使用者に使用されて労働し、使用者がこれに対して賃金を支払うことについて、労働者及び使用者が必ず書面を交付して合意しなければ、有効に成立しない。

012 □□□ 普通 R6.3-A

労働契約は労働者及び使用者が合意することによって成立するが、合意の要素は、「労働者が使用者に使用されて労働すること」、「使用者がこれに対して賃金を支払うこと」、「詳細に定められた労働条件」であり、労働条件を詳細に定めていなかった場合には、労働契約が成立することはない。

013 □□□ 普通 R3.3-A

労働契約法第7条は、「労働者及び使用者が労働契約を締結する場合において、使用者が合理的な労働条件が定められている就業規則を労働者に周知させていた場合には、労働契約の内容は、その就業規則で定める労働条件によるものとする。」と定めているが、同条は、労働契約の成立場面について適用されるものであり、既に労働者と使用者との間で労働契約が締結されているが就業規則は存在しない事業場において新たに就業規則を制定した場合については適用されない。

014 □□□ 普通 R元.3-B

就業規則に定められている事項であっても、例えば、就業規則の制定趣旨や根本精神を宣言した規定、労使協議の手続に関する規定等労働条件でないものについては、労働契約法第7条本文によっても労働契約の内容とはならない。

015 □□□ 普通 H27.1-E

労働契約法第7条にいう就業規則の「周知」とは、労働者が知ろうと思えばいつでも就業規則の存在や内容を知り得るようにしておくことをいい、労働基準法第106条の定める「周知」の方法に限定されるものではない。

（労働契約法6条、平24.8.10基発0810第2号）労働契約は、労働契約の締結当事者である労働者及び使用者の「合意のみ」により成立するものであり、労働契約の成立の要件としては、契約内容について書面を交付することまでは求められない（ただし、労働契約法4条にあるとおり、労働契約の内容はできる限り書面により確認すべきである）。

（労働契約法6条、平24.8.10基発0810第2号）労働契約の成立に係る合意の要素は、『「労働者が使用者に使用されて労働」すること及び「使用者がこれに対して賃金を支払う」こと』である。また、労働条件を詳細に定めていなかった場合であっても、「労働契約そのものは成立し得る」。

（労働契約法7条、平24.8.10基発0810第2号）本肢のとおりである。なお、本肢の「就業規則」とは、労働者が就業上遵守すべき規律及び労働条件に関する具体的細目について定めた規則類の総称をいい、労働基準法89条の「就業規則」と同様であるが、労働契約法7条の「就業規則」には、常時10人以上の労働者を使用する使用者以外の使用者が作成する労働基準法89条では作成が義務付けられていない就業規則も含まれる。

（平24.8.10基発0810第2号）本肢のとおりである。なお、労働契約法7条には、原則として、労働者及び使用者が労働契約を締結する場合において、使用者が合理的な労働条件が定められている就業規則を労働者に周知させていた場合には、労働契約の内容は、その就業規則で定める労働条件によるものとする旨が規定されている（労働契約法7条）。

（労働契約法7条、平24.8.10基発0810第2号）本肢のとおりである。なお、労働者が知ろうと思えばいつでも就業規則の存在や内容を知り得るようにしておくことにより、就業規則の周知をさせていた場合は、労働者が実際に就業規則の存在や内容を知っているか否かにかかわらず、労働契約法7条の「周知させていた」に該当する。

LEC東京リーガルマインド　2025年版出る順社労士 一問一答過去10年問題集　　**271**
②雇用保険法・労働保険の保険料の徴収等に関する法律・労務管理その他の労働に関する一般常識

労一

❶労働契約法

労働基準法第106条に基づく就業規則の「周知」は、同法施行規則第52条の2
各号に掲げる、常時各作業場の見やすい場所へ掲示する等の方法のいずれかによ
るべきこととされているが、労働契約法第7条柱書きの場合の就業規則の「周知」
は、それらの方法に限定されるものではなく、実質的に判断される。

使用者が就業規則の変更により労働条件を変更する場合において、労働契約法第
11条に定める就業規則の変更に係る手続を履行されていることは、労働契約の内
容である労働条件が、変更後の就業規則に定めるところによるという法的効果を
生じさせるための要件とされている。

「労働契約の内容である労働条件は、労働者と使用者との個別の合意によって変
更することができるものであるが、就業規則に定められている労働条件に関する
条項を労働者の不利益に変更する場合には、労働者と使用者との個別の合意に
よって変更することはできない。」とするのが、最高裁判所の判例である。

○ 016
必修基本書 労働科目……574p

（労働契約法7条、平24.8.10基発0810第2号）本肢のとおりである。なお、労働契約法7条の「就業規則」とは、労働者が就業上遵守すべき規律及び労働条件に関する具体的細目について定めた規則類の総称をいい、労働基準法89条の「就業規則」と同様であるが、労働契約法7条の「就業規則」には、常時10人以上の労働者を使用する使用者以外の使用者が作成する労働基準法89条では作成が義務付けられていない就業規則も含まれる。

× 017
必修基本書……該当ページなし

（平24.8.10基発0810第2号）労働契約法11条に定める就業規則の変更に係る手続を履行されていることは、使用者が就業規則の変更により労働条件を変更する場合における労働契約の内容である労働条件が変更後の就業規則に定めるところによる（同法10条本文）という法的効果を生じさせるための「要件とはされていない」。なお、同法10条本文の法的効果を生じさせるための要件とされるのは、「変更後の就業規則を労働者に周知させること及び就業規則の変更が一定の事項に照らして合理的なものであること」であり、本肢の就業規則の変更に係る手続は、同法10条本文の法的効果を生じさせるための「要件ではない」ものの、就業規則の内容の合理性に資するものであるとされている。

× 018
必修基本書 労働科目……575p

（最高裁第二小法廷判決 平28.2.19 山梨県民信用組合事件）「労働契約の内容である労働条件は、労働者と使用者の個別の合意によって変更することができるものであり、このことは、就業規則に定められている労働条件を労働者の不利益に変更する場合であっても、その合意に際して就業規則の変更が必要とされることを除き、異なるものではないと解される」とするのが、最高裁判所の判例である。なお、同判例では、当該変更に対する労働者の同意の有無についての判断は慎重になされるべきであり、「就業規則に定められた賃金や退職金に関する労働条件の変更に対する労働者の同意の有無については、当該変更を受け入れる旨の労働者の行為の有無だけでなく、当該変更により労働者にもたらされる不利益の内容及び程度、労働者により当該行為がされるに至った経緯及びその態様、当該行為に先立つ労働者への情報提供又は説明の内容等に照らして、当該行為が労働者の自由な意思に基づいてされたものと認めるに足りる合理的な理由が客観的に存在するか否かという観点からも、判断されるべきものと解するのが相当である」ことも判示されている。

019 ☐☐☐ 普通　　　　　　　　　　　　　　　　　　　R元.3-E

労働契約法第10条の「就業規則の変更」には、就業規則の中に現に存在する条項を改廃することのほか、条項を新設することも含まれる。

020 ☐☐☐ 普通　　　　　　　　　　　　　　　　　　　R3.3-B

使用者が就業規則の変更により労働条件を変更する場合について定めた労働契約法第10条本文にいう「労働者の受ける不利益の程度、労働条件の変更の必要性、変更後の就業規則の内容の相当性、労働組合等との交渉の状況その他の就業規則の変更に係る事情」のうち、「労働組合等」には、労働者の過半数で組織する労働組合その他の多数労働組合や事業場の過半数を代表する労働者だけでなく、少数労働組合が含まれるが、労働者で構成されその意思を代表する親睦団体は含まれない。

021 ☐☐☐ 普通　　　　　　　　　　　　　　　　　　　H30.3-ウ

就業規則の変更による労働条件の変更が労働者の不利益となるため、労働者が、当該変更によって労働契約の内容である労働条件が変更後の就業規則に定めるところによるものとはされないことを主張した場合、就業規則の変更が労働契約法第10条本文の「合理的」なものであるという評価を基礎付ける事実についての主張立証責任は、使用者側が負う。

022 ☐☐☐ 普通　　　　　　　　　　　　　　　　　　　R6.3-C

労働基準法第89条及び第90条に規定する就業規則に関する手続が履行されていることは、労働契約法第10条本文の、「労働契約の内容である労働条件は、当該変更後の就業規則に定めるところによる」という法的効果を生じさせるための要件ではないため、使用者による労働基準法第89条及び第90条の遵守の状況を労働契約法第10条本文の合理性判断に際して考慮してはならない。

○ 019 　　　　　　　　　　　　必修基本書……該当ページなし

（平24.8.10基発0810第2号）本肢のとおりである。なお、労働契約法10条には、使用者が就業規則の変更により労働条件を変更する場合に、労働契約の内容である労働条件が当該変更後の就業規則に定めるところによるものとするための要件等が規定されている。

× 020 　　　　　　　　　　　　必修基本書……該当ページなし

（労働契約法10条、平24.8.10基発0810第2号）本肢の「労働組合等」には、労働者で構成されその意思を代表する親睦団体等労働者の意思を代表するものが広く「含まれる」。その他の記述は正しい。

○ 021 　　　　　　　　　　　　必修基本書……該当ページなし

（労働契約法10条、平24.8.10基発0810第2号）本肢のとおりである。なお、本肢の「就業規則の変更」には、就業規則の中に現に存在する条項を改廃することのほか、条項を新設することも含まれる（平24.8.10基発0810第2号）。

× 022 　　　　　　　　　　　　必修基本書……該当ページなし

（労働契約法10条、同法11条、平24.8.10基発0810第2号）労働基準法89条及び同法90条の手続（就業規則の作成・届出・意見聴取）が履行されていることは、労働契約法10条本文の「労働契約の内容である労働条件は、当該変更後の就業規則に定めるところによる」という法的効果を生じさせるための要件ではないものの、労働契約法10条本文の合理性判断に際しては、就業規則の変更に係る諸事情が総合的に考慮されることから、使用者による労働基準法89条及び同法90条の遵守の状況は、「合理性判断に際して考慮され得る」ものである。

023 ▮▮▮ 普通 R3.3-C

労働契約法第13条は、就業規則で定める労働条件が法令又は労働協約に反している場合には、その反する部分の労働条件は当該法令又は労働協約の適用を受ける労働者との間の労働契約の内容とはならないことを規定しているが、ここでいう「法令」とは、強行法規としての性質を有する法律、政令及び省令をいい、罰則を伴う法令であるか否かは問わず、労働基準法以外の法令も含まれる。

024 ▮▮▮ 普通 H28.1-ウ

いわゆる在籍出向においては、就業規則に業務上の必要によって社外勤務をさせることがある旨の規定があり、さらに、労働協約に社外勤務の定義、出向期間、出向中の社員の地位、賃金、退職金その他の労働条件や処遇等に関して出向労働者の利益に配慮した詳細な規定が設けられているという事情の下であっても、使用者は、当該労働者の個別的同意を得ることなしに出向命令を発令することができないとするのが、最高裁判所の判例である。

025 ▮▮▮ 普通 R元.3-C

労働契約法第15条の「懲戒」とは、労働基準法第89条第9号の「制裁」と同義であり、同条により、当該事業場に懲戒の定めがある場合には、その種類及び程度について就業規則に記載することが義務付けられている。

026 ▮▮▮ 普通 H30.3-エ

「使用者が労働者を懲戒するには、あらかじめ就業規則において懲戒の種別及び事由を定めておくことをもって足り、その内容を適用を受ける事業場の労働者に周知させる手続が採られていない場合でも、労働基準法に定める罰則の対象となるのは格別、就業規則が法的規範としての性質を有するものとして拘束力を生ずることに変わりはない。」とするのが、最高裁判所の判例である。

○ **023** 必修基本書 労働科目……576p

（労働契約法13条、平24.8.10基発0810第2号）本肢のとおりである。なお、本肢の「労働協約」とは、労働組合法14条にいう「労働組合と使用者又はその団体との間の労働条件その他に関する」合意で、「書面に作成し、両当事者が署名し、又は記名押印したもの」をいうものである。

× **024** 必修基本書 労働科目……577p

（最高裁第二小法廷判決 平15.4.18新日本製鐵事件）本肢のような在籍型出向においては、使用者（出向元）と出向を命じられた労働者との間の労働契約関係が終了することなく、出向を命じられた労働者が出向先に使用されて労働に従事することをいうものであるため、労働契約法14条に規定するように、その**必要性**、**対象労働者の選定**に係る事情その他の事情に照らして、その**権利を濫用**したものと認められる場合には、当該命令は、**無効**となるが、そうでない場合には、使用者は、当該**労働者の個別的同意**を得ることなしに出向命令を発令することができないとまではいえない。本件の場合、**労働者の個別的同意**なしに、本件各出向命令を発令することができるというべきであるとされた。

○ **025** 必修基本書……該当ページなし

（平24.8.10基発0810第2号）本肢のとおりである。なお、懲戒に関する事項は、「制裁の定め」に該当し、就業規則の相対的必要記載事項とされている（労働基準法89条9号）。

× **026** 必修基本書 労働科目……577p

（最高裁第二小法廷判決 平15.10.10 フジ興産事件）使用者が労働者を懲戒するには、**あらかじめ就業規則において懲戒の種類及び事由**を定めておくことを要し、就業規則が法的規範としての性質を有するものとして、**拘束力**を生ずるためには、「その内容を適用を受ける事業場の労働者に周知させる手続が採られていることを要する」ものというべきであるとするのが、最高裁判所の判例である。

027 ☐☐☐ 普通　　　　　　　　　　　　　　　　　　　　　　H29.1-D

従業員が職場で上司に対する暴行事件を起こしたことなどが就業規則所定の懲戒解雇事由に該当するとして、使用者が捜査機関による捜査の結果を待った上で当該事件から7年以上経過した後に諭旨退職処分を行った場合において、当該事件には目撃者が存在しており、捜査の結果を待たずとも使用者において処分を決めることが十分に可能であったこと、当該諭旨退職処分がされた時点で企業秩序維持の観点から重い懲戒処分を行うことを必要とするような状況はなかったことなど判示の事情の下では、当該諭旨退職処分は、権利の濫用として無効であるとするのが、最高裁判所の判例の趣旨である。

028 ☐☐☐ 難　　　　　　　　　　　　　　　　　　　　　　　　H27.1-D

裁判例では、労働者の能力不足による解雇について、能力不足を理由に直ちに解雇することは認められるわけではなく、高度な専門性を伴わない職務限定では、改善の機会を与えるための警告に加え、教育訓練、配置転換、降格等が必要とされる傾向がみられる。

029 ☐☐☐ 普通　　　　　　　　　　　　　　　　　　　　　　H28.1-エ

使用者は、期間の定めのある労働契約について、やむを得ない事由がある場合でなければ、その契約期間が満了するまでの間において、労働者を解雇することができないが、「やむを得ない事由」があると認められる場合は、解雇権濫用法理における「客観的に合理的な理由を欠き、社会通念上相当であると認められない場合」以外の場合よりも狭いと解される。

030 ☐☐☐ 普通　　　　　　　　　　　　　　　　　　　　　　　R6.3-D

労働契約法第17条第1項の「やむを得ない事由」があるか否かは、個別具体的な事案に応じて判断されるものであるが、期間の定めのある労働契約（以下本問において「有期労働契約」という。）は、試みの使用期間（試用期間）を設けることが難しく、使用者は労働者の有する能力や適性を事前に十分に把握できないことがあることから、「やむを得ない事由」があると認められる場合は、同法第16条に定めるいわゆる解雇権濫用法理における「客観的に合理的な理由を欠き、社会通念上相当であると認められない場合」以外の場合よりも広いと解される。

○ **027** 必修基本書……該当ページなし

（最高裁第二小法廷判決 平18.10.6 ネスレ日本事件）本肢のとおりである。なお、懲戒に関する事項は、「制裁の定め」に該当し、就業規則の相対的必要事項とされている（労働基準法89条9号）。

○ **028** 必修基本書……該当ページなし

（「多様な正社員」の普及・拡大のための有識者懇談会報告書12頁）本肢のとおりである。なお、能力不足解雇について、高度な専門性を伴う職務に限定されている場合には、教育訓練、配置転換、降格等が不要とされる場合もあるが、改善の機会を付与するための警告は、必要とされる傾向がみられるとされれている。

○ **029** 必修基本書 労働科目……578p

（労働契約法17条1項、平24.8.10基発0810第2号）本肢のとおりである。労働契約法17条1項は、「解雇することができない」旨を規定したものであることから、使用者が有期労働契約の契約期間中に労働者を解雇しようとする場合の根拠規定になるものではなく、使用者が当該解雇をしようとする場合には、従来どおり、民法628条が根拠規定となるものであり、「やむを得ない事由」があるという評価を基礎付ける事実についての主張立証責任は、使用者側が負うものであることとされる。

× **030** 必修基本書 労働科目……578p

（労働契約法17条1項、平24.8.10基発0810第2号）有期労働契約の契約期間中の解雇を定めた労働契約法17条1項の「やむを得ない事由」があるか否かは、個別具体的な事案に応じて判断されるものであるが、契約期間は労働者及び使用者が合意により決定したものであり、遵守されるべきものであることから、「やむを得ない事由」があると認められる場合は、解雇権濫用法理における「客観的に合理的な理由を欠き、社会通念上相当であると認められない場合」以外の場合よりも「狭い」と解される。

031 ▢▢▢ 普通　　　　　　　　　　　　　　　　　　　R元.3-D

有期労働契約の契約期間中であっても一定の事由により解雇することができる旨を労働者及び使用者が合意していた場合、当該事由に該当することをもって労働契約法第17条第1項の「やむを得ない事由」があると認められるものではなく、実際に行われた解雇について「やむを得ない事由」があるか否かが個別具体的な事案に応じて判断される。

032 ▢▢▢ 普通　　　　　　　　　　　　　　　　　　　H30.3-オ

労働契約法第18条第1項の「同一の使用者」は、労働契約を締結する法律上の主体が同一であることをいうものであり、したがって、事業場単位ではなく、労働契約締結の法律上の主体が法人であれば法人単位で、個人事業主であれば当該個人事業主単位で判断される。

033 ▢▢▢ 易　　　　　　　　　　　　　　　　　　　R6.3-E

労働契約法第18条第1項によれば、労働者が、同一の使用者との間で締結された2以上の期間の定めのある労働契約（契約期間の始期の到来前のものを除く。以下本肢において同じ。）の契約期間を通算した期間が5年を超えた場合には、当該使用者が、当該労働者に対し、現に締結している期間の定めのある労働契約の契約期間が満了する日の翌日から労務が提供される期間の定めのない労働契約の申込みをしたものとみなすこととされている。

034 ▢▢▢ 普通　　　　　　　　　　　　　　　　　　　R3.3-D

有期労働契約の更新時に、所定労働日や始業終業時刻等の労働条件の定期的変更が行われていた場合に、労働契約法第18条第1項に基づき有期労働契約が無期労働契約に転換した後も、従前と同様に定期的にこれらの労働条件の変更を行うことができる旨の別段の定めをすることは差し支えないと解される。

労

一

○ 031

（平24.8.10基発0810第2号）本肢のとおりである。なお、労働契約法17条1項には、使用者は、有期労働契約について、やむを得ない事由がある場合でなければ、その契約期間が満了するまでの間において、労働者を解雇することができない旨が規定されている。

○ 032

（労働契約法18条1項、平24.8.10基0810第2号）本肢のとおりである。なお、使用者が、就業実態が変わらないにもかかわらず、本肢の規定に基づき有期労働契約を締結している労働者が無期労働契約への転換を申し込むことができる権利（無期転換申込権）の発生を免れる意図をもって、派遣形態や請負形態を偽装して、労働契約の当事者を形式的に他の使用者に切り替えた場合は、法を潜脱するものとして、同一の使用者との間で締結された2以上の有期労働契約の契約期間を通算した期間（通算契約期間）の計算上において、「同一の使用者」との労働契約が継続していると解される（平24.8.10基0810第2号）。

❶

労
働
契
約
法

× 033

（労働契約法18条1項）同一の使用者との間で締結された2以上の有期労働契約（契約期間の始期の到来前のものを除く。以下同じ。）の契約期間を通算した期間が5年を超える労働者が、当該使用者に対し、現に締結している有期労働契約の契約期間が満了する日までの間に、当該満了する日の翌日から労務が提供される期間の定めのない労働契約の締結の「申込みをしたとき」は、使用者は当該申込みを承諾したものとみなされる。

○ 034

（平24.8.10基発0810第2号）本肢のとおりである。なお、労働契約法18条1項の規定による無期労働契約への転換は、期間の定めのみを変更するものであるが、同項の「別段の定め」をすることにより、期間の定め以外の労働条件を変更することは可能である。

有期労働契約が反復して更新されたことにより、雇止めをすることが解雇と社会
通念上同視できると認められる場合、又は労働者が有期労働契約の契約期間の満
了時にその有期労働契約が更新されるものと期待することについて合理的な理由
が認められる場合に、使用者が雇止めをすることが、客観的に合理的な理由を欠
き、社会通念上相当であると認められないときは、雇止めは認められず、この場
合において、労働者が、当該使用者に対し、期間の定めのない労働契約の締結の
申込みをしたときは、使用者は当該申込みを承諾したものとみなされる。

有期労働契約の更新等を定めた労働契約法第19条の「更新の申込み」及び「締
結の申込み」は、要式行為ではなく、使用者による雇止めの意思表示に対して、
労働者による何らかの反対の意思表示が使用者に伝わるものでもよい。

× 035

必修基本書 労働科目……580p

（労働契約法19条、平24.8.10基発0810第2号）本肢の場合、雇止めは認められず、使用者は、「従前の有期労働契約の締結又は更新の申込みを承諾したものとみなされる」。すなわち、有期労働契約が同一の労働条件（契約期間を含む）で成立することとなる

○ 036

必修基本書……該当ページなし

（平24.8.10基発0810第2号）本肢のとおりである。なお、雇止めの効力について紛争となった場合における労働契約法19条の「更新の申込み」又は「締結の申込み」をしたことの主張・立証については、労働者が雇止めに異議があることが、例えば、訴訟の提起、紛争調整機関への申立て、団体交渉等によって使用者に直接又は間接に伝えられたことを概括的に主張立証すればよいと解される。

労
一

❶ 労働契約法

037 ☐☐☐ 易

専門的知識等を有する有期雇用労働者等に関する特別措置法は、5年を超える一定の期間内に完了することが予定されている専門的知識等を必要とする業務に就く専門的知識等を有する有期雇用労働者等について、労働契約法第18条に基づく無期転換申込権発生までの期間に関する特例を定めている。

（専門的知識等を有する有期雇用労働者等に関する特別措置法2条、同法8条1項）本肢のとおりである。なお、労働契約法18条1項には、通算契約期間が5年を超える労働者が使用者に申込みをすることにより、有期労働契約が無期労働契約に転換するいわゆる無期転換ルールが規定されているが、高度な専門的知識等を有し一定の収入を得ている有期契約労働者であって当該専門的知識等を必要とする業務（5年を超える一定期間内に完了する予定のものに限る）に就くものについては、無期転換申込権発生までの期間について特例（5年ではなく、上限10年以内で当該業務開始から完了までの期間中は無期転換申込権が発生しない）が定められている。なお、60歳以上の定年後引き続いて同一の事業主に雇用される有期雇用労働者についても一定の特例が設けられている。

労一

❷ 専門的知識等を有する有期雇用労働者等に関する特別措置法

038 □□□ （難） R2.3-B

A社において、定期的に職務の内容及び勤務地の変更がある通常の労働者の総合職であるXは、管理職となるためのキャリアコースの一環として、新卒採用後の数年間、店舗等において、職務の内容及び配置に変更のない短時間労働者であるYの助言を受けながら、Yと同様の定型的な業務に従事している場合に、A社がXに対し、キャリアコースの一環として従事させている定型的な業務における能力又は経験に応じることなく、Yに比べ基本給を高く支給していることは、パートタイム・有期雇用労働法に照らして許されない。

039 □□□ （難） R3.4-エ

パートタイム・有期雇用労働法が適用される企業において、同一の能力又は経験を有する通常の労働者であるXと短時間労働者であるYがいる場合、XとYに共通して適用される基本給の支給基準を設定し、就業の時間帯や就業日が日曜日、土曜日又は国民の祝日に関する法律（昭和23年法律第178号）に規定する休日か否か等の違いにより、時間当たりの基本給に差を設けることは許されない。

040 □□□ 普通 R4.4-E

賞与であって、会社の業績等への労働者の貢献に応じて支給するものについて、通常の労働者と同一の貢献である短時間・有期雇用労働者には、貢献に応じた部分につき、通常の労働者と同一の賞与を支給しなければならず、貢献に一定の相違がある場合においては、その相違に応じた賞与を支給しなければならない。

041 □□□ 普通 R6.4-オ

基本給の一部について、労働者の業績又は成果に応じて支給しているY社において、通常の労働者が販売目標を達成した場合に行っている支給を、短時間労働者であるXについて通常の労働者と同一の販売目標を設定し、当該販売目標を達成しない場合には支給を行っていなくても、パートタイム・有期雇用労働法上は問題ない。

✕ 038 必修基本書……該当ページなし

（短時間・有期雇用労働者及び派遣労働者に対する不合理な待遇の禁止等に関する指針（平30.12.28厚労告430号））本肢の取扱いは、パートタイム・有期雇用労働法上問題とならない例とされている。

✕ 039 必修基本書……該当ページなし

（パートタイム・有期雇用労働法8条、平30.12.28厚労告430号）本肢の措置は、パートタイム・有期雇用労働法8条（不合理な待遇の禁止）の規定に照らして「問題とならない」例とされている。

○ 040 必修基本書……該当ページなし

（平30.12.28厚労告430号）本肢のとおりである。例えば、賞与について、会社の業績等への労働者の貢献に応じて支給しているＡ社において、通常の労働者であるＸと同一の会社の業績等への貢献がある有期雇用労働者であるＹに対し、Ｘと同一の賞与をしていないといった取扱いは、短時間・有期労働者及び派遣労働者に対する不合理な待遇の禁止等に関する指針において問題となる例とされている。

✕ 041 必修基本書……該当ページなし

（平30.12.28厚労告430号）基本給の一部について、労働者の業績又は成果に応じて支給している会社において、通常の労働者が販売目標を達成した場合に行っている支給を、短時間労働者について通常の労働者と同一の販売目標を設定し、それを達成しない場合には行っていないことは、不合理な待遇の禁止を定めたパートタイム・有期雇用労働法8条に「違反する」。

❸ パートタイム・有期雇用労働法

042 ◻◻◻ 普通　　　　　　　　　　　　　　　　　　　　　H27.2-A

男女雇用機会均等法第9条第3項の規定は、同法の目的及び基本的理念を実現するためにこれに反する事業主による措置を禁止する強行規定として設けられたものと解するのが相当であり、女性労働者につき、妊娠、出産、産前休業の請求、産前産後の休業又は軽易業務への転換等を理由として解雇その他不利益な取扱いをすることは、同項に違反するものとして違法であり、無効であるというべきであるとするのが、最高裁判所の判例である。

043 ◻◻◻ 普通　　　　　　　　　　　　　　　　　　　　　R3.4-オ

女性労働者につき労働基準法第65条第3項に基づく妊娠中の軽易な業務への転換を契機として降格させる事業主の措置は、原則として男女雇用機会均等法第9条第3項の禁止する取扱いに当たるが、当該労働者につき自由な意思に基づいて降格を承諾したものと認めるに足りる合理的な理由が客観的に存在するとき、又は事業主において当該労働者につき降格の措置を執ることなく軽易な業務への転換をさせることに円滑な業務運営や人員の適正配置の確保などの業務上の必要性から支障がある場合であって、上記措置につき男女雇用機会均等法第9条第3項の趣旨及び目的に実質的に反しないものと認められる特段の事情が存在するときは、同項の禁止する取扱いに当たらないとするのが、最高裁判所の判例である。

044 ◻◻◻ 普通　　　　　　　　　　　　　　　　　　　　　H30.4-E

事業主は、その雇用する女性労働者が母子保健法の規定による保健指導又は健康診査に基づく指導事項を守ることができるようにするため、勤務時間の変更、勤務の軽減等必要な措置を講じなければならない。

（最高裁第一小法廷判決 平26.10.23 広島中央保健生活協同組合事件）本肢のとおりである。

（最高裁第一小法廷判決 平26.10.23 広島中央保健生活協同組合事件）本肢のとおりである。なお、事業主は、その雇用する女性労働者が妊娠したこと、出産したこと、労働基準法65条1項の規定による産前休業を請求し、又は同項若しくは同条2項の規定による産前産後休業をしたことその他の妊娠又は出産に関する事由であって厚生労働省令で定めるものを理由として、当該女性労働者に対して解雇その他不利益な取扱いをしてはならない（男女雇用機会均等法9条3項）。

（男女雇用機会均等法13条1項）本肢のとおりである。なお、**厚生労働大臣**は、本肢の規定に基づき事業主が講ずべき措置に関して、その適切かつ有効な実施を図るために必要な指針を定めるものとされている（同条2項）。

労
一

❹ 男女雇用機会均等法

045 ☐☐☐ 易 　　　　　　　　　　　　　　　H29.2-オ

女性活躍推進法は、国及び地方公共団体以外の事業主であって、常時雇用する労働者の数が100人を超えるものは、「厚生労働省令で定めるところにより、職業生活を営み、又は営もうとする女性の職業選択に資するよう、その事業における女性の職業生活における活躍に関する所定の情報を定期的に公表するよう努めなければならない。」と定めている。

（女性活躍推進法20条1項）本肢の事業主は、厚生労働省令で定めるところにより、職業生活を営み、又は営もうとする女性の職業選択に資するよう、その事業における女性の職業生活における活躍に関する所定の情報を定期的に公表「しなければならない」。

平成15年に、平成27年3月31日までの時限立法として制定された次世代育成支援対策推進法は、平成26年の改正法により、法律の有効期限が令和7年3月31日まで10年間延長され、新たな認定制度の創設等が定められた。また、その後の令和6年の改正法により、法律の有効期限がさらに令和17年3月31日まで10年間延長された。

（次世代育成支援対策推進法附則2条1項ほか）本肢のとおりである。なお、本肢の新たな認定制度（特例認定制度）とは、行動計画を策定・届出をし、一定要件を満たすと、厚生労働大臣の認定を受けることができるが、この認定を受けた企業で、特に次世代育成支援対策の実施状況が優良な企業に対する認定制度をいう。特例認定を受けた場合、行動計画の策定・届出に代わり、次世代育成対策の実施状況を公表しなければならないこととされている（同法13条、同法15条の2ほか）。

労一

❻ 次世代育成支援対策推進法

047 ▢▢▢ 普通   R2.3-A

育児介護休業法に基づいて育児休業の申出をした労働者は、当該申出に係る育児休業開始予定日とされた日の前日までに厚生労働省令で定める事由が生じた場合には、その事業主に申し出ることにより、法律上、当該申出に係る育児休業開始予定日を何回でも当該育児休業開始予定日とされた日前の日に変更することができる。

048 ▢▢▢ 易   H28.2-B

育児介護休業法第9条の6により、父親と母親がともに育児休業を取得する場合、子が1歳6か月になるまで育児休業を取得できるとされている。

049 ▢▢▢ 易   H29.2-エ

育児介護休業法は、労働者は、対象家族1人につき、1回に限り、連続したひとまとまりの期間で最長93日まで、介護休業を取得することができると定めている。

050 ▢▢▢ 普通   R5.4-C

事業主は、労働者が当該事業主に対し、当該労働者又はその配偶者が妊娠し、又は出産したことその他これに準ずるものとして厚生労働省令で定める事実を申し出たときは、厚生労働省令で定めるところにより、当該労働者に対して、育児休業に関する制度その他の厚生労働省令で定める事項を知らせるとともに、育児休業申出等に係る当該労働者の意向を確認するための面談その他の厚生労働省令で定める措置を講じなければならない。

✕ **047**　　　　　　　　　　　　　　　　　必修基本書……該当ページなし

（育児介護休業法7条1項）育児休業開始予定日の変更は、「1回に限り」行うことができる。その他の記述は正しい。

✕ **048**　　　　　　　　　　　　　　　　必修基本書 労働科目……601p

（育児介護休業法9条の6）父親と母親がともに育児休業を取得する場合において、一定の要件に該当すれば、子が「1歳2か月」に達するまでの間で、当該子の出生日以後の当該子に係る産前産後休業期間と育児休業期間との合計が1年間となるまでを限度として、育児休業を取得できるとされている。

✕ **049**　　　　　　　　　　　　　　　　必修基本書 労働科目……605p

（育児介護休業法11条2項）介護休業は、対象家族につき「1回に限り、連続したひとまとまりの期間で取得することは必要とされていない」。介護休業をしたことがある労働者は、当該介護休業に係る対象家族が、次の①又は②のいずれかに該当する場合には、当該対象家族については、介護休業の申出をすることができないものとされている。

　①当該対象家族について3回の介護休業をした場合
　②当該対象家族について介護休業をした日数（介護休業を開始した日から介護休業を終了した日までの日数とし、2回以上の介護休業をした場合にあっては、介護休業ごとに、当該介護休業を開始した日から当該介護休業を終了した日までの日数を合算して得た日数とする）が93日に達している場合

◯ **050**　　　　　　　　　　　　　　　　　必修基本書……該当ページなし

（育児介護休業法21条1項）本肢のとおりである。なお、事業主は、労働者が本肢の申出をしたことを理由として、当該労働者に対して解雇その他不利益な取扱いをしてはならない（同条4項）。

事業主は、職場において行われるその雇用する労働者に対する育児休業、介護休業その他の子の養育又は家族の介護に関する厚生労働省令で定める制度又は措置の利用に関する言動により当該労働者の就業環境が害されることのないよう、当該労働者からの相談に応じ、適切に対応するために必要な体制の整備その他の雇用管理上必要な措置を講じなければならない。

（育児介護休業法25条1項）本肢のとおりである。なお、事業主は、労働者が本肢の相談を行ったこと又は事業主による当該相談への対応に協力した際に**事実を述べたことを理由**として、当該労働者に対して**解雇その他不利益な取扱い**をしてはならない（同条2項）。

労
一

❼
育
児
介
護
休
業
法

8 最低賃金法

052 ▮▮▮ 易　　　　　　　　　　　　　　　　H29.2-ア

最低賃金法第3条は、最低賃金額は、時間又は日によって定めるものとしている。

053 ▮▮▮ 普通　　　　　　　　　　　　　　　　R6.4-イ

最低賃金法第8条は、「最低賃金の適用を受ける使用者は、厚生労働省令で定めるところにより、当該最低賃金の概要を、常時作業場の見やすい場所に掲示し、又はその他の方法で、労働者に周知させるための措置をとらなければならない。」と定めている。

054 ▮▮▮ 普通　　　　　　　　　　　　　　　　R元.4-A

労働者派遣法第44条第1項に規定する「派遣中の労働者」に対しては、賃金を支払うのは派遣元であるが、当該労働者の地域別最低賃金については、派遣先の事業の事業場の所在地を含む地域について決定された地域別最低賃金において定める最低賃金額が適用される。

× 052　　　　　　　　　　　　　　　　　必修基本書 労働科目……616p

（最低賃金法3条）最低賃金法3条は、最低賃金額は、「時間」によって定めるものとされており、日によって定めるものとはされていない。

○ 053　　　　　　　　　　　　　　　　　必修基本書……該当ページなし

（最低賃金法8条）本肢のとおりである。なお、本肢の使用者が労働者に周知させなければならない最低賃金の概要とは、①適用を受ける労働者の範囲及びこれらの労働者に係る最低賃金額、②最低賃金において算入しないことを定める賃金及び③最低賃金の効力発生年月日とされている（同法施行規則条6条）。

○ 054　　　　　　　　　　　　　　　　　必修基本書 労働科目……618p

（最低賃金法13条ほか）本肢のとおりである。なお、**厚生労働大臣**又は**都道府県労働局長**は、一定の地域ごとに、中央最低賃金審議会又は地方最低賃金審議会の調査審議を求め、その意見を聴いて、**地域別最低賃金**の決定をしなければならない（同法10条1項）。

055 ☐☐☐ 易 H30.4-C

過労死等防止対策推進法は、国及び地方公共団体以外の事業主であって、常時雇用する労働者の数が100人を超える者は、毎年、当該事業主が「過労死等の防止のために講じた対策の状況に関する報告書を提出しなければならない。」と定めている。

（過労死等防止対策推進法）このような規定は設けられていない。過労死等防止対策推進法は、近年、我が国において過労死等が多発し、大きな社会問題となっていること及び過労死等が、本人はもとより、その遺族又は家族のみならず社会にとっても大きな損失であることに鑑み、過労死等に関する調査研究等について定めることにより、過労死等の防止のための対策を推進し、もって過労死等がなく、仕事と生活を調和させ、健康で充実して働き続けることのできる社会の実現に寄与することを目的としており、事業主に対する義務規定は設けられていない。

056 ☐☐☐ 易   R6.4-エ

労働施策総合推進法第9条は、「事業主は、労働者がその有する能力を有効に発揮するために必要であると認められるときとして厚生労働省令で定めるときは、労働者の配置（業務の配分及び権限の付与を含む。）及び昇進について、厚生労働省令で定めるところにより、その年齢にかかわりなく均等な機会を与えなければならない。」と定めている。

057 ☐☐☐ 普通   R3.4-ウ

労働施策総合推進法第30条の2第1項の「事業主は、職場において行われる優越的な関係を背景とした言動であって、業務上必要かつ相当な範囲を超えたものによりその雇用する労働者の就業環境が害されることのないよう、当該労働者からの相談に応じ、適切に対応するために必要な体制の整備その他の雇用管理上必要な措置を講じなければならない。」とする規定が、令和2年6月1日に施行された。

（労働施策総合推進法9条）事業主は、労働者がその有する能力を有効に発揮するために必要であると認められるときとして厚生労働省令で定めるときは、「労働者の募集及び採用」について、厚生労働省令で定めるところにより、その年齢にかかわりなく均等な機会を与えなければならない。

（労働施策総合推進法30条の2第1項、令元同法附則1条、令元同法附則3条ほか）本肢のとおりである。なお、本肢の「優越的な関係を背景とした」言動とは、当該事業主の業務を遂行するに当たって、当該言動を受ける労働者が当該言動の行為者とされる者に対して抵抗又は拒絶することができない蓋然性が高い関係を背景として行われるものをいう（事業主が職場における優越的な関係を背景とした言動に起因する問題に関して雇用管理上講ずべき措置等についての指針）。

労
一

⑩ 労働施策総合推進法

⑪ 職業安定法

058 □□□ 普通　　　　　　　　　　　　　　　　R5.4-B

職業紹介事業者、求人者、労働者の募集を行う者、募集受託者、特定募集情報等提供事業者、労働者供給事業者及び労働者供給を受けようとする者は、特別な職業上の必要性が存在することその他業務の目的の達成に必要不可欠であって、収集目的を示して本人から収集する場合でなければ、「人種、民族、社会的身分、門地、本籍、出生地その他社会的差別の原因となるおそれのある事項」「思想及び信条」「労働組合への加入状況」に関する求職者、募集に応じて労働者になろうとする者又は供給される労働者の個人情報を収集することができない。

059 □□□ 普通　　　　　　　　　　　　　　　　R6.4-ア

労働者の募集を行う者及び募集受託者は、職業安定法に基づく業務に関して新聞、雑誌その他の刊行物に掲載する広告、文書の掲出又は頒布その他厚生労働省令で定める方法により労働者の募集に関する情報その他厚生労働省令で定める情報を提供するときは、正確かつ最新の内容に保たなければならない。

060 □□□ 普通　　　　　　　　　　　　　　　　R2.3-E

公共職業安定所は、求人者が学校（小学校及び幼稚園を除く。）その他厚生労働省令で定める施設の学生又は生徒であって卒業することが見込まれる者その他厚生労働省令で定める者であることを条件とした求人の申込みをする場合において、その求人者がした労働に関する法律の規定であって政令で定めるものの違反に関し、法律に基づく処分、公表その他の措置が講じられたとき（厚生労働省令で定める場合に限る。）は、職業安定法第5条の5第1項柱書きの規定にかかわらず、その申込みを受理しないことができる。

061 □□□ 易　　　　　　　　　　　　　　　　　R元.4-E

公共職業安定所は、労働争議に対する中立の立場を維持するため、同盟罷業又は作業所閉鎖の行われている事業所に、求職者を紹介してはならない。

062 □□□ 難　　　　　　　　　　　　　　　　　R元.4-D

職業安定法にいう職業紹介におけるあっせんには、「求人者と求職者との間に雇用関係を成立させるために両者を引き合わせる行為のみならず、求人者に紹介するために求職者を探索し、求人者に就職するよう求職者に勧奨するいわゆるスカウト行為（以下「スカウト行為」という。）も含まれるものと解するのが相当である。」とするのが、最高裁判所の判例である。

○ 058

必修基本書……該当ページなし

（平11.11.17労告141号）本肢のとおりである。なお、職業紹介事業者等は、個人情報を収集する際には、本人から直接収集し、又は本人の同意の下で本人以外の者から収集する等適法かつ公正な手段によらなければならない。

○ 059

必修基本書……該当ページなし

（職業安定法5条の4第2項）本肢のとおりである。なお、公共職業安定所、特定地方公共団体及び職業紹介事業者、募集情報等提供事業を行う者並びに労働者供給事業者は、この法律に基づく業務に関して広告等により求人等に関する情報を提供するときは、厚生労働省令で定めるところにより正確かつ最新の内容に保つための措置を講じなければならない（同条3項）。

○ 060

必修基本書 労働科目……636p

（職業安定法5条の6第1項）本肢のとおりである。なお、公共職業安定所、特定地方公共団体及び職業紹介事業者は、求人の申込みが職業安定法5条の6第1項各号に該当するかどうかを確認するため必要があると認めるときは、当該求人者に報告を求めることができる（同条2項）。

○ 061

必修基本書 労働科目……637p

（職業安定法20条1項）本肢のとおりである。なお、労働争議発生中の事業所に求職者を紹介してはならないが、当該労働争議発生中の事業所の従業員の求職は受け付けても支障はない（昭23.3.25職発266号）。

○ 062

必修基本書……該当ページなし

（最高裁第二小法廷判決 平6.4.22 東京エグゼクティブ・サーチ事件）本肢のとおりである。

063 □□□ 普通 　　　　　　　　　　　　　　　R4.4-D

労働者派遣事業の許可を受けた者（派遣元事業主）は、その雇用する派遣労働者が段階的かつ体系的に派遣就業に必要な技能及び知識を習得することができるように教育訓練を実施しなければならず、また、その雇用する派遣労働者の求めに応じ、当該派遣労働者の職業生活の設計に関し、相談の機会の確保その他の援助を行わなければならない。

064 □□□ 普通 　　　　　　　　　　　　　　　H28.2-D

労働者派遣法第35条の3は、「派遣元事業主は、派遣先の事業所その他派遣就業の場所における組織単位ごとの業務について、3年を超える期間継続して同一の派遣労働者に係る労働者派遣（第40条の2第1項各号のいずれかに該当するものを除く。）を行ってはならない」と定めている。

065 □□□ 普通 　　　　　　　　　　　　　　　H30.4-B

派遣先は、当該派遣先の同一の事業所その他派遣就業の場所において派遣元事業主から1年以上継続して同一の派遣労働者を受け入れている場合に、当該事業所その他派遣就業の場所において労働に従事する通常の労働者の募集を行うときは、その者が従事すべき業務の内容、賃金、労働時間その他の当該募集に係る事項を当該派遣労働者に周知しなければならない。

○ **063**　　　　　　　　　　必修基本書 労働科目……645p

（労働者派遣法30条の2）本肢のとおりである。なお、本肢の場合において、当該派遣労働者が無期雇用派遣労働者（期間を定めないで雇用される派遣労働者）であるときは、当該無期雇用派遣労働者がその**職業生活の全期間**を通じてその**有する能力**を有効に発揮できるように配慮しなければならない。

○ **064**　　　　　　　　　　必修基本書 労働科目……649p

（労働者派遣法35条の3）本肢のとおりである。本肢は、派遣期間の制限を超える労働者派遣（個人単位）の禁止の規定である。なお、「事業所単位」の労働者派遣の期間として、同法35条の2には、派遣元事業主が派遣先の事業所その他の「派遣就業の場所ごとの業務」について派遣できる期間の制限が規定されている（同法35条の2）。

○ **065**　　　　　　　　　　必修基本書……該当ページなし

（労働者派遣法40条の5第1項）本肢のとおりである。なお、派遣先の事業所その他派遣就業の場所における同一の組織単位の業務について継続して**3年間**当該労働者派遣に係る労働に従事する見込みがある**特定有期雇用派遣労働者**（継続して就業することを希望する者として厚生労働省令で定めるものに限る）に係る労働者派遣（派遣期間の制限がないものを除く）の役務の提供を受けている場合における本肢の労働者の募集に係る事項の周知については、通常の労働者（正社員）の募集に限らず、**通常の労働者以外の労働者の募集**に際しても、所定の事項をその者に**周知しなければならない**（同条2項）。

⑬ 若者雇用促進法

厚生労働大臣は、常時雇用する労働者の数が300人以上の事業主からの申請に基づき、当該事業主について、青少年の募集及び採用の方法の改善、職業能力の開発及び向上並びに職場への定着の促進に関する取組に関し、その実施状況が優良なものであることその他の厚生労働省令で定める基準に適合するものである旨の認定を行うことができ、この制度は「ユースエール認定制度」と呼ばれている。

（若者雇用促進法15条）厚生労働大臣は、事業主（常時雇用する労働者の数が300人「以下」のものに限る）からの申請に基づき、当該事業主について、青少年の募集及び採用の方法の改善、職業能力の開発及び向上並びに職場への定着の促進に関する取組に関し、その実施状況が優良なものであることその他の厚生労働省令で定める基準に適合するものである旨の認定（**ユースエール認定**）を行うことができる。

067 □□□ 普通　　　　　　　　　　　　　　　　　　　　R元.4-B

65歳未満の定年の定めをしている事業主が、その雇用する高年齢者の65歳までの安定した雇用を確保するため、新たに継続雇用制度（現に雇用している高年齢者が希望するときは、当該高年齢者をその定年後も引き続いて雇用する制度をいう。）を導入する場合、事業主は、継続雇用を希望する労働者について労使協定に定める基準に基づき、継続雇用をしないことができる。

068 □□□ 普通　　　　　　　　　　　　　　　　　　　　R5.4-D

高年齢者雇用安定法に定める義務として継続雇用制度を導入する場合、事業主に定年退職者の希望に合致した労働条件での雇用を義務付けるものではなく、事業主の合理的な裁量の範囲の条件を提示していれば、労働者と事業主との間で労働条件等についての合意が得られず、結果的に労働者が継続雇用されることを拒否したとしても、高年齢者雇用安定法違反となるものではない。

069 □□□ 普通　　　　　　　　　　　　　　　　　　　　R3.4-イ

定年（65歳以上70歳未満のものに限る。）の定めをしている事業主又は継続雇用制度（その雇用する高年齢者が希望するときは、当該高年齢者をその定年後も引き続いて雇用する制度をいう。ただし、高年齢者を70歳以上まで引き続いて雇用する制度を除く。）を導入している事業主は、その雇用する高年齢者（高年齢者雇用安定法第9条第2項の契約に基づき、当該事業主と当該契約を締結した特殊関係事業主に現に雇用されている者を含み、厚生労働省令で定める者を除く。）について、「当該定年の引上げ」「65歳以上継続雇用制度の導入」「当該定年の定めの廃止」の措置を講ずることにより、65歳から70歳までの安定した雇用を確保しなければならない。

× **067**　　　　　　　　　　　　　　　　　　必修基本書 労働科目……657p

（高年齢者雇用安定法9条1項2号ほか）高年齢者雇用安定法9条には、65歳未満の定年の定めをしている事業主に対して、高年齢者雇用確保措置を講じなければならない旨が規定されているが、その高年齢者雇用確保措置の1つとしての継続雇用制度の導入には、「本肢の例外規定は設けられていない」。なお、高年齢者雇用確保措置の実施及び運用等に関する指針によれば、継続雇用制度を導入する場合には、希望者全員を対象とする制度とすることとされているが、心身の故障のため業務に堪えられないと認められること等就業規則に定める解雇事由又は退職事由（年齢に係るものを除く）に該当する場合には、継続雇用しないことができるものとされており、当該就業規則に定める解雇事由又は退職事由と同一の事由を、継続雇用しないことができる事由として、就業規則に定めることもでき、また、当該同一の事由について、労使が協定を締結することができるとされている（ただし、継続雇用しないことについては、客観的に合理的な理由があり、社会通念上相当であることが求められる）（高年齢者雇用確保措置の実施及び運用等に関する指針）。

○ **068**　　　　　　　　　　　　　　　　　　必修基本書……該当ページなし

（高年齢者雇用安定法Q＆A（Q1-9））本肢のとおりである。なお、継続雇用制度を含めた高年齢者雇用確保措置が講じられていない企業が、高年齢者雇用確保措置の実施に関する勧告を受けたにもかかわらず、これに従わなかったときは、厚生労働大臣がその旨を公表できることとされていることから、当該措置の未実施の状況などにかんがみ、必要に応じ企業名の公表を行い、各種法令等に基づき、ハローワークでの求人の不受理・紹介保留、助成金の不支給等の措置を講じることとされている（高年齢者雇用安定法Q＆A（Q1-8））。

× **069**　　　　　　　　　　　　　　　　　　必修基本書 労働科目……657p

（高年齢者雇用安定法10条の2第1項）本肢の措置（高年齢者就業確保措置）は、事業主の「努力義務」である。その他の記述は正しい。

070 ▢▢▢ 易　　　　　　　　　　　　　　　H28.2-A

障害者雇用促進法第34条は、常時使用する労働者数にかかわらず、「事業主は、労働者の募集及び採用について、障害者に対して、障害者でない者と均等な機会を与えなければならない」と定めている。

071 ▢▢▢ 普通　　　　　　　　　　　　　　R元.4-C

事業主は、障害者と障害者でない者との均等な機会の確保の支障となっている事情を改善するため、事業主に対して過重な負担を及ぼすこととなるときを除いて、労働者の募集及び採用に当たり障害者からの申出により当該障害者の障害の特性に配慮した必要な措置を講じなければならない。

072 ▢▢▢ 普通　　　　　　　　　　　　　　R3.4-ア

障害者の雇用の促進等に関する法律第36条の2から第36条の4までの規定に基づき事業主が講ずべき措置（以下「合理的配慮」という。）に関して、合理的配慮の提供は事業主の義務であるが、採用後の合理的配慮について、事業主が必要な注意を払ってもその雇用する労働者が障害者であることを知り得なかった場合には、合理的配慮の提供義務違反を問われない。

073 ▢▢▢ 普通　　　　　　　　　　　　　　R4.4-C

積極的差別是正措置として、障害者でない者と比較して障害者を有利に取り扱うことは、障害者であることを理由とする差別に該当せず、障害者の雇用の促進等に関する法律に違反しない。

074 ▢▢▢ 普通　　　　　　　　　　　　　　R6.4-ウ

障害者専用の求人の採用選考又は採用後において、仕事をする上での能力及び適性の判断、合理的配慮の提供のためなど、雇用管理上必要な範囲で、プライバシーに配慮しつつ、障害者に障害の状況等を確認することは、障害者であることを理由とする差別に該当せず、障害者の雇用の促進等に関する法律に違反しない。

○ **070** 必修基本書 労働科目……661p

（障害者雇用促進法34条）本肢のとおりである。本肢の規定はすべての事業主が対象とされている。

○ **071** 必修基本書 労働科目……662p

（障害者雇用促進法36条の2）本肢のとおりである。なお、事業主は、事業主に対して過重な負担を及ぼすこととなるときを除き、障害者である労働者について、障害者でない労働者との均等な待遇の確保又は障害者である労働者の有する能力の有効な発揮の支障となっている事情を改善するため、その雇用する障害者である労働者の障害の特性に配慮した職務の円滑な遂行に必要な施設の整備、援助を行う者の配置その他の必要な措置を講じなければならない（同法36条の3）。

○ **072** 必修基本書……該当ページなし

（平27.3.25厚労告117号）本肢のとおりである。なお、事業主は、障害者雇用促進法36条の3に規定する措置（雇用の分野における障害者と障害者でない者との均等な機会の確保等を図るための措置）に関し、その雇用する障害者である労働者からの相談に応じ、適切に対応するために必要な体制の整備その他の雇用管理上必要な措置を講じなければならない（障害者雇用促進法36条の4第2項）。

○ **073** 必修基本書……該当ページなし

（平27.3.25厚労告116号）本肢のとおりである。なお、合理的配慮を提供し、労働能力等を適正に評価した結果として、障害者でない者と異なる取扱いをすることは、障害者であることを理由とする差別に該当しない。

○ **074** 必修基本書……該当ページなし

（平27.3.25厚労告116号）本肢のとおりである。なお、障害者については、業務遂行上の能力及び適性の判断、合理的配慮の提供のためなど、雇用管理上必要な範囲でその障害の状況等を確認する必要があり得ることから、そのような場合に、障害者に障害の状況等を確認すること自体は障害者雇用促進法違反とならないとされている。

障害者雇用促進法では、事業主の雇用する障害者雇用率の算定対象となる障害者（以下「対象障害者」という。）である労働者の数の算定に当たって、対象障害者である労働者の1週間の所定労働時間にかかわりなく、対象障害者は1人として換算するものとされている。

障害者雇用促進法は、事業主に一定比率（一般事業主については2.3パーセントとされている。）以上の対象障害者の雇用を義務づけ、それを達成していない常時使用している労働者数が101人以上の事業主から、未達成1人つき月10万円の障害者雇用納付金を徴収することとしている。

× **075**　　　　　　　　　　　　　　　　　　必修基本書 労働科目……663〜664p

（障害者雇用促進法43条3項、障害者雇用促進法施行規則6条ほか）対象障害者の雇用数の算定に当たって、1週間の所定労働時間が、当該事業主の事業所に雇用する通常の労働者の1週間の所定労働時間に比し短く、かつ、**20時間以上30時間**未満である常時雇用する短時間労働者については、原則として、その1人をもって**0.5人**として換算するものとされている。

× **076**　　　　　　　　　　　　　　　　　　　　　　　必修基本書 労働科目……664p

（障害者雇用促進法施行令17条ほか）本肢の場合、未達成1人につき、原則として、「月5万円」の障害者雇用納付金が徴収される。本肢の障害者雇用率については正しい。

労
一

⑮ 障害者雇用促進法

077 | | | | 難   R2.4-E

いわゆるロックアウト（作業所閉鎖）は、個々の具体的な労働争議における労使間の交渉態度、経過、組合側の争議行為の態様、それによって使用者側の受ける打撃の程度等に関する具体的諸事情に照らし、衡平の見地からみて労働者側の争議行為に対する対抗防衛手段として相当と認められる場合には、使用者の正当な争議行為として是認され、使用者は、いわゆるロックアウト（作業所閉鎖）が正当な争議行為として是認される場合には、その期間中における対象労働者に対する個別的労働契約上の賃金支払義務を免れるとするのが、最高裁判所の判例である。

078 | | | | 普通   R2.4-A

労働組合が、使用者から最小限の広さの事務所の供与を受けていても、労働組合法上の労働組合の要件に該当するとともに、使用者の支配介入として禁止される行為には該当しない。

079 | | | | 難   H29.2-ウ

労働組合法により、労働組合は少なくとも毎年1回総会が開催されることを要求されているが、「総会」とは、代議員制度を採っている場合には、その代議員制度による大会を指し、全組合員により構成されるものでなくてもよい。

080 | | | | 難   R2.4-C

労働組合の規約には、組合員又は組合員の直接無記名投票により選挙された代議員の直接無記名投票の過半数による決定を経なければ、同盟罷業を開始しないこととする規定を含まなければならない。

081 | | | | 普通   R5.4-A

「使用者が誠実交渉義務に違反する不当労働行為をした場合には、当該団体交渉に係る事項に関して合意の成立する見込みがないときであっても、労働委員会は、誠実交渉命令〔使用者が誠実交渉義務に違反している場合に、これに対して誠実に団体交渉に応ずべき旨を命ずることを内容とする救済命令〕を発することができると解するのが相当である。」とするのが、最高裁判所の判例である。

○ 077

必修基本書……該当ページなし

（最高裁第三小法廷判決 昭50.4.25 丸島水門事件）本肢のとおりである。なお、ロックアウト（作業所閉鎖）とは、使用者が作業場を閉鎖し、争議に入った労働者（組合員）を作業所から閉め出すことをいう。

○ 078

必修基本書 労働科目……673p

（労働組合法2条2号、同法7条3号）本肢のとおりである。なお、本肢の「最小限の広さの事務所の供与」とは、**社会通念上必要最小限の広さと考えられる事務所の供与**のことをいい、当該事務所に社会通念上当然含まれると考えられる備品を必ずしも除外するものではない（昭33.6.9労発87号）。

○ 079

必修基本書……該当ページなし

（労働組合法5条2項6号、昭29.4.21労発126号）本肢のとおりである。なお、「総会は、少なくとも毎年1回開催すること」は、労働組合の規約に規定しなければならない事項である。

○ 080

必修基本書……該当ページなし

（労働組合法5条2項8号）本肢のとおりである。なお、同盟罷業（ストライキ）とは、労働者（組合員）が使用者に対し団結して**労働力の提供**を拒否することをいう。

○ 081

必修基本書……該当ページなし

（最高裁第二小法廷判決 令4.3.18 国立大学法人山形大学事件）本肢のとおりである。本判決では、使用者が誠実に団体交渉に応ずべき義務（誠実交渉義務）に違反する不当労働行為をした場合には、当該団体交渉に係る事項に関して合意の成立する見込みがないときであっても、**労使委員会**は、使用者に対して、誠実に団体交渉に応ずべき旨を命ずる**誠実交渉命令**を発することができるとされた。

082 ■■■ 難　　　　　　　　　　　　　　　　　　　　　　R2.4-D

「ユニオン・ショップ協定によって、労働者に対し、解雇の威嚇の下に特定の労働
組合への加入を強制することは、それが労働者の組合選択の自由及び他の労働組
合の団結権を侵害する場合には許されないものというべきである」から、「ユニオ
ン・ショップ協定のうち、締結組合以外の他の労働組合に加入している者及び締
結組合から脱退し又は除名されたが、他の労働組合に加入し又は新たな労働組合
を結成した者について使用者の解雇義務を定める部分は、右の観点からして、民
法90条の規定により、これを無効と解すべきである（憲法28条参照）。」とする
のが、最高裁判所の判例である。

083 ■■■ 難　　　　　　　　　　　　　　　　　　　　　　R2.4-B

「労働組合の規約により組合員の納付すべき組合費が月を単位として月額で定め
られている場合には、組合員が月の途中で組合から脱退したときは、特別の規定
又は慣行等のない限り、その月の組合費の納付につき、脱退した日までの分を日
割計算によって納付すれば足りると解すべきである。」とするのが、最高裁判所の
判例である。

084 ■■■ 普通　　　　　　　　　　　　　　　　　　　　H28.2-C

同一企業内に複数の労働組合が併存する場合には、使用者は団体交渉の場面に限
らず、すべての場面で各組合に対し中立的態度を保持しなければならないとする
のが、最高裁判所の判例である。

085 ■■■ 普通　　　　　　　　　　　　　　　　　　　　H28.2-E

労働条件を不利益に変更する内容の労働協約を締結したとき、当該協約の規範的
効力が労働者に及ぶのかについて、「同協約が締結されるに至った以上の経緯、当
時の被上告会社の経営状態、同協約に定められた基準の全体としての合理性に照
らせば、同協約が特定の又は一部の組合員を殊更不利益に取り扱うことを目的と
して締結されたなど労働組合の目的を逸脱して締結されたもの」とはいえない場
合は、その規範的効力を否定すべき理由はないとするのが、最高裁判所の判例で
ある。

○ **082** 必修基本書……該当ページなし

（最高裁第一小法廷判決 平元12.14 三井倉庫港運事件）本肢のとおりである。なお、ユニオン・ショップ協定とは、使用者は、組合員であるかどうかに関係なく労働者を雇い入れることができるが、雇い入れられた労働者は労働組合に加入しなければならず、使用者は、労働組合に加入しない労働者又は労働組合から脱退・除名された従業員を解雇しなければならない制度をいう。

× **083** 必修基本書……該当ページなし

（最高裁第三小法廷判決 昭50.11.28 国労広島地本事件）労働組合の規約により組合員の納付すべき組合費が月を単位として月額で定められている場合には、組合員が月の途中で組合から脱退したときでも、特別の規定又は慣行等のない限り、その月の組合費の全額を納付する義務を免れないものというべきであり、脱退した日までの分を「日割計算によって納付すれば足りると解することはできない」とするのが、最高裁判所の判例である。

○ **084** 必修基本書 労働科目……673p

（最高裁第三小法廷判決 昭60.4.23 日産自動車事件）本肢のとおりである。一の事業場に複数の労働組合が組織されている場合の使用者の中立保持義務について判示された判例である。

○ **085** 必修基本書……該当ページなし

（最高裁第一小法廷判決 平9.3.27 朝日火災海上保険事件）本肢のとおりである。労働協約によって、労働条件を不利益に変更した場合の当該労働協約の規範的効力についての判例である。

086 ■■■ 普通　　　　　　　　　　　　　　　　　　　　　H30.4-A

ある企業の全工場事業場に常時使用される同種の労働者の4分の3以上の数の者が一の労働協約の適用を受けているとしても、その企業のある工場事業場において、その労働協約の適用を受ける者の数が当該工場事業場に常時使用される同種の労働者の数の4分の3に達しない場合、当該工場事業場においては、当該労働協約は一般的拘束力をもたない。

087 ■■■ 難　　　　　　　　　　　　　　　　　　　　　　R4.4-A

一の地域において従業する同種の労働者の大部分が一の労働協約の適用を受けるに至ったときは、当該労働協約の当事者の双方又は一方の申立てに基づき、労働委員会の決議により、都道府県労働局長又は都道府県知事は、当該地域において従業する他の同種の労働者及びその使用者も当該労働協約の適用を受けるべきことの決定をしなければならない。

088 ■■■ 難　　　　　　　　　　　　　　　　　　　　　　H30.4-D

労働委員会は、その事務を行うために必要があると認めたときは、使用者又はその団体、労働組合その他の関係者に対して、出頭、報告の提出若しくは必要な帳簿書類の提出を求め、又は委員若しくは労働委員会の職員に関係工場事業場に臨検し、業務の状況若しくは帳簿書類その他の物件を検査させることができる。

（労働組合法17条）本肢のとおりである。一の工場事業場に常時使用される同種の労働者の4分の3以上の数の労働者が一の労働協約の適用を受けるに至ったときは、当該工場事業場に使用される他の同種の労働者に関しても、当該労働協約が適用されるものとされている。

（労働組合法18条1項）本肢の場合、「**厚生労働大臣**」又は**都道府県知事**は、当該地域において従事する他の同種の労働者及びその使用者も当該労働協約の適用を受けるべきことの決定を「**することができる**」。

（労働組合法22条1項）本肢のとおりである。なお、**労働委員会**は、本肢の臨検又は検査をさせる場合においては、**労働委員会の委員**又は職員にその**身分**を証明する証票を携帯させ、**関係人**にこれを呈示させなければならない（同条2項）。

労一

⑯ **労働組合法**

089 □□□ 易 R2.3-D

個別労働関係紛争の解決の促進に関する法律第1条の「労働関係」とは、労働契約に基づく労働者と事業主の関係をいい、事実上の使用従属関係から生じる労働者と事業主の関係は含まれない。

090 □□□ 易 H29.2-イ

個別労働関係紛争解決促進法第5条第1項は、都道府県労働局長は、同項に掲げる個別労働関係紛争について、当事者の双方又は一方からあっせんの申請があった場合において、その紛争の解決のために必要があると認めるときは、紛争調整委員会にあっせんを行わせるものとすると定めている。

（平13.9.19基発832号ほか）個別労働紛争解決促進法1条における「労働関係」とは、労働契約又は「事実上の**使用従属関係**から生じる労働者と事業主の関係をいう」こととされている。

（個別労働関係紛争解決促進法5条1項）本肢のとおりである。なお、事業主は、労働者が本肢のあっせんの申請をしたことを理由として、当該労働者に対して解雇その他不利益な取扱いをしてはならない（同条2項）。

労一

⑰個別労働関係紛争解決促進法

091 普通　　　　　　　　　　　　　　　　　　　　R6.5-A

社会保険労務士法第2条第1項柱書きにいう「業とする」とは、社会保険労務士法に定める社会保険労務士の業務を、反復継続して行う意思を持って反復継続して行うことをいい、他人の求めに応ずるか否か、有償、無償の別を問わない。

092 普通　　　　　　　　　　　　　　　　　　　　R6.5-B

社会保険労務士又は社会保険労務士法人は、社会保険労務士法第2条第1項第1号の3に規定する事務代理又は紛争解決手続代理業務（以下本肢において「事務代理等」という。）をする場合において、社会保険労務士法施行規則第16条の2に規定する申請書等を行政機関等に提出するときは、当該社会保険労務士又は社会保険労務士法人に対して事務代理等の権限を与えた者の氏名又は名称を記載した当該申請書等に「事務代理者」又は「紛争解決手続代理者」と表示し、かつ、当該事務代理等に係る社会保険労務士の名称を冠してその氏名を記載しなければならない。

093 普通　　　　　　　　　　　　　　　　　　　　H27.3-ア

特定社会保険労務士が単独で紛争の当事者を代理する場合の紛争の目的の価額の上限は60万円、特定社会保険労務士が弁護士である訴訟代理人とともに補佐人として裁判所に出頭し紛争解決の補佐をする場合の紛争の目的の価額の上限は120万円とされている。

094 易　　　　　　　　　　　　　　　　　　　　　R2.5-ア

社会保険労務士が、個別労働関係紛争に関する民間紛争解決手続（裁判外紛争解決手続の利用の促進に関する法律（平成16年法律第151号）第2条第1号に規定する民間紛争解決手続をいう。）であって、個別労働関係紛争の民間紛争解決手続の業務を公正かつ適確に行うことができると認められる団体として厚生労働大臣が指定するものが行うものについて、単独で紛争の当事者を代理する場合、紛争の目的の価額の上限は60万円とされている。

○ 091
必修基本書……該当ページなし

（社会保険労務士法2条1項）本肢のとおりである。なお、社会保険労務士の業務は、①書類等の作成の事務、②提出代行事務、③事務代理、④個別労働関係紛争のあっせん代理、⑤労務管理その他の労働及び社会保険に関する事項の指導及び相談の事務に大別される。

○ 092
必修基本書……該当ページなし

（社会保険労務士法施行規則16条の3）本肢のとおりである。なお、社会保険労務士又は社会保険労務士法人は、事務代理等をする場合において、行政機関等から当該事務代理等に係る事務に関し指導等が行われたときは、その内容を本人に通知しなければならない（同法施行規則16条の4）。

× 093
必修基本書 労働科目……685p

（社会保険労務士法2条1項1号の6、法2条の2第1項）特定社会保険労務士が単独で紛争の当事者を代理する場合の目的の価額の上限は「120万円」とされているが、特定社会保険労務士が弁護士である訴訟代理人とともに補佐人として裁判所に出頭し紛争解決の補佐をする場合の紛争の目的の価額の上限は「設けられていない」。

× 094
必修基本書 労働科目……685p

（社会保険労務士法2条1項1号の6）本肢の紛争の目的の価額の上限は「120万円」とされている。

すべての社会保険労務士は、個別労働関係紛争の解決の促進に関する法律第6条第1項の紛争調整委員会における同法第5条第1項のあっせんの手続について相談に応じること、当該あっせんの手続の開始から終了に至るまでの間に和解の交渉を行うこと、当該あっせんの手続により成立した和解における合意を内容とする契約を締結することができる。

一般の会社の労働社会保険事務担当者又は開業社会保険労務士事務所の職員のように、他人に使用され、その指揮命令のもとに事務を行う場合は、社会保険労務士又は社会保険労務士法人でない者の業務の制限について定めた社会保険労務士法第27条にいう「業として」行うに該当する。

社会保険労務士は、事業における労務管理その他の労働に関する事項及び労働社会保険諸法令に基づく社会保険に関する事項について、裁判所において、補佐人として、弁護士である訴訟代理人とともに出頭し、陳述及び尋問をすることができる。

社会保険労務士は、事業における労務管理その他の労働に関する事項及び労働社会保険諸法令に基づく社会保険に関する事項について、裁判所において、補佐人として、弁護士である訴訟代理人に代わって出頭し、陳述をすることができる。

社会保険労務士は、事業における労務管理その他の労働に関する事項及び労働社会保険諸法令に基づく社会保険に関する事項について、裁判所において、補佐人として、弁護士である訴訟代理人とともに出頭し、陳述をすることができる。

特定社会保険労務士に限り、補佐人として、労働社会保険に関する行政訴訟の場面や、個別労働関係紛争に関する民事訴訟の場面で、弁護士とともに裁判所に出頭し、陳述することができる。

× **095**

必修基本書 労働科目……685p

（社会保険労務士法2条2項・3項）本肢の紛争調整委員会におけるあっせんの手続について相談に応ずること、当該あっせんの手続の開始から終了に至るまでの間に和解の交渉を行うこと、当該あっせんの手続により成立した和解における合意を内容とする契約を締結することは、紛争解決手続代理業務に含まれており、紛争解決手続代理業務は、「**特定社会保険労務士**に限り、行うことができる」。

× **096**

必修基本書……該当ページなし

（社会保険労務士法コンメンタール）一般の会社の労働社会保険事務担当者又は開業社会保険労務士事務所の職員のように、他人に使用され、その指揮命令のもとに事務を行う場合には、社会保険労務士法27条（業務の制限）にいう「業として」行うに「該当しない」。

× **097**

必修基本書 労働科目……686p

（社会保険労務士法2条の2第1項）本肢の場合、社会保険労務士は、裁判所において、補佐人として、弁護士である訴訟代理人とともに出頭し、陳述をすることができるが、「**尋問をすることはできない**」。

× **098**

必修基本書 労働科目……686p

（社会保険労務士法2条の2第1項）社会保険労務士は、本肢の事項について、裁判所において、補佐人として、「弁護士である**訴訟代理人**とともに」出頭し、陳述をすることができる。

○ **099**

必修基本書 労働科目……686p

（社会保険労務士法2条の2第1項）本肢のとおりである。なお、弁護士である訴訟代理人とともに**補佐人**として裁判所に出頭し、**陳述**をすることは特定社会保険労務士でない社会保険労務士も行うことができる。

× **100**

必修基本書 労働科目……686p

（社会保険労務士法2条の2第1項）本肢の弁護士とともに裁判所に出頭し、陳述をすることができるのは、特定社会保険労務士に限られない。

---

101 □□□ 普通 H29.3-A

社会保険労務士が、補佐人として、弁護士である訴訟代理人とともに裁判所に出頭し、陳述した場合、当事者又は訴訟代理人がその陳述を直ちに取り消し、又は更正しない限り、当事者又は訴訟代理人が自らその陳述をしたものとみなされる。

102 □□□ 普通 R4.5-A

社会保険労務士が、事業における労務管理その他の労働に関する事項及び労働社会保険諸法令に基づく社会保険に関する事項について、裁判所において、補佐人として、弁護士である訴訟代理人とともに出頭し、行った陳述は、当事者又は訴訟代理人が自らしたものとみなされるが、当事者又は訴訟代理人が社会保険労務士の行った陳述を直ちに取り消し、又は更正したときは、この限りでない。

103 □□□ 普通 R5.5-A

社会保険労務士は、社会保険労務士法第2条の2に規定する出頭及び陳述に関する事務を受任しようとする場合に、依頼をしようとする者が請求しなかったときには、この者に対し、あらかじめ報酬の基準を明示する義務はない。

104 □□□ 易 R4.5-B

懲戒処分により社会保険労務士の失格処分を受けた者で、その処分を受けた日から3年を経過しないものは、社会保険労務士となる資格を有しない。

105 □□□ 普通 H29.6-E

全国社会保険労務士会連合会が行う試験事務に係る処分又はその不作為について不服がある者は、地方厚生局長又は都道府県労働局長に対して審査請求をすることができる。

106 □□□ 易 H30.5-A

社会保険労務士法第14条の3に規定する社会保険労務士名簿は、都道府県の区域に設立されている社会保険労務士会ごとに備えなければならず、その名簿の登録は、都道府県の区域に設立されている社会保険労務士会ごとに行う。

○ **101** 　　　　　　　　　　　　　　必修基本書 労働科目……686p

（社会保険労務士法2条の2）本肢のとおりである。

○ **102** 　　　　　　　　　　　　　　必修基本書 労働科目……686p

（社会保険労務士法2条の2）本肢のとおりである。

× **103** 　　　　　　　　　　　　　　必修基本書……該当ページなし

（社会保険労務士法施行規則12条の10）社会保険労務士は、補佐人として、弁護士である訴訟代理人とともに行う裁判所への出頭及び陳述に関する事務を受任しようとする場合には、「依頼をしようとする者からの請求の有無にかかわらず」、あらかじめ、依頼をしようとする者に対し、報酬額の算定の方法その他の報酬の基準を示さなければならない。

○ **104** 　　　　　　　　　　　　　　必修基本書 労働科目……686p

（社会保険労務士法5条3号）本肢のとおりである。なお、**未成年者**は、社会保険労務士となる資格を有しない（同条1号）。

× **105** 　　　　　　　　　　　　　　必修基本書……該当ページなし

（社会保険労務士法13条の2）全国社会保険労務士会連合会が行う試験事務に係る処分又はその不作為について不服がある者は、「厚生労働大臣」に対して審査請求をすることができる。

× **106** 　　　　　　　　　　　　　　必修基本書 労働科目……687p

（社会保険労務士法14条の3）社会保険労務士名簿は、「**全国社会保険労務士会連合会に備える**」ものとされており、当該名簿の登録は、「**全国社会保険労務士会連合会が行う**」。

107 ☐☐☐ 易 　　　　　　　　　　　　　　　　　　　　　H29.3-B

懲戒処分により、弁護士、公認会計士、税理士又は行政書士の業務を停止された者で、現にその処分を受けているものは、社会保険労務士の登録を受けることができない。

108 ☐☐☐ 普通 　　　　　　　　　　　　　　　　　　　　R6.5-D

全国社会保険労務士会連合会は、社会保険労務士法第14条の6第1項の規定により登録を拒否しようとするときは、あらかじめ、当該申請者にその旨を通知して、相当の期間内に自ら又はその代理人を通じて弁明する機会を与えなければならず、同項の規定により登録を拒否された者は、当該処分に不服があるときは、厚生労働大臣に対して審査請求をすることができる。

109 ☐☐☐ 普通 　　　　　　　　　　　　　　　　　　　　H30.5-B

社会保険労務士となる資格を有する者が、社会保険労務士となるために社会保険労務士法第14条の5の規定により登録の申請をした場合、申請を行った日から3月を経過してもなんらの処分がなされない場合には、当該登録を拒否されたものとして、厚生労働大臣に対して審査請求をすることができる。

110 ☐☐☐ 普通 　　　　　　　　　　　　　　　　　　　　R2.5-ウ

開業社会保険労務士が、その職責又は義務に違反し、社会保険労務士法第25条第2号に定める1年以内の社会保険労務士の業務の停止の懲戒処分を受けた場合、所定の期間、その業務を行うことができなくなるので、依頼者との間の受託契約を解除し、社会保険労務士証票も返還しなければならない。

111 ☐☐☐ 易 　　　　　　　　　　　　　　　　　　　　　R5.5-B

他人の求めに応じ報酬を得て、社会保険労務士法第2条に規定する事務を業として行う社会保険労務士は、その業務に関する帳簿を備え、これに事件の名称（必要な場合においては事件の概要）、依頼を受けた年月日、受けた報酬の額、依頼者の住所及び氏名又は名称を記載し、当該帳簿をその関係書類とともに、帳簿閉鎖の時から1年間保存しなければならない。

112 ☐☐☐ 易 　　　　　　　　　　　　　　　　　　　　　R6.5-E

開業社会保険労務士及び社会保険労務士法人は、正当な理由がある場合でなければ、依頼（紛争解決手続代理業務に関するものを除く。）を拒んではならない。

○ **107** 必修基本書 労働科目……688p

（社会保険労務士法14条の7第1号）本肢のとおりである。

○ **108** 必修基本書……該当ページなし

（社会保険労務士法14条の6第2項、社会保険労務士法14条の8第1項）本肢のとおりである。なお、全国社会保険労務士会連合会は、社会保険労務士法14条の6第1項の規定により社会保険労務士名簿に登録したときは当該申請者に社会保険労務士証票を交付し、同項の規定により登録を拒否したときはその理由を付記した書面によりその旨を当該申請者に通知しなければならない（社会保険労務士法14条の6第3項）。

○ **109** 必修基本書……該当ページなし

（社会保険労務士法14条の8第2項）本肢のとおりである。なお、本肢の場合においては、**審査請求のあった日**に、全国社会保険労務士会連合会が社会保険労務士名簿への**登録を拒否**したものとみなすこととされている。

○ **110** 必修基本書……該当ページなし

（社会保険労務士法14条の12第1項ほか）本肢のとおりである。なお、社会保険労務士の登録が**抹消**されたときは、その者、その法定代理人又はその相続人は、**遅滞なく**、社会保険労務士証票又は特定社会保険労務士証票を全国社会保険労務士会連合会に返還をしなければならない。

× **111** 必修基本書 労働科目……690p

（社会保険労務士法19条、同法施行規則15条）本肢の帳簿は、帳簿閉鎖の時から「**2年間**」保存しなければならない。

○ **112** 必修基本書 労働科目……691p

（社会保険労務士法20条）本肢のとおりである。なお、本肢の規定に違反した者は、100万円以下の罰金に処せられる（法33条2号）。

113 □□□ 普通 R3.5-C

厚生労働大臣は、開業社会保険労務士又は社会保険労務士法人の業務の適正な運営を確保するため必要があると認めるときは、当該開業社会保険労務士又は社会保険労務士法人に対し、その業務に関し必要な報告を求めることができるが、ここにいう「その業務に関し必要な報告」とは、法令上義務づけられているものに限られ、事務所の経営状態等についての報告は含まれない。

114 □□□ 普通 R4.5-C

社会保険労務士法第25条に定める社会保険労務士に対する懲戒処分のうち戒告は、社会保険労務士の職責又は義務に反する行為を行った者に対し、本人の将来を戒めるため、1年以内の一定期間について、社会保険労務士の業務の実施あるいはその資格について制約を課す処分である。

115 □□□ 普通 R4.5-D

社会保険労務士法第25条に定める社会保険労務士に対する懲戒処分の効力は、当該処分が行われたときより発効し、当該処分を受けた社会保険労務士が、当該処分を不服として法令等により権利救済を求めていることのみによっては、当該処分の効力は妨げられない。

116 □□□ 普通 H28.3-C

社会保険労務士法第25条の2第2項では、厚生労働大臣は、開業社会保険労務士が、相当の注意を怠り、労働社会保険諸法令に違反する行為について指示をし、相談に応じたときは、当該社会保険労務士の失格処分をすることができるとされている。

117 □□□ 易 H30.5-C

厚生労働大臣は、社会保険労務士が、社会保険労務士たるにふさわしくない重大な非行があったときは、重大な非行の事実を確認した時から3月以内に失格処分（社会保険労務士の資格を失わせる処分）をしなければならない。

✕ **113** 必修基本書……該当ページなし

（社会保険労務士法24条1項、社会保険労務士法コンメンタール）本肢の「その業務に関し必要な報告」とは、「法令上義務付けられているものであると否とを問わず」、開業社会保険労務士又は社会保険労務士法人の業務に関係する一切の事項をいい、事務所の経営状態等についての報告も、ここにいう報告に「含まれる」。

✕ **114** 必修基本書……該当ページなし

（社会保険労務士法コンメンタール）本肢の戒告は、社会保険労務士の職責又は義務に反する行為を行った者に対し、本人の「将来を戒める旨を申し渡す処分」であり、戒告を受けた社会保険労務士は、その「業務の実施あるいはその資格について制約を受けることにはならないので、引き続き業務を行うことはできる」ものとされている。

○ **115** 必修基本書……該当ページなし

（社会保険労務士法コンメンタール）本肢のとおりである。なお、本肢の「懲戒処分の効力は当該処分が行われたときより発効する」とあるのは、懲戒処分の確定時まで処分の効力が発生しないものとすれば、その間、社会保険労務士の業務を行うにふさわしくない者が業務を行うことも考えられ、国民一般に不測の損害を与えるおそれがあるからである。

✕ **116** 必修基本書 労働科目……692p

（社会保険労務士法25条の2第2項）開業社会保険労務士が、**相当の注意を怠り**、労働社会保険諸法令に違反する行為について指示をし、相談に応じたときは、当該社会保険労務士に対し、**戒告又は1年以内の業務停止**にすることができるとされている。

✕ **117** 必修基本書 労働科目……692p

（社会保険労務士法25条の2、同法25条の3）厚生労働大臣は、同法25条の2（不正行為の指示等を行った場合の懲戒）の規定に該当する場合を除くほか、社会保険労務士が、社会保険労務士たるにふさわしくない重大な非行があったときは、同法25条に規定する懲戒処分（**戒告、1年以内の業務停止又は失格処分**）をすることができるとされており、「重大な非行の事実を確認した時から3月以内に失格処分をしなければならない」旨の規定は設けられていない。

118 □□□ 普通　　　　　　　　　　　　　　　　　　　　　R元.5-D

何人も、社会保険労務士について、社会保険労務士法第25条の2や第25条の3に規定する行為又は事実があると認めたときは、厚生労働大臣に対し、当該社会保険労務士の氏名及びその行為又は事実を通知し、適当な措置をとるべきことを求めることができる。

119 □□□ 普通　　　　　　　　　　　　　　　　　　　　　H28.3-D

社会保険労務士法人の設立には2人以上の社員が必要である。

120 □□□ 易　　　　　　　　　　　　　　　　　　　　　　R5.5-C

社会保険労務士法人を設立するには、主たる事務所の所在地において設立の登記をし、当該法人の社員になろうとする社会保険労務士が、定款を定めた上で、厚生労働大臣の認可を受けなければならない。

121 □□□ 易　　　　　　　　　　　　　　　　　　　　　　R元.5-E

社会保険労務士法人は、いかなる場合であれ、労働者派遣法第2条第3号に規定する労働者派遣事業を行うことができない。

122 □□□ 易　　　　　　　　　　　　　　　　　　　　　　H29.3-D

社会保険労務士法人が行う紛争解決手続代理業務は、社員のうちに特定社会保険労務士がある社会保険労務士法人に限り、行うことができる。

123 □□□ 普通　　　　　　　　　　　　　　　　　　　　　H30.5-E

社会保険労務士法第2条の2第1項の規定により社会保険労務士が処理することができる事務について、社会保険労務士法人が、その社員である社会保険労務士に行わせる事務の委託を受ける場合、当該社会保険労務士法人がその社員のうちから補佐人を選任しなければならない。

○ **118**　　　　　　　　　　　　　　　必修基本書 労働科目……693p

（社会保険労務士法25条の3の2第2項）本肢のとおりである。なお、本肢の記述にある同法25条の2は不正行為の指示等を行った場合の懲戒、同法25条の3は一般の懲戒について規定している（同法25条の2、同法25条の3）。

× **119**　　　　　　　　　　　　　　　必修基本書 労働科目……693p

（社会保険労務士法25条の6、平26.11.21基発1121第1号ほか）社員が1人の場合でも、社会保険労務士法人の設立は可能である。

× **120**　　　　　　　　　　　　　　　必修基本書 労働科目……693p

（社会保険労務士法25条の12）社会保険労務士法人は、その主たる事務所の所在地において**設立の登記**をすることによって成立する。「厚生労働大臣の認可を受ける必要はない」。

× **121**　　　　　　　　　　　　　　　必修基本書……該当ページなし

（社会保険労務士法25条の9第1項1号、同法施行規則17条の3第2号）社会保険労務士法人は、「一定の要件を満たせば、労働者派遣法2条3号に規定する労働者派遣事業を行うことができる」。具体的には、その事業を行おうとする社会保険労務士法人が労働者派遣事業の許可を受けて行うものであって、当該社会保険労務士法人の使用人である社会保険労務士が労働者派遣の対象となり、かつ、派遣先が開業社会保険労務士又は社会保険労務士法人（一定のものを除く）であるものに限り、労働者派遣事業を行うことが認められている。

○ **122**　　　　　　　　　　　　　　　必修基本書……該当ページなし

（社会保険労務士法25条の9第2項）本肢のとおりである。

× **123**　　　　　　　　　　　　　　　必修基本書……該当ページなし

（社会保険労務士法25条の9の2）本肢の場合、当該社会保険労務士法人は、「**委託者**に」、当該社会保険労務士法人の社員のうちからその**補佐人**を「選任させなければならない」。

124 □□□ 普通   H27.3-ウ

社会保険労務士法第2条の2第1項の規定により社会保険労務士が事業における労務管理その他の労働に関する事項及び労働社会保険諸法令に基づく社会保険に関する事項について、裁判所において、補佐人として、弁護士である訴訟代理人とともに出頭し、陳述をする事務について、社会保険労務士法人は、その社員又は使用人である社会保険労務士に行わせる事務の委託を受けることができる。

125 □□□ 普通   H27.3-エ

社会保険労務士及び社会保険労務士法人が、社会保険労務士法第2条の2及び第25条の9の2に規定する出頭及び陳述に関する事務を受任しようとする場合には、あらかじめ依頼者に報酬の基準を明示しなければならない。

126 □□□ 難   H27.3-オ

社会保険労務士及び社会保険労務士法人が、社会保険労務士法第2条の2及び第25条の9の2に規定する出頭及び陳述に関する事務を受任しようとする場合の役務の提供については、特定商取引に関する法律が定める規制が適用される。

127 □□□ 難   R2.5-イ

社会保険労務士及び社会保険労務士法人が、社会保険労務士法第2条の2及び第25条の9の2に規定する出頭及び陳述に関する事務を受任しようとする場合の役務の提供については、特定商取引に関する法律（昭和51年法律第57号）が定める規制の適用除外となる。

128 □□□ 普通   H28.3-B

社会保険労務士法人を設立する際に定める定款には、解散の事由を必ず記載しなければならず、その記載を欠くと定款全体が無効となる。

（社会保険労務士法25条の9の2）本肢のとおりである。なお、本肢の場合において、本肢の社会保険労務士法人は、委託者に本肢の社会保険労務士法人の社員等のうちからその補佐人を選任させなければならない。

○ **125**　　　　　　　　　　　　　　　　必修基本書……該当ページなし

（社会保険労務士法施行規則12条の10）本肢のとおりである。なお、社会保険労務士又は社会保険労務士法人は依頼を誘致するに際し、その業務の内容、報酬その他の依頼をしようとする者の判断に影響を及ぼすこととなる重要な事項につき、不実のことを告げ、又は故意に事実を告げない行為その他の不正又は不当な行為をしてはならない（同法施行規則12条の11第1項）。

× **126**　　　　　　　　　　　　　　　　必修基本書……該当ページなし

（平27.3.30基発0330第1号）社会保険労務士及び社会保険労務士法人が、社会保険労務士法2条の2及び同法25条の9の2（法廷への出頭及び陳述）に規定する出頭及び陳述に関する事務を受任しようとする場合の役務の提供については、特定商取引に関する法律が定める規制は適用されない。

○ **127**　　　　　　　　　　　　　　　　必修基本書……該当ページなし

（平27.3.30基発0330第3号）本肢のとおりである。なお、社会保険労務士及び社会保険労務士法人が、法2条の2及び法25条の9の2に規定する出頭及び陳述に関する事務を受任しようとする場合には、あらかじめ依頼者に**報酬の基準**を明示しなければならない（社会保険労務士法施行規則12条の10ほか）。

× **128**　　　　　　　　　　　　　　　　必修基本書……該当ページなし

（社会保険労務士法25条の11第3項ほか）社労士法人を設立する際に定める定款には、「解散の事由を必ず記載しなければならないとする規定はない」。なお、同法25条の11第3項では、定款には、少なくとも、①目的、②名称、③事務所の所在地、④社員の氏名及び住所、⑤社員の出資に関する事項、⑥業務の執行に関する事項を記載しなければならないとされている。

129 □□□ 普通 　　　　　　　　　　　　　　　　　　　　　　H30.5-D

社会保険労務士法は、「社会保険労務士法人は、総社員の同意によってのみ、定款の変更をすることができる。」と定めており、当該法人が定款にこれとは異なる定款の変更基準を定めた場合には、その定めは無効とされる。

130 □□□ 普通 　　　　　　　　　　　　　　　　　　　　　　H28.3-E

社会保険労務士法人の財産をもってその債務を完済することができないときは、各社員は、連帯して、その弁済の責任を負う。

131 □□□ 易 　　　　　　　　　　　　　　　　　　　　　　　R3.5-D

社会保険労務士法人の事務所には、その事務所の所在地の属する都道府県の区域に設立されている社会保険労務士会の会員である社員を常駐させなければならない。

132 □□□ 易 　　　　　　　　　　　　　　　　　　　　　　　R4.5-E

紛争解決手続代理業務を行うことを目的とする社会保険労務士法人は、特定社会保険労務士である社員が常駐していない事務所においては、紛争解決手続代理業務を取り扱うことができない。

133 □□□ 普通 　　　　　　　　　　　　　　　　　　　　　　R5.5-D

社会保険労務士法人の社員が自己又は第三者のためにその社会保険労務士法人の業務の範囲に属する業務を行ったときは、当該業務によって当該社員又は第三者が得た利益の額は、社会保険労務士法人に生じた損害の額と推定する。

134 □□□ 普通 　　　　　　　　　　　　　　　　　　　　　　R3.5-E

社会保険労務士法人の解散及び清算を監督する裁判所は、当該監督に必要な検査をするに先立ち、必ず厚生労働大臣に対し、意見を求めなければならない。

× **129** 必修基本書……該当ページなし

（社会保険労務士法25条の14）社会保険労務士法は、「社会保険労務士法人は、**定款に別段の定めがある場合を除き、総社員の同意**によって、定款の変更をすることができる」と定めており、当該社会保険労務士法人は、**総社員の同意**によらずとも、「**定款に別段の定めがある場合には、定款を変更することができる**」。

○ **130** 必修基本書……該当ページなし

（社会保険労務士法25条の15の3第1項）本肢のとおりである。なお、社会保険労務士法人の財産に対する強制執行がその効を奏しなかったときも、本肢と同様とされる（同条2項）。

○ **131** 必修基本書 労働科目……694p

（社会保険労務士法25条の16）本肢のとおりである。

○ **132** 必修基本書 労働科目……694p

（社会保険労務士法25条の16の2）本肢のとおりである。紛争解決手続代理業務を行うことを目的とする社会保険労務士法人における紛争解決手続代理業務については、法25条の15第1項の規定にかかわらず、**特定社会保険労務士である社員（特定社員）**のみが業務を遂行する権利を有し、義務を負う（法25条の15第2項）。

○ **133** 必修基本書 労働科目……694p

（社会保険労務士法25条の18第2項）本肢のとおりである。なお、社会保険労務士法人の社員は、自己若しくは第三者のためにその社会保険労務士法人の業務の範囲に属する業務を行い、又は他の社会保険労務士法人の社員となってはならない（同条1項）。

× **134** 必修基本書……該当ページなし

（社会保険労務士法25条の22の3第3項）社会保険労務士法人の解散及び清算を監督する裁判所は、厚生労働大臣に対し、意見を求め、又は調査を嘱託「することができる」。

135 ▢▢▢ 難 R5.5-E

裁判所は、社会保険労務士法人の解散及び清算の監督に必要な調査をさせるため、検査役を選任することができ、この検査役の選任の裁判に不服のある者は、選任に関する送達を受けた日から2週間以内に上級の裁判所に対して控訴をすることができる。

136 ▢▢▢ 普通 R元.5-A

社会保険労務士会は、所属の社会保険労務士又は社会保険労務士法人が社会保険労務士法若しくは同法に基づく命令又は労働社会保険諸法令に違反するおそれがあると認めるときは、会則の定めるところにより、当該社会保険労務士又は社会保険労務士法人に対して、社会保険労務士法第25条に規定する懲戒処分をすることができる。

137 ▢▢▢ 普通 R2.5-エ

社会保険労務士会は、所属の社会保険労務士又は社会保険労務士法人が社会保険労務士法若しくはこの法律に基づく命令又は労働社会保険諸法令に違反するおそれがあると認めるときは、会則の定めにかかわらず、当該社会保険労務士又は社会保険労務士法人に対して、注意を促し、又は必要な措置を講ずべきことを勧告することができる。

138 ▢▢▢ 難 H29.3-E

社会保険労務士の登録の拒否及び登録の取消しについて必要な審査を行う資格審査会の委員は、社会保険労務士、労働又は社会保険の行政事務に従事する職員及び学識経験者各同数を委嘱しなければならない。

139 ▢▢▢ 普通 R6.5-C

社会保険労務士となる資格を有する者が、社会保険労務士法第14条の2に定める登録を受ける前に、社会保険労務士の名称を用いて他人の求めに応じ報酬を得て、同法第2条第1項第1号から第2号までに掲げる事務を業として行った場合には、同法第26条（名称の使用制限）違反とはならないが、同法第27条（業務の制限）違反となる。

| × | **135** | 必修基本書……該当ページなし |

（社会保険労務士法25条の22の6第1項・2項）裁判所は、社会保険労務士法人の解散及び清算の監督に必要な調査をさせるため、検査役を選任することができるが、当該検査役の選任の裁判に対しては、「**不服を申し立てる**ことができない」。

| × | **136** | 必修基本書……該当ページなし |

（社会保険労務士法25条の33、同法25条の3ほか）本肢の場合、会則の定めるところにより、当該社会保険労務士又は社会保険労務士法人に対して、「注意を喚起し、又は必要な措置を講ずべきことを勧告することができる」ものとされており、「同法25条に規定する懲戒処分の対象とはされていない」。

| × | **137** | 必修基本書……該当ページなし |

（社会保険労務士法25条の33）社会保険労務士会は、所属の社会保険労務士又は社会保険労務士法人が社会保険労務士法若しくは同法に基づく命令又は労働社会保険諸法令に違反するおそれがあると認めるときは、「会則の定めるところにより」、当該社会保険労務士又は社会保険労務士法人に対して、注意を促し、又は必要な措置を講ずべきことを勧告することができる。

| ○ | **138** | 必修基本書……該当ページなし |

（社会保険労務士法25条の37第2項・5項、同法施行規則23条の2第1項）本肢のとおりである。

| × | **139** | 必修基本書……該当ページなし |

（社会保険労務士法26条、同法27条）本肢の場合、業務の制限を定めた社会保険労務士法27条違反のみならず、名称の使用制限を定めた「社会保険労務士法26条にも違反する」。

140 ☐☐☐ 易　　　　　　　　　　　　　　　　　　R2.5-オ

開業社会保険労務士又は社会保険労務士法人の使用人その他の従業者は、開業社会保険労務士又は社会保険労務士法人の使用人その他の従業者でなくなった後においても、正当な理由がなくて、その業務に関して知り得た秘密を他に漏らし、又は盗用してはならない。

141 ☐☐☐ 普通　　　　　　　　　　　　　　　　　H29.3-C

社会保険労務士法第16条に定める信用失墜行為を行った社会保険労務士は、同法第33条に基づき100万円以下の罰金に処せられる。

（社会保険労務士法27条の2）本肢のとおりである。なお、本肢の規定に違反した者は、1年以下の懲役又は100万円以下の罰金に処せられる（同法32条の2）。

（社会保険労務士法33条ほか）本肢の信用失墜行為の禁止規定の違反については、「罰則は設けられていない」。

労一

⓲社会保険労務士法

⑲ 労働経済（雇用動向）

142 ☐☐☐ 難   R4.1-A

労働力調査（基本集計）2021年平均結果（総務省統計局）によると、2021年の就業者数を産業別にみると、2020年に比べ最も減少したのは「宿泊業、飲食サービス業」であった。

143 ☐☐☐ 難   R4.1-B

労働力調査（基本集計）2021年平均結果（総務省統計局）によると、2021年の年齢階級別完全失業率をみると、15～24歳層が他の年齢層に比べて、最も高くなっている。

144 ☐☐☐ 難   R4.1-C

労働力調査（基本集計）2021年平均結果（総務省統計局）によると、2021年の労働力人口に占める65歳以上の割合は、10パーセントを超えている。

145 ☐☐☐ 難   R4.1-D

労働力調査（基本集計）2021年平均結果（総務省統計局）によると、従業上の地位別就業者数の推移をみると、「自営業主・家族従業者」の数は2011年以来、減少傾向にある。

146 ☐☐☐ 難   R4.1-E

労働力調査（基本集計）2021年平均結果（総務省統計局）によると、役員を除く雇用者全体に占める「正規の職員・従業員」の割合は、2015年以来、一貫して減少傾向にある。

147 ☐☐☐ 難   H30.2-C

平成29年版厚生労働白書（厚生労働省）によると、非正規雇用労働者が雇用労働者に占める比率を男女別・年齢階級別にみて1996年と2006年を比較すると、男女ともに各年齢層において非正規雇用労働者比率は上昇したが、2006年と2016年の比較においては、女性の高齢層（65歳以上）を除きほぼ同程度となっており、男性の15～24歳、女性の15～44歳層ではむしろ若干の低下が見られる。

148 ☐☐☐ 難   H30.2-B

平成29年版厚生労働白書（厚生労働省）によると、「国民生活基礎調査（厚生労働省）」によると、年齢別の相対的貧困率は、17歳以下の相対的貧困率（子どもの貧困率）及び18～64歳の相対的貧困率については1985年以降上昇傾向にあったが、直近ではいずれも低下している。

○ **142**　　　　　　　　　　　　　　　　　　必修基本書……該当ページなし

（労働力調査（基本集計）2021年平均結果）本肢のとおりである。「宿泊業、飲食サービス業」は2021年平均で369万人と、前年に比べ最も減少（22万人減少）した。

○ **143**　　　　　　　　　　　　　　　　　　必修基本書……該当ページなし

（労働力調査（基本集計）2021年平均結果）本肢のとおりである。15～24歳層の2021年の年齢階級別完全失業率は4.6％と他の年齢層に比べて最も高くなっている。なお、2021年平均の完全失業率は2.8％である。

○ **144**　　　　　　　　　　　　　　　　　　必修基本書……該当ページなし

（労働力調査（基本集計）2021年平均結果）本肢のとおりである。2021年平均の労働力人口は6,860万人、そのうち65歳以上は929万人である。

○ **145**　　　　　　　　　　　　　　　　　　必修基本書……該当ページなし

（労働力調査（基本集計）2021年平均結果）本肢のとおりである。なお、本肢の調査において、就業者に占める雇用者の割合は89.6％、就業者に占める自営業主・家族従業者の割合は9.9％となっている。

× **146**　　　　　　　　　　　　　　　　　　必修基本書……該当ページなし

（労働力調査（基本集計）2021年平均結果）役員を除く雇用者全体に占める「正規の職員・従業員」の割合は、2017年、2020年及び2021年はそれぞれその前年より増加しており、「一貫して減少傾向にある訳ではない」。

○ **147**　　　　　　　　　　　　　　　　　　必修基本書……該当ページなし

（平成29年版厚生労働白書65頁）本肢のとおりである。

○ **148**　　　　　　　　　　　　　　　　　　必修基本書……該当ページなし

（平成29年版厚生労働白書61頁）本肢のとおりである。本肢の白書によると、子どもの貧困率は2015年には13.9％（2012年に比べて2.4％ポイントの低下）、18～64歳の相対的貧困率は2015年には13.6％（2012年に比べて0.9％ポイントの低下）となっている。

149 □□□ 普通　　　　　　　　　　　　　　　　　H29.5-D

平成28年版厚生労働白書（厚生労働省）によると、65歳以上の高齢者のいる世帯について、世帯構造別の構成割合の推移をみると、1986年時点で1割強であった単独世帯の構成割合は、その後、一貫して上昇し、2015年では全体の約4分の1が単独世帯となっており、夫婦のみ世帯と合わせると半数を超える状況となっている。

150 □□□ 難　　　　　　　　　　　　　　　　　　H29.5-A

平成28年版厚生労働白書（厚生労働省）によると、世帯主の年齢階級別に世帯人員1人当たりの平均所得額をみると、世帯主が65歳以上の世帯では全世帯の平均額を2割以上下回っている。

151 □□□ 普通　　　　　　　　　　　　　　　　　H29.5-B

平成28年版厚生労働白書（厚生労働省）によると、60歳以上の高齢者の自主的社会活動への参加状況をみると、何らかの自主的な活動に参加している高齢者の割合は、増加傾向を示している。

152 □□□ 普通　　　　　　　　　　　　　　　　　H29.5-E

平成28年版厚生労働白書（厚生労働省）によると、65歳以上の者の役員を除いた雇用者の雇用形態をみると、他の年齢層に比べて非正規の職員・従業員の割合がきわめて大きくなっており、2015年には全体の約4分の3を占めている。

153 □□□ 普通　　　　　　　　　　　　　　　　　H29.5-C

平成28年版厚生労働白書（厚生労働省）によると、65歳以上の非正規の職員・従業員の雇用者について、現在の雇用形態についた主な理由（「その他」を除く。）をみると、「自分の都合のよい時間に働きたいから」が最も多く、次いで「家計の補助・学費等を得たいから」、「専門的な技能等をいかせるから」が続いている。

○ **149**   必修基本書……該当ページなし

（平成28年版厚生労働白書17頁）本肢のとおりである。

× **150**   必修基本書……該当ページなし

（平成28年版厚生労働白書21頁）世帯主の年齢階級別に世帯員1人当たりの平均
所得額をみると、世帯主が65歳以上の世帯では192.4万円と全世帯の211万円
と比較して「大きくは変わらない」。

○ **151**   必修基本書……該当ページなし

（平成28年版厚生労働白書28頁）本肢のとおりである。何らかの自主的な活動に
参加している高齢者の割合は、1993（平成5）年では42.3%であったが、
2003（平成15）年では54.8%、2013（平成25）年では61.0%と年々増加
している。

○ **152**   必修基本書……該当ページなし

（平成28年版厚生労働白書36頁）本肢のとおりである。65歳以上の役員を除い
た雇用者に占める非正規の職員・従業員の割合は、2015（平成27）年には
74.2%（すなわち約4分の3）となっている。

○ **153**   必修基本書……該当ページなし

（平成28年版厚生労働白書36頁）本肢のとおりである。

㉑ 労働経済（賃金等）

154 □□□ 難　　　　　　　　　　　　　　　　　　　　　H30.2-A

平成29年版厚生労働白書（厚生労働省）によると、1990年代半ばから2010年代半ばにかけての全世帯の1世帯当たり平均総所得金額減少傾向の背景には、高齢者世帯割合の急激な増加がある。

155 □□□ 難　　　　　　　　　　　　　　　　　　　　　H30.2-D

平成29年版厚生労働白書（厚生労働省）によると、2016年の労働者一人当たりの月額賃金については、一般労働者は、宿泊業、飲食サービス業、生活関連サービス業など、非正規雇用労働者割合が高い産業において低くなっており、産業間での賃金格差が大きいが、パートタイム労働者については産業間で大きな格差は見られない。

156 □□□ 難　　　　　　　　　　　　　　　　　　　　　H30.2-E

平成29年版厚生労働白書（厚生労働省）によると、過去10年にわたってパートタイム労働者の時給が上昇傾向にあるため、パートタイム労働者が1か月間に受け取る賃金額も着実に上昇している。

157 □□□ 難　　　　　　　　　　　　　　　　　　　　　H27.4-A

就労条件総合調査（厚生労働省）によると、過去3年間の賃金制度の改定の有無をみると、平成19年調査以降、改定を行った企業の割合は、平成22年、平成26年と調査実施の度に減少している。

158 □□□ 難　　　　　　　　　　　　　　　　　　　　　H27.4-B

就労条件総合調査（厚生労働省）によると、基本給の決定要素別の企業割合をみると、平成13年調査以降、管理職、管理職以外ともに、「業績・成果」の割合が上昇している。

○ 154　　　　　　　　　　　　　　　　必修基本書……該当ページなし

（平成29年版厚生労働白書38頁）本肢のとおりである。なお、本肢の白書による
と、高齢者世帯の全世帯に占める割合は増加傾向にあり、1986年の6.3％から
2016年には26.6％と、ここ30年で4倍以上となっており、1世帯当たり所得水
準が全体よりも低い高齢者世帯割合の増加は全世帯の平均総所得金額の減少要因
となっている。

○ 155　　　　　　　　　　　　　　　　必修基本書……該当ページなし

（平成29年版厚生労働白書74頁）本肢のとおりである。

× 156　　　　　　　　　　　　　　　　必修基本書……該当ページなし

（平成29年版厚生労働白書72頁）パートタイム労働者の時給が上昇しているにも
かかわらず、パートタイム労働者の月額ベースでの賃金は「あまり上昇していな
い」。本肢の傾向は、実労働日数と実労働時間数が影響しているためと考えられ、
パートタイム労働者の賃金において、時給の上昇による増加は、実労働日数の短
縮によって相殺される傾向にある。

○ 157　　　　　　　　　　　　　　　　必修基本書……該当ページなし

（平成19年、平成22年及び平成26年就労条件総合調査）本肢のとおりである。
平成19年就労条件総合調査において過去3年間に賃金制度の改定を行った企業の
割合は46.3％、平成22年同調査においては34.6％、平成26年同調査において
は28.6％と調査実施の度に減少している。

× 158　　　　　　　　　　　　　　　　必修基本書……該当ページなし

（平成24年就労条件総合調査ほか）基本給の決定要素別の企業割合をみると「業
績・成果」の割合は、管理職については平成13年就労条件総合調査によれば
64.2％、平成21年同調査によれば45.4％、平成24年同調査によれば42.2％
となっており、管理職以外については平成13年同調査によれば62.3％、平成21
年同調査によれば44.4％、平成24年同調査によれば40.5％となっており、管理
職及び管理職以外ともに「業績・成果」の割合は「減少」している。

159 ☐☐☐ 難   H27.4-C

平成24年就労条件総合調査（厚生労働省）において、業績評価制度を導入している企業について、業績評価制度の評価状況をみると、「改善すべき点がかなりある」とする企業割合が「うまくいっているが一部手直しが必要」とする企業割合よりも多く、その割合は5割近くになった。

160 ☐☐☐ 難   H27.4-D

平成26年就労条件総合調査（厚生労働省）によると。賃金形態別に採用企業割合をみると、出来高払い制をとる企業の割合が増加し、その割合は2割近くになった。

161 ☐☐☐ 難   H27.4-E

平成26年就労条件総合調査（厚生労働省）によると時間外労働の割増賃金率を定めている企業のうち、1か月60時間を超える時間外労働の割増賃金率を定めている企業割合は、5割近くになった。

× **159**　　　　　　　　　　　　　　　　　必修基本書……該当ページなし

（平成24年就労条件総合調査）本肢の調査によると、業績評価制度を導入している企業について、業績評価制度の評価状況をみると、「うまくいっているが一部手直しが必要」とする企業割合（46.0%）の方が、「改善すべき点がかなりある」とする企業割合（20.5%）よりも多かった。

× **160**　　　　　　　　　　　　　　　　　必修基本書……該当ページなし

（平成26年就労条件総合調査）本肢の調査によると、賃金形態別に採用企業割合をみると、平成22年同調査と比較して出来高払い制をとる企業の割合は「減少」し、その割合は「4.6%」となった。

× **161**　　　　　　　　　　　　　　　　　必修基本書……該当ページなし

（平成26年就労条件総合調査）本肢の調査によると、時間外労働の割増賃金率を定めている企業のうち、1か月60時間を超える時間外労働の割増賃金率を定めている企業割合は、「29.3%」となった。

162 ☐☐☐ 難　　　　　　　　　　　　　　　　　　　R4.2-C

令和3年就労条件総合調査（厚生労働省）によると、主な週休制の形態を企業規模計でみると、完全週休2日制が6割を超えるようになった。

163 ☐☐☐ 難　　　　　　　　　　　　　　　　　　　H28.4-A

平成27年就労条件総合調査（厚生労働省）によると、何らかの週休2日制を採用している企業はどの企業規模でも8割を超えているが、完全週休2日制となると、30～99人規模の企業では3割にとどまっている。

164 ☐☐☐ 難　　　　　　　　　　　　　　　　　　　R4.2-E

令和3年就労条件総合調査（厚生労働省）によると、労働者1人平均の年次有給休暇の取得率を企業規模別にみると、規模が大きくなるほど取得率が高くなっている。

165 ☐☐☐ 難　　　　　　　　　　　　　　　　　　　H28.4-D

平成27年就労条件総合調査（厚生労働省）によると、年次有給休暇の取得率は、男女ともに50パーセントを下回っている。

166 ☐☐☐ 難　　　　　　　　　　　　　　　　　　　H28.4-E

平成27年就労条件総合調査（厚生労働省）によると、年次有給休暇を時間単位で取得できる制度がある企業割合は、3割を超える水準まで上昇してきた。

167 ☐☐☐ 難　　　　　　　　　　　　　　　　　　　R4.2-A

令和3年就労条件総合調査（厚生労働省）によると、特別休暇制度の有無を企業規模計でみると、特別休暇制度のある企業の割合は約6割となっており、これを特別休暇制度の種類（複数回答）別にみると、「夏季休暇」が最も多くなっている。

168 ☐☐☐ 難　　　　　　　　　　　　　　　　　　　R4.2-B

令和3年就労条件総合調査（厚生労働省）によると、変形労働時間制の有無を企業規模計でみると、変形労働時間制を採用している企業の割合は約6割であり、これを変形労働時間制の種類（複数回答）別にみると、「1年単位の変形労働時間制」が「1か月単位の変形労働時間制」よりも多くなっている。

× **162**　　　　　　　　　　　　　　　　必修基本書……該当ページなし

（令和3年就労条件総合調査）令和3年調査において、主な週休制の形態を企業規模計でみると、「完全週休2日制」を採用している企業割合は「48.4%」となっており「6割を超えるようにはなっていない」。

× **163**　　　　　　　　　　　　　　　　必修基本書……該当ページなし

（平成27年就労条件総合調査）本肢の調査によると、30～99人規模の企業で完全週休2日制を採用している企業割合は、「48.3%」となっており、「3割にとどまってはいない」。その他の記述については正しい。

○ **164**　　　　　　　　　　　　　　　　必修基本書……該当ページなし

（令和3年就労条件総合調査）本肢のとおりである。なお、令和3年調査において、労働者1人平均の年次有給休暇の取得率を産業別にみると、「電気・ガス・熱供給・水道業」が最も高くなっている。

× **165**　　　　　　　　　　　　　　　　必修基本書……該当ページなし

（平成27年就労条件総合調査）本肢の調査によると、年次有給休暇の取得率は、男44.7%、女53.3%となっており、男は50%を下回っているが、「女は50%を下回ってはいない」。

× **166**　　　　　　　　　　　　　　　　必修基本書……該当ページなし

（平成27年就労条件総合調査）本肢の調査によると、年次有給休暇を時間単位で取得できる制度がある企業割合は、16.2%となっており、「3割を超えてはいない」。

○ **167**　　　　　　　　　　　　　　　　必修基本書……該当ページなし

（令和3年就労条件総合調査）本肢のとおりである。なお、令和3年調査において、特別休暇制度の種類（複数回答）別にみると、「夏季休暇」が42.0%と最も多くなっており、次いで、病気休暇が23.8%、リフレッシュ休暇が13.9%となっている。

○ **168**　　　　　　　　　　　　　　　　必修基本書……該当ページなし

（令和3年就労条件総合調査）本肢のとおりである。令和3年調査において、変形労働時間制を採用している企業割合は59.6%、変形労働時間制の種類（複数回答）別にみると、「1年単位の変形労働時間制」が31.4%、「1か月単位の変形労働時間制」が25.0%、「フレックスタイム制」が6.5%となっている。

169 ▢▢▢ 難　　　　　　　　　　　　　　　　　　H28.4-C

平成27年就労条件総合調査（厚生労働省）によると、フレックスタイム制を採用している企業割合は、3割を超えている。

170 ▢▢▢ 難　　　　　　　　　　　　　　　　　　H28.4-B

平成27年就労条件総合調査（厚生労働省）によると、みなし労働時間制の適用を受ける労働者割合は、10パーセントに達していない。

171 ▢▢▢ 難　　　　　　　　　　　　　　　　　　R4.2-D

令和3年就労条件総合調査（厚生労働省）によると、勤務間インターバル制度の導入状況を企業規模計でみると、「導入している」は1割に達していない。

× 169 **169**　　　　　　　　　　　　　　　　必修基本書……該当ページなし

（平成27年就労条件総合調査）本肢の調査によると、フレックスタイム制を採用している企業割合は、「4.3%」となっており、「3割を超えてはいない」。

○ **170**　　　　　　　　　　　　　　　　必修基本書……該当ページなし

（平成27年就労条件総合調査）本肢のとおりである。本肢の調査によると、みなし労働時間制の適用を受ける労働者の割合は、8.4%となっており、10%に達していない。なお、みなし労働時間制を採用している企業割合は13.0%となっている。

○ **171**　　　　　　　　　　　　　　　　必修基本書……該当ページなし

（令和3年就労条件総合調査）本肢のとおりである。令和3年調査において、勤務間インターバル制度を「導入している」企業割合は、4.6%となっており、1割に達していない。

労一

㉒ 労働経済（労働時間等）

23 労働経済（労働費用）

172 □□□ 難　　　　　　　　　　　　　　　　　　　R元.1-A

平成28年就労条件総合調査（厚生労働省）によると、我が国の常用労働者1人1か月平均の労働費用に関して、「労働費用総額」に占める「現金給与額」の割合は約7割、「現金給与以外の労働費用」の割合は約3割となっている。

173 □□□ 難　　　　　　　　　　　　　　　　　　　R元.1-B

平成28年就労条件総合調査（厚生労働省）によると、我が国の常用労働者1人1か月平均の労働費用に関して、「現金給与以外の労働費用」に占める割合を企業規模計でみると、「法定福利費」が最も多くなっている。

174 □□□ 難　　　　　　　　　　　　　　　　　　　R元.1-C

平成28年就労条件総合調査（厚生労働省）によると、我が国の常用労働者1人1か月平均の労働費用に関して、「法定福利費」に占める割合を企業規模計でみると、「厚生年金保険料」が最も多く、「健康保険料・介護保険料」、「労働保険料」がそれに続いている。

175 □□□ 難　　　　　　　　　　　　　　　　　　　R元.1-D

平成28年就労条件総合調査（厚生労働省）によると、我が国の常用労働者1人1か月平均の労働費用に関して、「法定外福利費」に占める割合を企業規模計でみると、「住居に関する費用」が最も多く、「医療保健に関する費用」、「食事に関する費用」がそれに続いている。

176 □□□ 難　　　　　　　　　　　　　　　　　　　R元.1-E

平成28年就労条件総合調査（厚生労働省）によると、我が国の常用労働者1人1か月平均の労働費用に関して、「法定外福利費」に占める「住居に関する費用」の割合は、企業規模が大きくなるほど高くなっている。

172 必修基本書……該当ページなし

（平成28年就労条件総合調査）「労務費用総額」に占める「現金給与額」の割合は約「8割」、「現金給与以外の労働費用」の割合は約「2割」となっている。

○ **173** 必修基本書……該当ページなし

（平成28年就労条件総合調査）本肢のとおりである。なお、本肢の「労働費用」とは、使用者が労働者を雇用することによって生じる一切の費用（企業負担分）をいい、「現金給与額」、「法定福利費」、「法定外福利費」、「現物給与の費用」、「退職給付等の費用」等をいう。

○ **174** 必修基本書……該当ページなし

（平成28年就労条件総合調査）本肢のとおりである。なお、本肢の「常用労働者」とは次の①、②又は③のいずれかに該当する者をいう。
　　①期間を定めずに雇われている労働者
　　②1か月を超える期間を定めて雇われている労働者
　　③1か月以内の期間を定めて雇われている労働者又は日々雇われている労働者で、当該年の前年の11月及び12月の各月にそれぞれ18日以上雇用された者

○ **175** 必修基本書……該当ページなし

（平成28年就労条件総合調査）本肢のとおりである。なお、本肢の「法定外福利費」とは、法律で義務づけられていない福利厚生関係の費用で、「住居に関する費用」、「医療保健に関する費用」、「食事に関する費用」、「慶弔見舞い等の費用」等をいう。

○ **176** 必修基本書……該当ページなし

（平成28年就労条件総合調査）本肢のとおりである。

労

㉓ 労働経済（労働費用）

177 ☐☐☐ 難　　　　　　　　　　　　　　　　　　　H29.4-E

世界経済フォーラムが2015（平成27）年に発表したジェンダー・ギャップ指数をみると、我が国は、測定可能な145か国中100位以内に入っていない。

178 ☐☐☐ 難　　　　　　　　　　　　　　　　　　　H29.4-C

平成28年版男女共同参画白書（内閣府）によると、平成27年における女性の非労働力人口のうち、1割強が就業を希望しているが、現在求職していない理由としては「出産・育児のため」が最も多くなっている。

179 ☐☐☐ 難　　　　　　　　　　　　　　　　　　　H29.4-A

平成28年版男女共同参画白書（内閣府）によると、一般労働者（常用労働者のうち短時間労働者以外の者）における男女の所定内給与額の格差は、長期的に見ると縮小傾向にある。男性一般労働者の給与水準を100としたときの女性一般労働者の給与水準は、平成27年に80を超えるようになった。

180 ☐☐☐ 難　　　　　　　　　　　　　　　　　　　H29.4-B

平成28年版男女共同参画白書（内閣府）によると、過去1年間に職を変えた又は新たに職についた者のうち、現在は自営業主（内職者を除く。）となっている者（起業家）に占める女性の割合は、当該白書で示された直近の平成24年時点で約3割である。

181 ☐☐☐ 難　　　　　　　　　　　　　　　　　　　H29.4-D

平成28年版男女共同参画白書（内閣府）によると、夫婦共に雇用者の共働き世帯は全体として増加傾向にあり、平成9年以降は共働き世帯数が男性雇用者と無業の妻から成る世帯数を一貫して上回っている。

182 ☐☐☐ 難　　　　　　　　　　　　　　　　　　　R5.1-A

令和3年度雇用均等基本調査（企業調査）（厚生労働省）によると、女性の正社員・正職員に占める各職種の割合は、一般職が最も高く、次いで総合職、限定総合職の順となっている。他方、男性の正社員・正職員に占める各職種の割合は、総合職が最も高く、次いで一般職、限定総合職の順となっている。

○ 177 　　　　　　　　　　　　　　　必修基本書……該当ページなし

（平成28年版男女共同参画白書35頁）本肢のとおりである。本肢のジェンダー・ギャップ指数をみると、日本は、測定可能な145か国中101位である。

○ 178 　　　　　　　　　　　　　　　必修基本書……該当ページなし

（平成28年版男女共同参画白書41頁）本肢のとおりである。平成27年における女性の非労働力人口2,887万人のうち、301万人が就業を希望しているが、現在求職していない理由としては「出産・育児のため」が最も多く、32.9％となっている。

× 179 　　　　　　　　　　　　　　　必修基本書……該当ページなし

（平成28年版男女共同参画白書43頁）本肢の白書によると、一般労働者における男女の所定内給与額の格差は、長期的にみると縮小傾向にあるが、男性一般労働者の給与水準を100としたときの女性一般労働者の給与水準は72.2であり、「80を超えてはいない」。

○ 180 　　　　　　　　　　　　　　　必修基本書……該当ページなし

（平成28年版男女共同参画白書46頁）本肢のとおりである。企業家に占める女性の割合をみると、平成9年までは40％前後で推移していたが、近年は低下傾向にあり、平成24年は30.3％となっている。

○ 181 　　　　　　　　　　　　　　　必修基本書……該当ページなし

（平成28年版男女共同参画白書47頁）本肢のとおりである。なお、平成27年には、雇用者の共働き世帯が1,114万世帯、男性雇用者と無職の妻から成る世帯が687万世帯となっている。

○ 182 　　　　　　　　　　　　　　　必修基本書……該当ページなし

（令和3年度雇用均等基本調査（企業調査））本肢のとおりである。女性の正社員・正職員に占める各職種の割合は、一般職が43.2％と最も高く、次いで総合職36.1％、限定総合職13.5％の順となっている。他方、男性の正社員・正職員に占める各職種の割合は、総合職が52.1％と最も高く、次いで一般職31.8％、限定総合職9.9％の順となっている。

183 □□□ 難　　　　　　　　　　　　　　　　　　　　　　R5.1-B

令和3年度雇用均等基本調査（企業調査）（厚生労働省）によると、令和3年春卒業の新規学卒者を採用した企業について採用区分ごとにみると、総合職については「男女とも採用」した企業の割合が最も高く、次いで「男性のみ採用」の順となっている。

184 □□□ 難　　　　　　　　　　　　　　　　　　　　　　R5.1-C

令和3年度雇用均等基本調査（企業調査）（厚生労働省）によると、労働者の職種、資格や転勤の有無によっていくつかのコースを設定して、コースごとに異なる雇用管理を行う、いわゆるコース別雇用管理制度が「あり」とする企業割合は、企業規模5,000人以上では約8割を占めている。

185 □□□ 難　　　　　　　　　　　　　　　　　　　　　　R5.1-D

令和3年度雇用均等基本調査（企業調査）（厚生労働省）によると、課長相当職以上の女性管理職（役員を含む。）を有する企業割合は約5割、係長相当職以上の女性管理職（役員を含む。）を有する企業割合は約6割を占めている。

186 □□□ 難　　　　　　　　　　　　　　　　　　　　　　R5.1-E

令和3年度雇用均等基本調査（企業調査）（厚生労働省）によると、不妊治療と仕事との両立のために利用できる制度を設けている企業について、制度の内容別に内訳をみると、「時間単位で取得可能な年次有給休暇制度」の割合が最も高く、次いで「特別休暇制度（多目的であり、不妊治療にも利用可能なもの）」、「短時間勤務制度」となっている。

〇 **183**　　　必修基本書……該当ページなし

（令和3年度雇用均等基本調査（企業調査））本肢のとおりである。令和3年春卒業の新規学卒者を採用した企業について採用区分ごとにみると、総合職については「男女とも採用」した企業の割合が45.2%と最も高く、次いで「男性のみ採用」が41.8%となっている。

× **184**　　　必修基本書……該当ページなし

（令和3年度雇用均等基本調査（企業調査））コース別雇用管理制度が「あり」とする企業割合は、企業規模5,000人以上では『57.4%』となっており、8割を占めるまでには至っていない。

〇 **185**　　　必修基本書……該当ページなし

（令和3年度雇用均等基本調査（企業調査））本肢のとおりである。課長相当職以上の女性管理職（役員を含む）を有する企業割合は53.2%、係長相当職以上の女性管理職（役員を含む）を有する企業割合は61.1%となっている。

〇 **186**　　　必修基本書……該当ページなし

（令和3年度雇用均等基本調査（企業調査））本肢のとおりである。不妊治療と仕事との両立のために利用できる制度を設けている企業について、制度の内容別に内訳を見ると、「時間単位で取得可能な年次有給休暇制度」が53.8%と最も高く、次いで「特別休暇制度（多目的であり、不妊治療にも利用可能なもの）」が35.7%、「短時間勤務制度」が34.6%、「時差出勤制度」が30.8%、「所定外労働の制限の制度」が29.1%となっている。

労一

❷❹労働経済（女性の雇用）

187 □□□ 難   R2.1-D

「平成30年若年者雇用実態調査（厚生労働省）」によると、全労働者に占める若年労働者の割合は約3割となっており、若年労働者の約半分がいわゆる正社員である。

188 □□□ 難   H28.5-A

平成25年若年者雇用実態調査（厚生労働省）によると、若年正社員の採用選考をした事業所のうち、採用選考にあたり重視した点について採用区分別にみると、新規学卒者、中途採用者ともに「職業意識・勤労意欲・チャレンジ精神」、「コミュニケーション能力」、「体力・ストレス耐性」が上位3つを占めている。

189 □□□ 難   R2.1-A

「平成30年若年者雇用実態調査（厚生労働省）」によると、若年正社員の採用選考をした事業所のうち、採用選考に当たり重視した点（複数回答）についてみると、「職業意識・勤労意欲・チャレンジ精神」、「コミュニケーション能力」、「マナー・社会常識」が上位3つを占めている。

190 □□□ 普通   H28.5-B

平成25年若年者雇用実態調査（厚生労働省）によると、過去3年間（平成22年10月～平成25年9月）に正社員以外の若年労働者がいた事業所のうち、正社員以外の若年労働者を「正社員へ転換させたことがある」事業所割合を事業所規模別にみると、事業所規模が大きくなるほど「正社員へ転換させたことがある」事業所割合が高くなっている。

191 □□□ 難   H28.5-C

平成25年若年者雇用実態調査（厚生労働省）によると、若年正社員労働者の定着のために実施している対策をみると、「職場での意思疎通の向上」が最も高くなっている。

✕ 187
必修基本書……該当ページなし

（平成30年若年者雇用実態調査）全労働者に占める若年労働者の割合は27.3%と約3割となっており、その内訳は若年正社員が17.2%、正社員以外の若年労働者が10.2%となっている。したがって、若年労働者のうち正社員である者の割合は、およそ「63%」（≒17.2%／27.3%）となっている。

✕ 188
必修基本書……該当ページなし

（平成25年若年者雇用実態調査）本肢の調査によると、若年者正社員の採用選考をした事業所のうち、採用選考にあたり重視した点（複数回答）について採用区分別にみると、新規学卒者、中途採用とも「体力・ストレス耐性」（それぞれ35.3%、29.9%）は「上位3つの中に入っていない」。新規学卒者、中途採用とも「職業意識・勤労意欲・チャレンジ精神」（それぞれ82.9%、74.7%）が最も高く、新規学卒者では、次いで「コミュニケーション能力」（67.0%）、「マナー・社会常識」（63.8%）となっており、中途採用者では「マナー・社会常識」（61.8%）、「コミュニケーション能力」（55.0%）となっている。

◯ 189
必修基本書……該当ページなし

（平成30年若年者雇用実態調査）本肢のとおりである。なお、本肢の調査項目においては、積極性や他者との関わり合いの中で円滑に業務を遂行することができる能力、スキルが重視されており、若年正社員の中でも、「新規学卒者」に比べ「中途採用者」は、「業務に役立つ職業経験、訓練経験」が重視されている。

◯ 190
必修基本書……該当ページなし

（平成25年若年者雇用実態調査）本肢のとおりである。なお、この調査は、事業所における若年労働者の雇用状況、若年労働者の就業に関する意識など若年者の雇用実態について、事業所側、労働者側の双方から把握することにより、若年者の雇用に関する諸問題に的確に対応した施策の立案等に資することを目的としており、不定期に実施している。

◯ 191
必修基本書……該当ページなし

（平成25年若年者雇用実態調査）本肢のとおりである。なお、本肢の調査によると、事業所規模5人以上の民営事業所について前回調査と比較すると、若年労働者の定着のための対策を行っている事業所の割合は、若年正社員、正社員以外の若年労働者のいずれも上昇している。

「平成30年若年者雇用実態調査（厚生労働省）」によると、若年労働者の定着のために事業所が実施している対策別事業所割合（複数回答）をみると、「職場での意思疎通の向上」、「本人の能力・適性にあった配置」、「採用前の詳細な説明・情報提供」が上位3つを占めている。

「平成30年若年者雇用実態調査（厚生労働省）」によると、若年労働者の育成方針についてみると、若年正社員については、「長期的な教育訓練等で人材を育成」する事業所割合が最も高く、正社員以外の若年労働者については、「短期的に研修等で人材を育成」する事業所割合が最も高くなっている。

平成25年若年者雇用実態調査（厚生労働省）によると、最終学校卒業から1年間に、正社員以外の労働者として勤務した主な理由についてみると、「正社員求人に応募したが採用されなかった」、「自分の希望する会社で正社員の募集がなかった」、「元々、正社員を希望していなかった」が上位3つを占めている。

平成25年若年者雇用実態調査（厚生労働省）によると、在学していない若年労働者が初めて勤務した会社で現在も「勤務している」割合は半数を超えている。

「平成30年若年者雇用実態調査（厚生労働省）」によると、最終学校卒業後に初めて勤務した会社で現在も働いている若年労働者の割合は約半数となっている。

○ **192** 　　　　　　　　　　必修基本書……該当ページなし

（平成30年若年者雇用実態調査）本肢のとおりである。なお、若年労働者とは、調査基準日（平成30年10月1日）現在で満15～34歳の労働者をいう。

○ **193** 　　　　　　　　　　必修基本書……該当ページなし

（平成30年若年者雇用実態調査）本肢のとおりである。なお、同調査における若年労働者の育成方法についてみると、若年正社員の育成を行っている事業所の割合は73.5％、正社員以外の若年労働者の育成を行っている事業所の割合は67.2％となっている。

○ **194** 　　　　　　　　　　必修基本書……該当ページなし

（平成25年若年者雇用実態調査）本肢のとおりである。なお、本肢の調査によると、在学していない若年労働者の最終学校卒業から1年間の状況をみると、「正社員として勤務した」が69.7％、「正社員以外の労働者として勤務した」が24.8％、「働いていなかった」が4.8％となっている。性別に「正社員として勤務した」若年労働者をみると、男で72.6％、女で66.7％となっている。

○ **195** 　　　　　　　　　　必修基本書……該当ページなし

（平成25年若年者雇用実態調査）本肢のとおりである。なお、本肢の調査によると、具体的に在学していない若年労働者が初めて勤務した会社で現在も働いているかどうかについてみると、「勤務している」が51.7％、「勤務していない」が47.3％となっている。これを性別にみると、「勤務している」では男が57.3％、女が45.7％となっている。最終学歴別に「勤務している」割合をみると、概ね学歴が高くなるほど「勤務している」割合は高くなっている。雇用形態別に「勤務している」割合をみると、正社員では65.5％、正社員以外の労働者では22.1％となっている。

○ **196** 　　　　　　　　　　必修基本書……該当ページなし

（平成30年若年者雇用実態調査）本肢のとおりである。なお、在学していない若年労働者が初めて勤務した会社で現在も働いているかどうかについて、男女別にみると、「勤務している」では男性が55.6％、女性が46.3％となっている。

26 労働経済（雇用の構造）

197 ▢▢▢ 難   R3.2-A

令和元年就業形態の多様化に関する総合実態調査の概況（厚生労働省）によると、令和元年10月1日現在で、就業形態別に当該就業形態の労働者がいる事業所の割合（複数回答）をみると、「正社員以外の労働者がいる事業所」は前回調査（平成26年）と比べて低下している。

198 ▢▢▢ 難   R3.2-B

令和元年就業形態の多様化に関する総合実態調査の概況（厚生労働省）によると、正社員以外の就業形態別事業所割合をみると、「派遣労働者（受け入れ）がいる」が最も高くなっている。

199 ▢▢▢ 難   R3.2-C

令和元年就業形態の多様化に関する総合実態調査の概況（厚生労働省）によると、正社員以外の労働者がいる事業所について、正社員以外の労働者を活用する理由（複数回答）をみると、「正社員を確保できないため」とする事業所割合が最も高くなっている。

200 ▢▢▢ 難   R3.2-D

令和元年就業形態の多様化に関する総合実態調査の概況（厚生労働省）によると、正社員以外の労働者がいる事業所について、正社員以外の労働者を活用する上での問題点（複数回答）をみると、「仕事に対する責任感」が最も高くなっている。

201 ▢▢▢ 普通   R3.2-E

令和元年就業形態の多様化に関する総合実態調査の概況（厚生労働省）によると、雇用期間の定めのある正社員以外の労働者について、期間を定めない雇用契約への変更希望の有無をみると、「希望する」が「希望しない」を上回っている。

202 ▢▢▢ 難   R4.3-A

令和2年転職者実態調査（厚生労働省）によると、転職者がいる事業所の転職者の募集方法（複数回答）をみると、「求人サイト・求人情報専門誌、新聞、チラシ等」、「縁故（知人、友人等）」、「自社のウェブサイト」が上位3つを占めている。

× 197　　　　　　　　　　　　　　　必修基本書……該当ページなし

（令和元年就業形態の多様化に関する総合実態調査の概況）本肢の就業形態別に
当該就業形態の労働者がいる事業所の割合（複数回答）をみると、「正社員以外
の労働者がいる事業所」は前回調査と比べて「上昇」している。

× 198　　　　　　　　　　　　　　　必修基本書……該当ページなし

（令和元年就業形態の多様化に関する総合実態調査の概況）本肢の正社員以外の
就業形態別事業所割合をみると、「パートタイム労働者がいる」が最も高くなって
いる。

○ 199　　　　　　　　　　　　　　　必修基本書……該当ページなし

（令和元年就業形態の多様化に関する総合実態調査の概況）本肢のとおりである。
なお、本肢の調査は、正社員及び正社員以外の労働者のそれぞれの就業形態につ
いて、事業所側、労働者側の双方から意識面を含めて把握することで、多様な就
業形態に関する諸問題に的確に対応した雇用政策の推進等に資することを目的と
している。

× 200　　　　　　　　　　　　　　　必修基本書……該当ページなし

（令和元年就業形態の多様化に関する総合実態調査の概況）本肢の正社員以外の
労働者を活用する上での問題点（複数回答）をみると、「良質な人材の確保」が
最も高くなっている。

× 201　　　　　　　　　　　　　　　必修基本書……該当ページなし

（令和元年就業形態の多様化に関する総合実態調査の概況）本肢の期間を定めな
い雇用契約への変更希望の有無をみると、「希望する」35.0％が「希望しない」
47.1％を「下回っている」。

× 202　　　　　　　　　　　　　　　必修基本書……該当ページなし

（令和2年転職者実態調査）転職者がいる事業所の転職者の募集方法（複数回答）
で上位3つを占めるのは、「ハローワーク等の公的機関」とする事業所割合が
57.3％で最も高く、次いで「求人サイト・求人情報専門誌、新聞、チラシ等」が
43.2％、「縁故（知人、友人等）」が27.6％となっている。

203 ▢▢▢ （難）   R4.3-B

令和2年転職者実態調査（厚生労働省）によると、転職者がいる事業所において、転職者の処遇（賃金、役職等）決定の際に考慮した要素（複数回答）をみると、「年齢」、「免許・資格」、「前職の賃金」が上位3つを占めている。

204 ▢▢▢ （難）   R4.3-C

令和2年転職者実態調査（厚生労働省）によると、転職者がいる事業所で転職者を採用する際に問題とした点（複数回答）をみると、「応募者の能力評価に関する客観的な基準がないこと」、「採用時の賃金水準や処遇の決め方」、「採用後の処遇やキャリア形成の仕方」が上位3つを占めている。

205 ▢▢▢ （難）   R4.3-D

令和2年転職者実態調査（厚生労働省）によると、転職者がいる事業所が転職者の採用に当たり重視した事項（複数回答）をみると、「人員構成の歪みの是正」、「既存事業の拡大・強化」、「組織の活性化」が上位3つを占めている。

206 ▢▢▢ （難）   R4.3-E

令和2年転職者実態調査（厚生労働省）によると、転職者がいる事業所の転職者に対する教育訓練の実施状況をみると、「教育訓練を実施した」事業所割合は約半数となっている。

207 ▢▢▢ （難）   R5.3-A

令和3年パートタイム・有期雇用労働者総合実態調査（事業所調査）（厚生労働省）によると、パートタイム・有期雇用労働者の雇用状況をみると、「パートタイム・有期雇用労働者を雇用している」企業の割合は7割を超えている。

208 ▢▢▢ （難）   R5.3-B

令和3年パートタイム・有期雇用労働者総合実態調査（事業所調査）（厚生労働省）によると、「パートタイム・有期雇用労働者を雇用している」企業について、雇用している就業形態（複数回答）をみると、「有期雇用パートタイムを雇用している」の割合が最も高く、次いで「無期雇用パートタイムを雇用している」、「有期雇用フルタイムを雇用している」の順となっている。

× 203 必修基本書……該当ページなし

（令和2年転職者実態調査）転職者がいる事業所において、転職者の処遇（賃金、役職等）の決定の際に考慮した要素（複数回答）で上位3つを占めるのは、「これまでの経験・能力・知識」とする事業所割合が74.7％と最も高く、次いで「年齢」が45.2％、「免許・資格」が37.3％となっている。

× 204 必修基本書……該当ページなし

（令和2年転職者実態調査）転職者がいる事業所で転職者を採用する際に問題とした点（複数回答）で上位3つを占めるのは、「必要な職種に応募してくる人が少ないこと」が67.2％と最も高く、次いで「応募者の能力評価に関する客観的な基準がないこと」が38.8％、「採用時の賃金水準や処遇の決め方」が32.3％となっている。

○ 205 必修基本書……該当ページなし

（令和2年転職者実態調査）本肢のとおりである。「令和2年転職者実態調査（厚生労働省）」は、転職者の就業実態及び意識を受入事業所側、転職者側の両面から把握することによって、円滑な労働移動を促進し、労働力需給のミスマッチの解消を図るための雇用対策に資することを目的としている。

× 206 必修基本書……該当ページなし

（令和2年転職者実態調査）転職者がいる事業所の転職者に対する教育訓練の実施状況をみると、「教育訓練を実施した」事業所割合は、「74.5％」となっている。

○ 207 必修基本書……該当ページなし

（令和3年パートタイム・有期雇用労働者総合実態調査（事業所調査））本肢のとおりである。パートタイム・有期雇用労働者の雇用状況をみると、「パートタイム・有期雇用労働者を雇用している」企業は75.4％となっている。

× 208 必修基本書……該当ページなし

（令和3年パートタイム・有期雇用労働者総合実態調査（事業所調査））「パートタイム・有期雇用労働者を雇用している」企業について雇用している就業形態（複数回答）をみると、『無期雇用パートタイムを雇用している』企業が51.4％と最も高く、次いで『有期雇用パートタイムを雇用している』企業が27.1％、「有期雇用フルタイムを雇用している」企業が23.2％の順となっている。

令和3年パートタイム・有期雇用労働者総合実態調査（事業所調査）（厚生労働省）によると、正社員とパートタイム・有期雇用労働者を雇用している企業について、パートタイム・有期雇用労働者を雇用する理由（複数回答）をみると、「有期雇用フルタイム」では「定年退職者の再雇用のため」、「仕事内容が簡単なため」、「人を集めやすいため」が上位3つを占めている。「有期雇用パートタイム」では「定年退職者の再雇用のため」の割合が6割を超えている。

令和3年パートタイム・有期雇用労働者総合実態調査（事業所調査）（厚生労働省）によると、正社員とパートタイム・有期雇用労働者を雇用している企業が行っている教育訓練の種類（複数回答）について、正社員に実施し、うち「無期雇用パートタイム」「有期雇用パートタイム」「有期雇用フルタイム」にも実施している企業の割合をみると、いずれの就業形態においても「入職時のガイダンス（Off-JT）」が最も高くなっている。

令和3年パートタイム・有期雇用労働者総合実態調査（事業所調査）（厚生労働省）によると、「無期雇用パートタイム」「有期雇用パートタイム」「有期雇用フルタイム」のいずれかの就業形態に適用される正社員転換制度がある企業について、正社員に転換するに当たっての基準（複数回答）別企業の割合をみると、「パートタイム・有期雇用労働者の所属する部署の上司の推薦」の割合が最も高く、次いで「人事評価の結果」、「（一定の）職務経験年数」の順となっている。

✕ 209 必修基本書……該当ページなし

（令和3年パートタイム・有期雇用労働者総合実態調査（事業所調査））正社員とパートタイム・有期雇用労働者を雇用している企業について、パートタイム・有期雇用労働者を雇用する理由（複数回答）をみると、「有期雇用フルタイム」では「定年退職者の再雇用のため」が61.9%と最も高く、次いで『経験・知識・技能のある人を採用したいため』が31.4%、『正社員の代替要員の確保のため』が25.2%の順となっており、これらが上位3つを占めている。また、「有期雇用パートタイム」では「定年退職者の再雇用のため」が最も高いが、その割合は37.5%にとどまっており、『6割は超えていない』。

✕ 210 必修基本書……該当ページなし

（令和3年パートタイム・有期雇用労働者総合実態調査（事業所調査））正社員とパートタイム・有期雇用労働者を雇用している企業が行っている教育訓練の種類（複数回答）について、正社員に実施し、うち「無期雇用パートタイム」「有期雇用パートタイム」「有期雇用フルタイム」にも実施している企業の割合をみると、いずれの就業形態においても『日常的な業務を通じた、計画的な教育訓練（OJT）』が40.6%、47.8%、46.9%と最も高くなっている。

✕ 211 必修基本書……該当ページなし

（令和3年パートタイム・有期雇用労働者総合実態調査（事業所調査））「無期雇用パートタイム」「有期雇用パートタイム」「有期雇用フルタイム」のいずれかの就業形態に適用される正社員転換制度がある企業について、正社員に転換するに当たっての基準（複数回答）別企業の割合をみると、『人事評価の結果』が67.7%と最も高く、次いで『パートタイム・有期雇用労働者の所属する部署の上司の推薦』が48.8%、「（一定の）職務経験年数」が41.1%の順となっている。

212 ☐☐☐ 難　　　　　　　　　　　　　　　　　　　　R元.2-A

「平成29年労使間の交渉等に関する実態調査（厚生労働省）」において、労働組合と使用者（又は使用者団体）の間で締結される労働協約の締結状況をみると、労働協約を「締結している」労働組合は9割を超えている。

213 ☐☐☐ 難　　　　　　　　　　　　　　　　　　　　R6.2-A

令和4年労使間の交渉等に関する実態調査（厚生労働省）によると、過去1年間（令和3年7月1日から令和4年6月30日の期間）に、正社員以外の労働者に関して使用者側と話合いが持たれた事項（複数回答）をみると、「派遣労働者に関する事項」の割合が最も高く、次いで「同一労働同一賃金に関する事項」、「正社員以外の労働者（派遣労働者を除く）の労働条件」の順となっている。

214 ☐☐☐ 難　　　　　　　　　　　　　　　　　　　　R元.2-B

「平成29年労使間の交渉等に関する実態調査（厚生労働省）」において、過去3年間（平成26年7月1日から平成29年6月30日の期間）において、「何らかの労使間の交渉があった」事項をみると、「賃金・退職給付に関する事項」、「労働時間・休日・休暇に関する事項」、「雇用・人事に関する事項」が上位3つを占めている。

215 ☐☐☐ 難　　　　　　　　　　　　　　　　　　　　R6.2-B

令和4年労使間の交渉等に関する実態調査（厚生労働省）によると、過去3年間（令和元年7月1日から令和4年6月30日の期間）に「何らかの労使間の交渉があった」事項をみると、「賃金・退職給付に関する事項」の割合が最も高く、次いで「労働時間・休日・休暇に関する事項」、「雇用・人事に関する事項」の順となっている。

216 ☐☐☐ 難　　　　　　　　　　　　　　　　　　　　R元.2-C

「平成29年労使間の交渉等に関する実態調査（厚生労働省）」において、過去3年間（平成26年7月1日から平成29年6月30日の期間）において、使用者側との間で行われた団体交渉の状況をみると、「団体交渉を行った」労働組合が全体の約3分の2、「団体交渉を行わなかった」労働組合が約3分の1になっている。

217 ☐☐☐ 難　　　　　　　　　　　　　　　　　　　　R6.2-C

令和4年労使間の交渉等に関する実態調査（厚生労働省）によると、過去3年間（令和元年7月1日から令和4年6月30日の期間）に使用者側との間で「団体交渉を行った」労働組合について、交渉形態（複数回答）をみると、「当該労働組合のみで交渉」の割合が最も高く、次いで「企業内上部組織又は企業内下部組織と一緒に交渉」、「企業外上部組織（産業別組織）と一緒に交渉」の順となっている。

○ **212**　　　　　　　　　　　　　　　必修基本書……該当ページなし

（平成29年労使間の交渉等に関する実態調査）本肢のとおりである。

× **213**　　　　　　　　　　　　　　　必修基本書……該当ページなし

（令和4年労使間の交渉等に関する実態調査）正社員以外の労働者に関して使用者
側と話合いが持たれた事項（複数回答）をみると、『「正社員以外の労働者（派遣
労働者を除く）の労働条件」（66.2%）の割合が最も高く』、次いで「同一労働同
一賃金に関する事項」（55.2%）、『「正社員以外の労働者（派遣労働者を含む）の
正社員への登用制度」（38.7%）』の順となっている。

○ **214**　　　　　　　　　　　　　　　必修基本書……該当ページなし

（平成29年労使間の交渉等に関する実態調査）本肢のとおりである。本肢の「何
らかの労使間の交渉があった」事項は、「賃金・退職給付に関する事項」が
89.7%、「労働時間・休日・休暇に関する事項」が79.0%、「雇用・人事に関す
る事項」が65.9%となっている。

○ **215**　　　　　　　　　　　　　　　必修基本書……該当ページなし

（令和4年労使間の交渉等に関する実態調査）本肢のとおりである。なお、本肢の
調査は、労働組合を対象として、労働環境が変化する中での労働組合と使用者（又
は使用者団体）の間で行われる団体交渉、労働争議及び労働協約の締結等の実態
等を明らかにすることを目的としている。

○ **216**　　　　　　　　　　　　　　　必修基本書……該当ページなし

（平成29年労使間の交渉等に関する実態調査）本肢のとおりである。なお、本肢
の使用者側との間で行われた団体交渉の状況は、「団体交渉を行った」が67.6%
（約3分の2）、「団体交渉を行わなかった」が32.0%（約3分の1）となっている。

○ **217**　　　　　　　　　　　　　　　必修基本書……該当ページなし

（令和4年労使間の交渉等に関する実態調査）本肢のとおりである。なお、本肢の
過去3年間において、使用者側との間で行われた団体交渉の状況をみると、「団体
交渉を行った」は68.2%、「団体交渉を行わなかった」は30.7%となっている。

「平成29年労使間の交渉等に関する実態調査（厚生労働省）」において、過去3年間（平成26年7月1日から平成29年6月30日の期間）において、労働組合と使用者との間で発生した労働争議の状況をみると、「労働争議があった」労働組合は5%未満になっている。

令和4年労使間の交渉等に関する実態調査（厚生労働省）によると、過去3年間（令和元年7月1日から令和4年6月30日の期間）に「労働争議がなかった」労働組合について、その理由（複数回答　主なもの三つまで）をみると、「対立した案件がなかったため」の割合が最も高く、次いで「対立した案件があったが話合いで解決したため」、「対立した案件があったが労働争議に持ち込むほど重要性がなかったため」の順となっている。

「平成29年労使間の交渉等に関する実態調査（厚生労働省）」において、使用者側との労使関係の維持について労働組合の認識をみると、安定的（「安定的に維持されている」と「おおむね安定的に維持されている」の合計）だとする割合が約4分の3になっている。

令和4年労使間の交渉等に関する実態調査（厚生労働省）によると、労使間の諸問題を解決するために今後最も重視する手段をみると、「団体交渉」の割合が最も高く、次いで「労使協議機関」となっている。

○ **218**　　　　　　　　　　　　　　　　　　必修基本書……該当ページなし

（平成29年労使間の交渉等に関する実態調査）本肢のとおりである。なお、本肢の「労働争議」とは、労働組合と使用者側との間で労働関係に関する主張が一致しないで、争議行為が発生若しくは第三者機関が関与したもの（労働委員会によるあっせん、調停及び仲裁等）をいう。

○ **219**　　　　　　　　　　　　　　　　　　必修基本書……該当ページなし

（令和4年労使間の交渉等に関する実態調査）本肢のとおりである。なお、本肢の過去3年間において、労働組合と使用者との間で発生した労働争議の状況をみると、「労働争議があった」は3.5％、「労働争議がなかった」95.5％となっている。

× **220**　　　　　　　　　　　　　　　　　　必修基本書……該当ページなし

（平成29年労使間の交渉等に関する実態調査）本肢の使用者側との労使関係の維持についての認識は、「安定的に維持されている」42.7％と「おおむね安定的に維持されている」46.6％の合計は89.3％となっており、「約4分の3（75%）より多い」。

○ **221**　　　　　　　　　　　　　　　　　　必修基本書……該当ページなし

（令和4年労使間の交渉等に関する実態調査）本肢のとおりである。なお、本肢の労使間の諸問題を解決するために今後最も重視する手段をみると、「争議行為」が0.7％と最も低く、次いで「苦情処理機関」が1.7％となっている。

222 □□□ 難　　　　　　　　　　　　　　　　　　　　H30.1-A

平成28年労働災害発生状況の分析等（厚生労働省）によると、労働災害による死亡者数は、長期的に減少傾向にあり、死亡災害は平成28年に過去最少となった。

223 □□□ 難　　　　　　　　　　　　　　　　　　　　H30.1-B

平成28年労働災害発生状況の分析等（厚生労働省）によると、第12次労働災害防止計画（平成25～29年度）において、死亡災害と同様の災害減少目標を掲げている休業4日以上の死傷災害は、平成25年以降、着実に減少している。

224 □□□ 難　　　　　　　　　　　　　　　　　　　　H30.1-C

平成28年労働災害発生状況の分析等（厚生労働省）によると、陸上貨物運送事業における死傷災害（休業4日以上）の事故の型別では、「交通事故（道路）」が最も多く、「墜落・転落」がそれに続いている。

225 □□□ 難　　　　　　　　　　　　　　　　　　　　H30.1-D

平成28年労働災害発生状況の分析等（厚生労働省）によると、製造業における死傷災害（休業4日以上）の事故の型別では、「墜落・転落」が最も多く、「はさまれ・巻き込まれ」がそれに続いている。

226 □□□ 難　　　　　　　　　　　　　　　　　　　　H30.1-E

平成28年労働災害発生状況の分析等（厚生労働省）によると、第三次産業に属する小売業、社会福祉施設、飲食店における死傷災害（休業4日以上）の事故の型別では、いずれの業種においても「転倒」が最も多くなっている。

○ **222**　　　　　　　　　　　　　　　　　必修基本書……該当ページなし

（平成28年労働災害発生状況の分析等）本肢のとおりである。

× **223**　　　　　　　　　　　　　　　　　必修基本書……該当ページなし

（平成28年労働災害発生状況の分析等）休業4日以上の死傷災害では、第三次産業の一部の業種で「増加傾向がみられる」など、「十分な減少傾向にあるとは言えない」現状にある。死傷災害は、平成28年は、小売業、社会福祉施設、飲食店で増加したことが影響し、全体として前年を「上回った」。

× **224**　　　　　　　　　　　　　　　　　必修基本書……該当ページなし

（平成28年労働災害発生状況の分析等）陸上貨物運送事業における死傷災害（休業4日以上）の事故の型別では、「墜落・転落」が最も多い。なお、死亡災害は「交通事故（道路）」が最も多く全体の約6割を占める。

× **225**　　　　　　　　　　　　　　　　　必修基本書……該当ページなし

（平成28年労働災害発生状況の分析等）製造業における死傷災害（休業4日以上）の事故の型別では、「はさまれ・巻き込まれ」が最も多く、「墜落・転落」がそれに続いている。

× **226**　　　　　　　　　　　　　　　　　必修基本書……該当ページなし

（平成28年労働災害発生状況の分析等）第三次産業に属する小売業、社会福祉施設、飲食店における死傷災害（休業4日以上）の事故の型別では、小売業及び飲食店は「転倒」が最も多いが、社会福祉施設は「動作の反動・無理な動作」が最も多い。

29 労働経済（安全衛生）

227 ☐☐☐ 難　　　　　　　　　　　　　　　　　R6.1-A

令和4年労働安全衛生調査（実態調査）（事業所調査）（厚生労働省）によると、メンタルヘルス対策に取り組んでいる事業所の割合は6割を超えている。このうち、対策に取り組んでいる事業所の取組内容（複数回答）をみると、「ストレスチェックの実施」の割合が最も多く、次いで「メンタルヘルス不調の労働者に対する必要な配慮の実施」となっている。

228 ☐☐☐ 難　　　　　　　　　　　　　　　　　R2.2-C

「平成30年労働安全衛生調査（実態調査）（厚生労働省）」によると、メンタルヘルス対策に取り組んでいる事業所の割合は約6割となっている。

229 ☐☐☐ 難　　　　　　　　　　　　　　　　　R2.2-E

「平成30年労働安全衛生調査（実態調査）（厚生労働省）」によると、現在の仕事や職業生活に関することで、強いストレスとなっていると感じる事柄がある労働者について、その内容（主なもの3つ以内）をみると、「仕事の質・量」、「仕事の失敗、責任の発生等」、「顧客、取引先等からのクレーム」が上位3つを占めている。

230 ☐☐☐ 難　　　　　　　　　　　　　　　　　R2.2-D

「平成30年労働安全衛生調査（実態調査）（厚生労働省）」によると、受動喫煙防止対策に取り組んでいる事業所の割合は約6割にとどまっている。

231 ☐☐☐ 難　　　　　　　　　　　　　　　　　R6.1-C

令和4年労働安全衛生調査（実態調査）（事業所調査）（厚生労働省）によると、傷病（がん、糖尿病等の私傷病）を抱えた何らかの配慮を必要とする労働者に対して、治療と仕事を両立できるような取組がある事業所の割合は約6割となっている。このうち、取組内容（複数回答）をみると、「通院や体調等の状況に合わせた配慮、措置の検討（柔軟な労働時間の設定、仕事内容の調整）」の割合が最も多く、次いで「両立支援に関する制度の整備（年次有給休暇以外の休暇制度、勤務制度等）」となっている。

○ **227**　　　　　　　　　　　　　　必修基本書……該当ページなし

（令和4年労働安全衛生調査（実態調査））本肢のとおりである。なお、本肢の「メンタルヘルス対策」とは、事業所において事業者が講ずるように努めるべき労働者の心の健康の保持増進のための措置をいう。

○ **228**　　　　　　　　　　　　　　必修基本書……該当ページなし

（平成30年労働安全衛生調査（実態調査））本肢のとおりである。

× **229**　　　　　　　　　　　　　　必修基本書……該当ページなし

（平成30年労働安全衛生調査（実態調査））現在の仕事や職業生活に関することで、強いストレスとなっていると感じる事柄がある労働者について、その内容（主なもの3つ以内）をみると、「仕事の質・量」が59.4％と最も多く、次いで「仕事の失敗、責任の発生等」が34.0％、『対人関係（セクハラ・パワハラを含む)』が31.3％となっている。

× **230**　　　　　　　　　　　　　　必修基本書……該当ページなし

（平成30年労働安全衛生調査（実態調査））受動喫煙防止対策に取り組んでいる事業所の割合は「88.5％」となっている。

○ **231**　　　　　　　　　　　　　　必修基本書……該当ページなし

（令和4年労働安全衛生調査（実態調査））本肢のとおりである。なお、本肢の治療と仕事を両立できるような取組がある事業所の割合を事業所規模別にみると、事業所規模別が大きくなるほど当該割合は高くなっている。

232 [ ][ ][ ] 難　　　　　　　　　　　　　　　　　　R6.1-D

令和4年労働安全衛生調査（実態調査）（事業所調査）（厚生労働省）によると、傷病（がん、糖尿病等の私傷病）を抱えた労働者が治療と仕事を両立できるような取組がある事業所のうち、取組に関し困難や課題と感じていることがある事業所の割合は約8割となっている。このうち、困難や課題と感じている内容（複数回答）をみると、「上司や同僚の負担」の割合が最も多く、次いで「代替要員の確保」となっている。

233 [ ][ ][ ] 難　　　　　　　　　　　　　　　　　　R2.2-A

「平成30年労働安全衛生調査（実態調査）（厚生労働省）」によると、傷病（がん、糖尿病等の私傷病）を抱えた何らかの配慮を必要とする労働者に対して、治療と仕事を両立できるような取組を行っている事業所の割合は約3割である。

234 [ ][ ][ ] 難　　　　　　　　　　　　　　　　　　R2.2-B

「平成30年労働安全衛生調査（実態調査）（厚生労働省）」によると、産業医を選任している事業所の割合は約3割となっており、産業医の選任義務がある事業所規模50人以上でみると、ほぼ100%となっている。

235 [ ][ ][ ] 難　　　　　　　　　　　　　　　　　　R6.1-B

令和4年労働安全衛生調査（実態調査）（事業所調査）（厚生労働省）によると、過去1年間（令和3年11月1日から令和4年10月31日までの期間）に一般健康診断を実施した事業所のうち所見のあった労働者がいる事業所の割合は約7割となっている。このうち、所見のあった労働者に講じた措置内容（複数回答）をみると、「健康管理等について医師又は歯科医師から意見を聴いた」の割合が最も多くなっている。

236 [ ][ ][ ] 難　　　　　　　　　　　　　　　　　　R6.1-E

令和4年労働安全衛生調査（実態調査）（事業所調査）（厚生労働省）によると、転倒災害を防止するための対策に取り組んでいる事業所の割合は8割を超えている。このうち、転倒災害防止対策の取組内容（複数回答）をみると、「通路、階段、作業場所等の整理・整頓・清掃の実施」の割合が最も多く、次いで「手すり、滑り止めの設置、段差の解消、照度の確保等の設備の改善」となっている。

× **232** 　　　　　　　　　　　　　　　　　　必修基本書……該当ページなし

（令和4年労働安全衛生調査（実態調査））困難や課題と感じている内容（複数回答）をみると、『「代替要員の確保」（77.2%）の割合が最も多く、次いで「上司や同僚の負担」（51.2%)』となっている。

× **233** 　　　　　　　　　　　　　　　　　　必修基本書……該当ページなし

（平成30年労働安全衛生調査（実態調査））傷病（がん、糖尿病等の私傷病）を抱えた何らかの配慮を必要とする労働者に対して、治療と仕事を両立できるような取組を行っている事業所の割合は「55.8%」である。

× **234** 　　　　　　　　　　　　　　　　　　必修基本書……該当ページなし

（平成30年労働安全衛生調査（実態調査））産業医を選任している事業所の割合は29.3%となっており、産業医の選任義務がある事業所規模50人以上でみると、「84.6%」となっている。

○ **235** 　　　　　　　　　　　　　　　　　　必修基本書……該当ページなし

（令和4年労働安全衛生調査（実態調査））本肢のとおりである。なお、本肢の統計調査は、事業所が行っている安全衛生管理、労働災害防止活動及びそこで働く労働者の仕事や職業生活における不安やストレス、受動喫煙等の実態について把握し、今後の労働安全衛生行政を推進するための基礎資料を得ることを目的としている。

○ **236** 　　　　　　　　　　　　　　　　　　必修基本書……該当ページなし

（令和4年労働安全衛生調査（実態調査））本肢のとおりである。なお、本肢の転倒災害を防止するための対策に取り組んでいる事業所の割合を事業所規模別にみると、当該割合は、すべての事業所規模で8割を超えている。

237 ▢▢▢ 難　　　　　　　　　　　　　　　　　　　R5.2-A

令和3年度能力開発基本調査（事業所調査）（厚生労働省）によると、能力開発や人材育成に関して何らかの問題があるとする事業所のうち、問題点の内訳は、「指導する人材が不足している」の割合が最も高く、「人材育成を行う時間がない」、「人材を育成しても辞めてしまう」と続いている。

238 ▢▢▢ 難　　　　　　　　　　　　　　　　　　　R5.2-B

令和3年度能力開発基本調査（事業所調査）（厚生労働省）によると、正社員を雇用する事業所のうち、正社員の自己啓発に対する支援を行っている事業所の支援の内容としては、「教育訓練機関、通信教育等に関する情報提供」の割合が最も高く、「受講料などの金銭的援助」、「自己啓発を通して取得した資格等に対する報酬」と続いている。

239 ▢▢▢ 難　　　　　　　　　　　　　　　　　　　R5.2-C

令和3年度能力開発基本調査（事業所調査）（厚生労働省）によると、キャリアコンサルティングを行う仕組みを導入している事業所のうち、正社員に対してキャリアコンサルティングを行う上で問題があるとする事業所における問題の内訳をみると、「キャリアに関する相談を行っても、その効果が見えにくい」の割合が最も高く、「労働者からのキャリアに関する相談件数が少ない」、「キャリアコンサルタント等相談を受けることのできる人材を内部で育成することが難しい」と続いている。

240 ▢▢▢ 難　　　　　　　　　　　　　　　　　　　R5.2-D

令和3年度能力開発基本調査（事業所調査）（厚生労働省）によると、労働者の主体的なキャリア形成に向けて実施した取組は、「上司による定期的な面談（1 on 1ミーティング等）」の割合が最も高く、「職務の遂行に必要なスキル・知識等に関する情報提供」、「自己啓発に対する支援」と続いている。

241 ▢▢▢ 難　　　　　　　　　　　　　　　　　　　R5.2-E

令和3年度能力開発基本調査（事業所調査）（厚生労働省）によると、職業能力評価を行っている事業所における職業能力評価の活用方法は、「人事考課（賞与、給与、昇格・降格、異動・配置転換等）の判断基準」の割合が最も高く、「人材配置の適正化」、「労働者に必要な能力開発の目標」と続いている。

○ **237** 必修基本書……該当ページなし

（令和3年度能力開発基本調査（事業所調査）本肢のとおりである。能力開発や人材育成に関して何らかの問題があるとする事業所のうち、問題点の内訳は、「指導する人材が不足している」が60.5%と最も高く、「人材育成を行う時間がない」が48.2%、「人材を育成しても辞めてしまう」が44.0%と続いている。

× **238** 必修基本書……該当ページなし

（令和3年度能力開発基本調査（事業所調査）正社員を雇用する事業所のうち、正社員の自己啓発に対する支援を行っている事業所の支援の内容としては、『受講料などの金銭的援助』が78.0%と最も高く、『教育訓練機関、通信教育等に関する情報提供』が41.7%、「自己啓発を通して取得した資格等に対する報酬」が41.5%と続いている。

○ **239** 必修基本書……該当ページなし

（令和3年度能力開発基本調査（事業所調査）本肢のとおりである。キャリアコンサルティングを行う仕組みを導入している事業所のうち、正社員に対してキャリアコンサルティングを行う上で問題があるとする事業所における問題の内訳をみると、「キャリアに関する相談を行っても、その効果が見えにくい」が39.6%と最も高く、「労働者からのキャリアに関する相談件数が少ない」が39.5%、「キャリアコンサルタント等相談を受けることのできる人材を内部で育成することが難しい」が33.5%と続いている。

○ **240** 必修基本書……該当ページなし

（令和3年度能力開発基本調査（事業所調査）本肢のとおりである。労働者の主体的なキャリア形成に向けて実施した取組は、「上司による定期的な面談（1on1ミーティング等）」が64.3%と最も高く、「職務の遂行に必要なスキル・知識等に関する情報提供」が53.9%、「自己啓発に対する支援」が45.2%と続いている。

○ **241** 必修基本書……該当ページなし

（令和3年度能力開発基本調査（事業所調査）本肢のとおりである。職業能力評価を行っている事業所における職業能力評価の活用方法は、「人事考課（賞与、給与、昇格・降格、異動・配置転換等）の判断基準」が82.1%と最も高く、「人材配置の適正化」が61.5%、「労働者に必要な能力開発の目標」が39.0%と続いている。

242 □□□ 普通 　　　　　　　　　　　　　　　H27.5-A

平成26年版労働経済白書（厚生労働省）によると、1990年から2010年までの我が国の就業者の職業構造の変化をみると、生産工程・労務作業者が就業者に占める割合は大きく低下している一方で、管理的職業従事者、専門的・技術的職業従事者やサービス職業従事者ではその割合が上昇している。

243 □□□ 普通 　　　　　　　　　　　　　　　H27.5-B

平成26年版労働経済白書（厚生労働省）によると、人材マネジメントの基本的な考え方として、「仕事」をきちんと決めておいてそれに「人」を当てはめるという「ジョブ型」雇用と、「人」を中心にして管理が行われ、「人」と「仕事」の結びつきはできるだけ自由に変えられるようにしておく「メンバーシップ型」雇用があり、「メンバーシップ型」が我が国の正規雇用労働者の特徴であるとする議論がある。

244 □□□ 難 　　　　　　　　　　　　　　　H27.5-C

平成26年版労働経済白書（厚生労働省）によると、企業の正規雇用労働者の管理職の育成・登用方針についてみると、内部育成・昇進を重視する企業が多数派になっており、この割合を企業規模別にみても、同様の傾向がみられる。

245 □□□ 難 　　　　　　　　　　　　　　　H27.5-D

平成26年版労働経済白書（厚生労働省）によると、我が国の企業は、正規雇用労働者について、新規学卒者を採用し、内部育成・昇進させる内部労働市場型の人材マネジメントを重視する企業が多数であり、「平成24年就業構造基本調査（総務省）」を用いて、60歳未満の正規雇用労働者（役員を含む）に占める転職経験がない者の割合をみると6割近くになっている。

○ **242**　　　　　　　　　　　　　　必修基本書……該当ページなし

（平成26年版労働経済白書82〜83頁）本肢のとおりである。なお、本肢の白書によると、2007年から2012年の職業構造の変化の詳細をみると、正規の雇用では、専門・技術的職業従事者を除いて、おおむね全ての職業で減少している。その中でも、特に事務系職種、生産関連職種で大きな減少がみられ、一般事務・会計事務、製品製造・加工処理従事者、機械組立従事者等での減少が著しくなっている。

○ **243**　　　　　　　　　　　　　　必修基本書……該当ページなし

（平成26年版労働経済白書94〜95頁）本肢のとおりである。なお、本肢の白書によると、正規雇用労働者については、厚生労働省が2012年3月にとりまとめた「非正規雇用問題に係るビジョン」で述べられているように、①労働契約の期間の定めはない、②所定労働時間がフルタイムである、③直接雇用である、といった三つの要素に加え、大企業で典型的にみられる形態としては、長期雇用慣行を背景として、④勤続に応じた処遇、雇用管理の体系（勤続年数に応じた賃金体系、昇進・昇格、配置、能力開発等）となっている、⑤勤務地や業務内容の限定がなく時間外労働がある、といった要素を満たすイメージで論じられることが多い。

○ **244**　　　　　　　　　　　　　　必修基本書……該当ページなし

（平成26年版労働経済白書96頁）本肢のとおりである。なお、本肢の白書によると、企業の正規雇用労働者の管理職の育成・登用方針について みると、内部育成・昇進を重視する企業が約7割であるのに対し、経験人材の外部調達を重視する企業は1割以下となっている。企業規模別にみると、経験人材の外部調達を重視する 企業の割合は企業規模が小さくなるほど高くなっているが、99人以下の小規模企業でも1割 程度にとどまっている。

○ **245**　　　　　　　　　　　　　　必修基本書……該当ページなし

（平成26年版労働経済白書97頁）本肢のとおりである。若年層（入社3年程度までの者）の人材育成手段として活用されている人材育成のための取組は、「定期的な面談（個別評価・考課）」「計画的・系統的なOJT」「企業が費用を負担する社外教育」等が多くなっており、中堅層（若年層及び管理職層に該当しない者）に比べると、「計画的・系統的なOJT」「指導役や教育係の配置」や「企業内で行う一律型のOff-JT」（入社ガイダンスや安全衛生研修、コミュニケーションや個人情報保護に関する研修等、基本的には全員を対象に行うもの）の実施割合が高くなっている。

平成26年版労働経済白書（厚生労働省）によると、グローバル化によって激しい国際競争にさらされている業種が、外国からの安価な輸入材に価格面で対抗しようとして、人件費抑制の観点からパートタイム労働者比率を高めていることが確認された。

（平成26年版労働経済白書80頁）本肢の白書によると、グローバル化は低い賃金の労働者の活用を進ませる可能性も指摘できるが、輸入浸透率が高い業種、すなわち貿易を通じて国際競争に厳しくさらされている企業が、「必ずしもパートタイム労働者比率を高めて、それに対応しているわけではない」ことが分かるとしている。

32 労働経済（働きやすさ）

247 □□□ 難 R3.1-A

令和元年版労働経済白書（厚生労働省）によると、正社員について、働きやすさに対する認識を男女別・年齢階級別にみると、男女ともにいずれの年齢階級においても、働きやすさに対して満足感を「いつも感じる」又は「よく感じる」者が、「全く感じない」又は「めったに感じない」者を上回っている。

248 □□□ 難 R3.1-B

令和元年版労働経済白書（厚生労働省）によると、正社員について、働きやすさの向上のために、労働者が重要と考えている企業側の雇用管理を男女別・年齢階級別にみると、男性は「職場の人間関係やコミュニケーションの円滑化」、女性は「労働時間の短縮や働き方の柔軟化」がいずれの年齢層でも最も多くなっている。

249 □□□ 難 R3.1-C

令和元年版労働経済白書（厚生労働省）によると、正社員について、男女計における1か月当たりの労働時間と働きやすさとの関係をみると、労働時間が短くなるほど働きやすいと感じる者の割合が増加し、逆に労働時間が長くなるほど働きにくいと感じる者の割合が増加する。

250 □□□ 難 R3.1-E

令和元年版労働経済白書（厚生労働省）によると、勤務間インターバル制度に該当する正社員と該当しない正社員の働きやすさを比較すると、該当する正社員の方が働きやすさを感じている。

251 □□□ 難 R3.1-D

令和元年版労働経済白書（厚生労働省）によると、正社員について、テレワークの導入状況と働きやすさ・働きにくさとの関係をみると、テレワークが導入されていない場合の方が、導入されている場合に比べて、働きにくいと感じている者の割合が高くなっている。

○ **247**　　　　　　　　　　　　必修基本書……該当ページなし

（令和元年版労働経済白書126頁）本肢のとおりである。なお、本肢の調査において、働きやすさに対して満足感を「いつも感じる」又は「よく感じる」者の構成比をみると、男性は「35〜44歳」、「45〜54歳」及び「55〜64歳」、女性は「45〜54歳」及び「55〜64歳」が他の年齢階級に比べて少ない一方で、男女ともに「65歳以上」が多くなっている。

✕ **248**　　　　　　　　　　　　必修基本書……該当ページなし

（令和元年版労働経済白書126頁）正社員について、働きやすさの向上のために、労働者が重要と考えている企業側の雇用管理を男女別・年齢階級別にみると、「男女ともに」いずれの年齢階級においても「職場の人間関係やコミュニケーションの円滑化」が最も多い。

○ **249**　　　　　　　　　　　　必修基本書……該当ページなし

（令和元年版労働経済白書130頁）本肢のとおりである。なお、本肢の調査において、労働時間が月220時間以上になると働きにくいと感じている者が働きやすいと感じている者を上回っている。

○ **250**　　　　　　　　　　　　必修基本書……該当ページなし

（令和元年版労働経済白書133頁）本肢のとおりである。なお、令和2年就労条件総合調査の概況（厚生労働省）によると、勤務間インターバル制度を導入している企業割合は、4.2%となっている。

○ **251**　　　　　　　　　　　　必修基本書……該当ページなし

（令和元年版労働経済白書134頁）本肢のとおりである。正社員について、テレワークの導入状況と働きやすさ・働きにくさとの関係をみると、テレワークが導入されていない場合、働きにくいと感じている者の割合が高い。一方で、テレワークが導入されている場合、テレワークの実施状況と働きやすさ・働きにくさとの関係をみると、実施者と未実施者との間で働きやすさに対する満足感に大きな違いは見られなかった。

参考

選択式問題・解答

1 雇用保険法

次の文中の□□□の部分を選択肢の中の最も適切な語句で埋め、完全な文章とせよ。

1 雇用保険法第37条の3第1項本文は、「高年齢求職者給付金は、高年齢被保険者が失業した場合において、離職の日以前1年間（当該期間に疾病、負傷その他厚生労働省令で定める理由により引き続き30日以上賃金の支払を受けることができなかった高年齢被保険者である被保険者については、当該理由により賃金の支払を受けることができなかった日数を1年に加算した期間（その期間が4年を超えるときは、4年間））に、第14条の規定による被保険者期間が通算して□ A □以上であったときに、次条に定めるところにより、支給する。」と規定している。

2 雇用保険法附則第11条の2第3項は、「教育訓練支援給付金の額は、第17条に規定する賃金日額（以下この項において単に「賃金日額」という。）に100分の50（2,460円以上4,920円未満の賃金日額（その額が第18条の規定により変更されたときは、その変更された額）については100分の80、4,920円以上12,910円以下の賃金日額（その額が第18条の規定により変更されたときは、その変更された額）については100分の80から100分の50までの範囲で、賃金日額の逓増に応じ、逓減するように厚生労働省令で定める率）を乗じて得た金額に□ B □を乗じて得た額とする。」と規定している。

3 雇用保険法第10条の3第1項は、「失業等給付の支給を受けることができる者が死亡した場合において、その者に支給されるべき失業等給付でまだ支給されていないものがあるときは、その者の配偶者（婚姻の届出をしていないが、事実上婚姻関係と同様の事情にあった者を含む。）、□ C □は、自己の名で、その未支給の失業等給付の支給を請求することができる。」と規定している。

4 雇用保険法第50条第1項は、「日雇労働求職者給付金は、日雇労働被保険者が失業した日の属する月における失業の認定を受けた日について、その月の前2月間に、その者について納付されている印紙保険料が通算して□ D □日分以下であるときは、通算して□ E □日分を限度として支給し、その者について納付されている印紙保険料が通算して□ D □日分を超えているときは、通算して、□ D □日分を超える4日分ごとに1日を□ E □日に加えて得た日数分を限度として支給する。ただし、その月において通算して17日分を超えては支給しない。」と規定している。

┌─ 選択肢 ─────────────────────────────────────
│ ① 10分の30   ② 100分の40   ③ 100分の80
│ ④ 100分の60   ⑤ 10   ⑥ 11
│ ⑦ 12   ⑧ 13   ⑨ 20   ⑩ 28   ⑪ 30   ⑫ 31
│ ⑬ 3箇月   ⑭ 4箇月   ⑮ 6箇月   ⑯ 12箇月
│ ⑰ 子、父母、孫、祖父母又は兄弟姉妹
│ ⑱ 子、父母、孫、祖父母又は兄弟姉妹であって、その者の死亡の当時その者と
│   生計を同じくしていたもの
│ ⑲ 子、父母、孫、祖父母又はその者の死亡の当時その者と生計を同じくしてい
│   た兄弟姉妹
│ ⑳ 子、父母又はその者の死亡の当時その者と生計を同じくしていた孫、祖父母
│   若しくは兄弟姉妹
└───

【解答】

A　⑮　6箇月　（法37条の3第1項）

B　④　100分の60　（法附則11条の2第3項）

C　⑱　子、父母、孫、祖父母又は兄弟姉妹であって、その者の死亡の当時その
　　　　者と生計を同じくしていたもの　（法10条の3第1項）

D　⑩　28　（法50条1項）

E　⑧　13　（法50条1項）

選択式

❶ 雇用保険法

次の文中の◻◻◻の部分を選択肢の中の最も適切な語句で埋め、完全な文章とせよ。

1 雇用保険法第1条は、「雇用保険は、労働者が失業した場合及び労働者について雇用の継続が困難となる事由が生じた場合に必要な給付を行うほか、労働者が自ら職業に関する教育訓練を受けた場合並びに労働者が子を養育するための休業及び所定労働時間を短縮することによる就業をした場合に必要な給付を行うことにより、労働者の　A　を図るとともに、　B　を容易にする等その就職を促進し、あわせて、労働者の職業の安定に資するため、失業の予防、雇用状態の是正及び雇用機会の増大、労働者の能力の開発及び向上その他労働者の　C　を図ることを目的とする。」と規定している。

2 雇用保険法第58条第2項は、「移転費の額は、　D　の移転に通常要する費用を考慮して、厚生労働省令で定める。」と規定している。

3 雇用保険法第25条第1項の措置が決定された場合には、国庫は、　E　を受ける者に係る求職者給付に要する費用の3分の1（同法第66条第1項第1号ロに掲げる場合は30分の1）を負担する。

選択肢
① 求職活動
② 訓練延長給付
③ 経済的社会的地位の向上
④ 広域延長給付
⑤ 雇用の安定
⑥ 雇用の促進
⑦ 受給資格者
⑧ 受給資格者等
⑨ 受給資格者等及びその者により生計を維持されている同居の親族
⑩ 受給資格者等及び同居の親族
⑪ 職業訓練の実施
⑫ 職業生活の設計
⑬ 職業の選択
⑭ 生活の安定
⑮ 生活及び雇用の安定
⑯ 全国延長給付
⑰ 全国延長給付及び訓練延長給付
⑱ 地位の向上
⑲ 福祉の増進
⑳ 保護

【解答】

A ⑮ 生活及び雇用の安定 （法1条）

B ① 求職活動 （法1条）

C ⑲ 福祉の増進 （法1条）

D ⑨ 受給資格者等及びその者により生計を維持されている同居の親族 （法58条2項）

E ④ 広域延長給付 （法67条）

選択式

❶ 雇用保険法

次の文中の　　　　の部分を選択肢の中の最も適切な語句で埋め、完全な文章とせよ。

1　未支給の基本手当の請求手続に関する雇用保険法第31条第1項は、「第10条の3第1項の規定により、受給資格者が死亡したため失業の認定を受けることができなかった期間に係る基本手当の支給を請求する者は、厚生労働省令で定めるところにより、当該受給資格者について　A　の認定を受けなければならない。」と規定している。

2　雇用保険法第43条第2項は、「日雇労働被保険者が前　B　の各月において　C　以上同一の事業主の適用事業に雇用された場合又は同一の事業主の適用事業に継続して31日以上雇用された場合において、厚生労働省令で定めるところにより公共職業安定所長の認可を受けたときは、その者は、引き続き、日雇労働被保険者となることができる。」と規定している。

3　雇用保険法第64条の2は、「雇用安定事業及び能力開発事業は、被保険者等の　D　を図るため、　E　の向上に資するものとなるよう留意しつつ、行われるものとする。」と規定している。

選択肢

A	① 失　業		② 死　亡	
	③ 未支給給付請求者		④ 未支給の基本手当支給	
B	① 2　月	② 3　月	③ 4　月	④ 6　月
C	① 11　日	② 16　日	③ 18　日	④ 20　日
D	① 雇用及び生活の安定		② 職業生活の安定	
	③ 職業の安定		④ 生活の安定	
E	① 経済的社会的地位		② 地　位	
	③ 労働条件		④ 労働生産性	

【解答】

A　①　失業　（法31条1項）

B　①　2月　（法43条2項）

C　③　18日　（法43条2項）

D　③　職業の安定　（法64条の2）

E　④　労働生産性　（法64条の2）

選択式

❶ 雇用保険法

次の文中の　　　の部分を選択肢の中の最も適切な語句で埋め、完全な文章とせよ。

1　雇用保険法第14条第1項は、「被保険者期間は、被保険者であった期間のうち、当該被保険者でなくなった日又は各月においてその日に応当し、かつ、当該被保険者であった期間内にある日（その日に応当する日がない月においては、その月の末日。以下この項において「喪失応当日」という。）の各前日から各前月の喪失応当日までさかのぼった各期間（賃金の支払の基礎となった日数が11日以上であるものに限る。）を1箇月として計算し、その他の期間は、被保険者期間に算入しない。ただし、当該被保険者となった日からその日後における最初の喪失応当日の前日までの期間の日数が　A　以上であり、かつ、当該期間内における賃金の支払の基礎となった日数が　B　以上であるときは、当該期間を　C　の被保険者期間として計算する。」と規定している。

2　雇用保険法第61条の2第1項は、「高年齢再就職給付金は、受給資格者（その受給資格に係る離職の日における第22条第3項の規定による算定基礎期間が　D　以上あり、かつ、当該受給資格に基づく基本手当の支給を受けたことがある者に限る。）が60歳に達した日以後安定した職業に就くことにより被保険者となった場合において、当該被保険者に対し再就職後の支給対象月に支払われた賃金の額が、当該基本手当の日額の算定の基礎となった賃金日額に30を乗じて得た額の100分の75に相当する額を下るに至ったときに、当該再就職後の支給対象月について支給する。ただし、次の各号のいずれかに該当するときは、この限りでない。

一　当該職業に就いた日（次項において「就職日」という。）の前日における支給残日数が、　E　未満であるとき。

二　当該再就職後の支給対象月に支払われた賃金の額が、支給限度額以上であるとき。」と規定している。

┌ 選択肢 ─────────────────────────────
① 8日　　　　② 9日　　　　③ 10日　　　　④ 11日
⑤ 15日　　　⑥ 16日　　　⑦ 18日　　　　⑧ 20日
⑨ 60日　　　⑩ 90日　　　⑪ 100日　　　⑫ 120日
⑬ 4分の1箇月　⑭ 3分の1箇月　⑮ 2分の1箇月　⑯ 1箇月
⑰ 3年　　　　⑱ 4年　　　　⑲ 5年　　　　⑳ 6年
└─────────────────────────────────

【解答】

A ⑤ 15日 （法14条1項）

B ④ 11日 （法14条1項）

C ⑮ 2分の1箇月 （法14条1項）

D ⑲ 5年 （法61条の2第1項）

E ⑪ 100日 （法61条の2第1項）

選択式

❶ 雇用保険法

　次の文中の￢□□の部分を選択肢の中の最も適切な語句で埋め、完全な文章とせよ。

1　雇用保険法第21条は、「基本手当は、受給資格者が当該基本手当の受給資格に係る離職後最初に公共職業安定所に求職の申込みをした日以後において、失業している日（　A　のため職業に就くことができない日を含む。）が　B　に満たない間は、支給しない。」と規定している。

2　育児休業給付金は、被保険者（短期雇用特例被保険者及び日雇労働被保険者を除く。）が、育児休業をした場合において、当該育児休業（当該子について2回以上の育児休業をした場合にあっては、初回の育児休業とする。以下同じ。）　C　前2年間（当該育児休業　C　前2年間に疾病、負傷その他厚生労働省令で定める理由により　D　賃金の支払を受けることができなかった被保険者については、当該理由により賃金の支払を受けることができなかった日数を2年に加算した期間（その期間が4年を超えるときは、4年間））に、みなし被保険者期間が　E　以上であったときに、支給単位期間について支給する。

選択肢

①　を開始する予定の日	②　を開始した日
③　を事業主に申し出た日	④　激甚災害その他の災害
⑤　疾病又は負傷	⑥　心身の障害
⑦　通算して7日	⑧　通算して10日
⑨　通算して20日	⑩　通算して30日
⑪　通算して6箇月	⑫　通算して12箇月
⑬　引き続き7日	⑭　引き続き10日
⑮　引き続き20日	⑯　引き続き30日
⑰　引き続き6箇月	⑱　引き続き12箇月
⑲　の申出が事業主に到達した日	⑳　妊娠、出産又は育児

【解答】

A ⑤ 疾病又は負傷 （法21条）

B ⑦ 通算して7日 （法21条）

C ② を開始した日 （法61条の7）

D ⑯ 引き続き30日 （法61条の7）

E ⑫ 通算して12箇月 （法61条の7）

選択式

❶ 雇用保険法

次の文中の□□□□の部分を選択肢の中の適当な語句で埋め、完全な文章とせよ。

1　雇用保険法の適用について、1週間の所定労働時間が□A□であり、同一の事業主の適用事業に継続して□B□雇用されることが見込まれる場合には、同法第6条第3号に規定する季節的に雇用される者、同条第4号に規定する学生又は生徒、同条第5号に規定する船員、同条第6号に規定する国、都道府県、市町村その他これらに準ずるものの事業に雇用される者を除き、パートタイマー、アルバイト、嘱託、契約社員、派遣労働者等の呼称や雇用形態の如何にかかわらず被保険者となる。

2　事業主は、雇用保険法第7条の規定により、その雇用する労働者が当該事業主の行う適用事業に係る被保険者となったことについて、当該事実のあった日の属する月の翌月□C□日までに、雇用保険被保険者資格取得届をその事業所の所在地を管轄する□D□に提出しなければならない。

　雇用保険法第38条に規定する短期雇用特例被保険者については、□E□か月以内の期間を定めて季節的に雇用される者が、その定められた期間を超えて引き続き同一の事業主に雇用されるに至ったときは、その定められた期間を超えた日から被保険者資格を取得する。ただし、当初定められた期間を超えて引き続き雇用される場合であっても、当初の期間と新たに予定された雇用期間が通算して□E□か月を超えない場合には、被保険者資格を取得しない。

```
┌ 選択肢 ─────────────────────────────────┐
│ ①  1            ②  4            ③  6                      │
│ ④  10           ⑤  12           ⑥  15                     │
│ ⑦  20           ⑧  30           ⑨  20時間以上             │
│ ⑩  21時間以上    ⑪  30時間以上    ⑫  31時間以上            │
│ ⑬  28日以上      ⑭  29日以上      ⑮  30日以上             │
│ ⑯  31日以上      ⑰  公共職業安定所長                      │
│ ⑱  公共職業安定所長又は都道府県労働局長                    │
│ ⑲  都道府県労働局長      ⑳  労働基準監督署長               │
└─────────────────────────────────────┘
```

【解答】

A ⑨ 20時間以上 （法6条）

B ⑯ 31日以上 （法6条）

C ④ 10 （法7条、則6条1項）

D ⑰ 公共職業安定所長 （法7条、則6条1項）

E ② 4 （法6条、行政手引20555）

次の文中の ⬜⬜⬜ の部分を選択肢の中の最も適切な語句で埋め、完全な文章とせよ。なお、本問における認定対象期間とは、基本手当に係る失業の認定日において、原則として前回の認定日から今回の認定日の前日までの期間をいい、雇用保険法第32条の給付制限の対象となっている期間を含む。

1 被保険者期間の算定対象期間は、原則として、離職の日以前2年間（受給資格に係る離職理由が特定理由離職者又は特定受給資格者に該当する場合は2年間又は ⬜A⬜ ）（以下「原則算定対象期間」という。）であるが、当該期間に疾病、負傷その他一定の理由により引き続き ⬜B⬜ 日以上賃金の支払を受けることができなかった被保険者については、当該理由により賃金の支払を受けることができなかった日数を原則算定対象期間に加算した期間について被保険者期間を計算する。

2 被保険者が自己の責めに帰すべき重大な理由によって解雇され、又は正当な理由がなく自己の都合によって退職した場合における給付制限（給付制限期間が1か月となる場合を除く。）満了後の初回支給認定日（基本手当の支給に係る最初の失業の認定日をいう。）以外の認定日について、例えば、次のいずれかに該当する場合には、認定対象期間中に求職活動を行った実績が ⬜C⬜ 回以上あれば、当該認定対象期間に属する、他に不認定となる事由がある日以外の各日について失業の認定が行われる。

イ 雇用保険法第22条第2項に規定する厚生労働省令で定める理由により就職が困難な者である場合

ロ 認定対象期間の日数が14日未満となる場合

ハ ⬜D⬜ を行った場合

ニ ⬜E⬜ における失業の認定及び市町村長の取次ぎによる失業の認定を行う場合

選択肢

A				
	①	1年間	②	1年と30日間
	③	3年間	④	4年間
B	①	14	②	20
	③	28	④	30
C	①	1	②	2
	③	3	④	4
D	①	求人情報の閲覧	②	求人への応募書類の郵送
	③	職業紹介機関への登録	④	知人への紹介依頼
E	①	巡回職業相談所	②	都道府県労働局
	③	年金事務所	④	労働基準監督署

【解答】

A　①　1年間　（法13条）

B　④　30　（法13条）

C　①　1　（行政手引51254）

D　②　求人への応募書類の郵送　（行政手引51254）

E　①　巡回職業相談所　（行政手引51254）

選択式

❶ 雇用保険法

次の文中の　　　の部分を選択肢の中の適当な語句で埋め、完全な文章とせよ。

1　雇用保険法第13条の算定対象期間において、完全な賃金月が例えば12ある
　　ときは、　A　に支払われた賃金（臨時に支払われる賃金及び3か月を超える
　　期間ごとに支払われる賃金を除く。）の総額を180で除して得た額を賃金日額と
　　するのが原則である。賃金日額の算定は　B　に基づいて行われるが、同法第
　　17条第4項によって賃金日額の最低限度額及び最高限度額が規定されているた
　　め、算定した賃金日額が2,500円のときの基本手当日額は　C　となる。
　　　なお、同法第18条第1項、第2項の規定による賃金日額の最低限度額（自動
　　変更対象額）は2,790円、同法同条第3項の規定による最低賃金日額は2,869
　　円とする。

2　雇用保険法第60条の2に規定する教育訓練給付金に関して、具体例で確認す
　　れば、平成25年中に教育訓練給付金を受給した者が、次のアからエまでの時系
　　列において、いずれかの離職期間中に開始した教育訓練について一般教育訓練
　　に係る給付金の支給を希望するとき、平成26年以降で最も早く支給要件期間を
　　満たす離職の日は　D　である。ただし、同条第5項及び同法施行規則第101
　　条の2の9において、教育訓練給付金の額として算定された額が　E　ときは、
　　同給付金は支給しないと規定されている。

　ア　平成26年6月1日に新たにA社に就職し一般被保険者として就労したが、
　　　平成28年7月31日にA社を離職した。このときの離職により基本手当を受給
　　　した。

　イ　平成29年9月1日に新たにB社へ就職し一般被保険者として就労したが、
　　　平成30年9月30日にB社を離職した。このときの離職により基本手当を受給
　　　した。

　ウ　令和元年6月1日にB社へ再度就職し一般被保険者として就労したが、令和
　　　3年8月31日にB社を離職した。このときの離職では基本手当を受給しなかっ
　　　た。

　エ　令和4年6月1日にB社へ再度就職し一般被保険者として就労したが、令和
　　　5年7月31日にB社を離職した。このときの離職では基本手当を受給しなかっ
　　　た。

選択肢

A	① 最後の完全な6賃金月	② 最初の完全な6賃金月
	③ 中間の完全な6賃金月	④ 任意の完全な6賃金月
B	① 雇用保険被保険者資格取得届	② 雇用保険被保険者資格喪失届
	③ 雇用保険被保険者証	④ 雇用保険被保険者離職票
C	① 1,395円	② 1,434円
	③ 2,232円	④ 2,295円
D	① 平成28年7月31日	② 平成30年9月30日
	③ 令和3年8月31日	④ 令和5年7月31日
E	① 2,000円を超えない	② 2,000円を超える
	③ 4,000円を超えない	④ 4,000円を超える

【解答】

A　①　最後の完全な6賃金月　（行政手引50451）

B　④　雇用保険被保険者離職票　（行政手引50601）

C　④　2,295円　（法16条、行政手引50616）

D　③　令和3年8月31日　（則101条の2の5）

E　③　4,000円を超えない　（則101条の2の9）

選択式

❶ 雇用保険法

次の文中の□□□の部分を選択肢の中の適当な語句で埋め、完全な文章とせよ。

1　技能習得手当は、受給資格者が公共職業安定所長の指示した公共職業訓練等を受ける場合に、その公共職業訓練等を受ける期間について支給する。技能習得手当は、受講手当及び└ A ┘とする。受講手当は、受給資格者が公共職業安定所長の指示した公共職業訓練等を受けた日（基本手当の支給の対象となる日（雇用保険法第19条第1項の規定により基本手当が支給されないこととなる日を含む。）に限る。）について、└ B ┘分を限度として支給するものとする。

2　雇用保険法第45条において、日雇労働求職者給付金は、日雇労働被保険者が失業した場合において、その失業の日の属する月の前2月間に、その者について、労働保険徴収法第10条第2項第4号の印紙保険料が「└ C ┘分以上納付されているとき」に、他の要件を満たす限り、支給することとされている。また、雇用保険法第53条に規定する特例給付について、同法第54条において「日雇労働求職者給付金の支給を受けることができる期間及び日数は、基礎期間の最後の月の翌月以後4月の期間内の失業している日について、└ D ┘分を限度とする。」とされている。

3　60歳の定年に達した受給資格者であり、かつ、基準日において雇用保険法第22条第2項に規定する就職が困難なものに該当しない者が、定年に達したことを機に令和4年3月31日に離職し、同年5月30日に6か月間求職の申込みをしないことを希望する旨を管轄公共職業安定所長に申し出て受給期間の延長が認められた後、同年8月1日から同年10月31日まで疾病により引き続き職業に就くことができなかった場合、管轄公共職業安定所長にその旨を申し出ることにより受給期間の延長は令和5年└ E ┘まで認められる。

┌─ 選択肢 ─────────────────────────────┐
① 7月31日　　② 9月30日　　③ 10月31日　　④ 12月31日
⑤ 30日　　　⑥ 40日　　　⑦ 50日　　　⑧ 60日
⑨ 移転費　　⑩ 各月13日　　⑪ 各月15日　　⑫ 各月26日
⑬ 各月30日　　　　　　　⑭ 寄宿手当
⑮ 教育訓練給付金　　　　　⑯ 通算して26日
⑰ 通算して30日　　　　　⑱ 通算して52日
⑲ 通算して60日　　　　　⑳ 通所手当
└─────────────────────────────────┘

【解答】
A　⑳　通所手当　（則56条）
B　⑥　40日　（則57条）
C　⑯　通算して26日　（法45条）
D　⑲　通算して60日　（法54条）
E　③　10月31日　（法20条1項・2項）

選択式

❶ 雇用保険法

次の文中の□□□の部分を選択肢の中の適当な語句で埋め、完全な文章とせよ。

1　被保険者が　A　、厚生労働省令で定めるところにより出生時育児休業をし、当該被保険者が雇用保険法第61条の8に規定する出生時育児休業給付金の支給を受けたことがある場合において、当該被保険者が同一の子について3回以上の出生時育児休業をしたとき、　B　回目までの出生時育児休業について出生時育児休業給付金が支給される。また、同一の子について当該被保険者がした出生時育児休業ごとに、当該出生時育児休業を開始した日から当該出生時育児休業を終了した日までの日数を合算して得た日数が　C　日に達した日後の出生時育児休業については、出生時育児休業給付金が支給されない。

2　被保険者が雇用されていた適用事業所が、激甚災害法第2条の規定による激甚災害の被害を受けたことにより、やむを得ず、事業を休止し、若しくは廃止したことによって離職を余儀なくされた者又は同法第25条第3項の規定により離職したものとみなされた者であって、職業に就くことが特に困難な地域として厚生労働大臣が指定する地域内に居住する者が、基本手当の所定給付日数を超えて受給することができる個別延長給付の日数は、雇用保険法第24条の2により　D　日（所定給付日数が雇用保険法第23条第1項第2号イ又は第3号イに該当する受給資格者である場合を除く。）を限度とする。

3　令和4年3月31日以降に就労していなかった者が、令和6年4月1日に65歳に達し、同年7月1日にX社に就職して1週当たり18時間勤務することとなった後、同年10月1日に季節的事業を営むY社に就職して1週当たり12時間勤務し二つの雇用関係を有するに至り、雇用保険法第37条の5第1項に基づく特例高年齢被保険者となることの申出をしていない場合、同年12月1日時点において当該者は　E　となる。

選択肢

A	① 一般被保険者であるときのみ	
	② 一般被保険者又は高年齢被保険者であるとき	
	③ 一般被保険者又は短期雇用特例被保険者であるとき	
	④ 一般被保険者又は日雇労働被保険者であるとき	
B	① 1	② 2
	③ 3	④ 4
C	① 14	② 21
	③ 28	④ 30
D	① 30	② 60
	③ 90	④ 120
E	① 一般被保険者	② 高年齢被保険者
	③ 雇用保険法の適用除外	④ 短期雇用特例被保険者

【解答】

A ② 一般被保険者又は高年齢被保険者であるとき （法61条の8第1項・2項）

B ② 2 （法61条の8第1項・2項）

C ③ 28 （法61条の8第1項・2項）

D ④ 120 （法24条の2第1項2号）

E ③ 雇用保険法の適用除外 （法6条1号、法37条の5第2項、法38条1項2号及び行政手引1090ほか）

次の文中の ☐☐☐ の部分を選択肢の中の最も適切な語句で埋め、完全な文章とせよ。

1　政府は、平成17年度から「中高年者縦断調査（厚生労働省）」を毎年実施している。この調査は団塊の世代を含む全国の中高年世代の男女を追跡して調査しており、高齢者対策等厚生労働行政施策の企画立案、実施等のための基礎資料を得ることを目的としている。平成17年10月末現在で50〜59歳であった全国の男女約4万人を対象として開始され、前回調査又は前々回調査に回答した人に調査票を送るという形式で続けられている。このような調査形式によって得られたデータを ☐ A ☐ データという。

　　第1回調査から第9回調査までの就業状況の変化をみると、「正規の職員・従業員」は、第1回37.9％から第9回12.6％と減少している。「自営業主、家族従事者」と「パート・アルバイト」は、第1回から第9回にかけて、☐ B ☐。

2　近年、両立支援やワーク・ライフ・バランスの取組の中で、仕事と介護の両立が重要な課題になっている。「平成25年雇用動向調査（厚生労働省）」で、介護を理由とした離職率（一般労働者とパートタイム労働者の合計）を年齢階級別にみると、男性では55〜59歳と65歳以上層が最も高くなっており、女性では ☐ C ☐ 歳層が最も高くなっている。仕事と介護を両立させるには、自社の従業員が要介護者を抱えているかどうかを把握する必要があるが、「仕事と介護の両立に関する企業アンケート調査（平成24年度厚生労働省）」によると、その方法として最もよく使われているのは ☐ D ☐ である。

3　我が国の就業・不就業の実態を調べた「就業構造基本調査（総務省）」をみると、平成24年の男性の年齢別有業率は、すべての年齢階級で低下した。同年の女性については、M字カーブの底が平成19年に比べて ☐ E ☐。

選択肢

A	① クロスセクション	② サンプル
	③ タイムシリーズ	④ パネル
B	① 10ポイント以上減少した	② 10ポイント以上増加した
	③ ほぼ半減した	④ ほぼ横ばいで推移している
C	① 45～49　②　50～54　③　55～59　④　60～64	
D	① 自己申告制度やキャリア・ディベロップメント・プログラム等	
	② 仕事と介護の両立に関する従業員アンケート	
	③ 人事・総務担当部署等が実施する面談	
	④ 直属の上司による面談等	
E	① 25～29歳から30～34歳に移行した	
	② 30～34歳から35～39歳に移行した	
	③ 30～34歳で変化しなかった	
	④ 35～39歳で変化しなかった	

【解答】

A　④　パネル　（第9回中高年者縦断調査ほか）

B　④　ほぼ横ばいで推移している　（第9回中高年者縦断調査）

C　①　45～49　（平成25年雇用動向調査）

D　④　直属の上司による面談等　（平成24年仕事と介護の両立に関する企業アンケート調査）

E　②　30～34歳から35～39歳に移行した　（平成24年就業構造基本調査）

次の文中の□□の部分を選択肢の中の最も適切な語句で埋め、完全な文章とせよ。

1 「平成23年就労条件総合調査（厚生労働省）」によると、現金給与額が労働費用総額に占める割合は約 A である。次に、法定福利費に注目して、現金給与以外の労働費用に占める法定福利費の割合は平成10年以降上昇傾向にあり、平成23年調査では約 B になった。法定福利費の中で最も大きな割合を占めているのが C である。

2 政府は、毎年6月30日現在における労働組合数と労働組合員数を調査し、労働組合組織率を発表している。この組織率は、通常、推定組織率と言われるが、その理由は、組織率算定の分母となる雇用労働者数として「 D 」の結果を用いているからである。

労働組合の組織及び活動の実態等を明らかにするために実施されている「平成25年労働組合活動等に関する実態調査（厚生労働省）」によると、組合活動の重要課題として、組織拡大に「取り組んでいる」と回答した単位労働組合の割合は、 E になっている。

選択肢

A	① 2割	② 4割	③ 5割	④ 8割
B	① 3割	② 6割	③ 7割	④ 9割
C	① 健康保険料・介護保険料		② 厚生年金保険料	
	③ 児童手当拠出金		④ 労働保険料	
D	① 雇用動向調査		② 賃金構造基本統計調査	
	③ 毎月勤労統計調査		④ 労働力調査	
E	① 約4分の1	② 約3分の1	③ 約半数	④ 約3分の2

【解答】

A ④ 8割 （平成23年就労条件総合調査）

B ② 6割 （平成23年就労条件総合調査）

C ② 厚生年金保険料 （平成23年就労条件総合調査）

D ④ 労働力調査 （労働組合基礎調査結果の概況）

E ② 約3分の1 （平成25年労働組合活動等に関する実態調査）

選
択
式

❷ 労務管理その他の労働に関する一般常識

次の文中の ☐☐☐ の部分を選択肢の中の最も適切な語句で埋め、完全な文章とせよ。※

1 「平成28年度能力開発基本調査（厚生労働省）」をみると、能力開発や人材育成に関して何らかの「問題がある」とする事業所は ☐ A ☐ である。能力開発や人材育成に関して何らかの「問題がある」とする事業所のうち、問題点の内訳については、「☐ B ☐」、「人材育成を行う時間がない」、「人材を育成しても辞めてしまう」が上位3つを占めている。正社員の自己啓発に対して支援を行っている事業所は ☐ C ☐ である。

2 労働施策推進法に基づく外国人雇用状況の届出制度は、外国人労働者（特別永住者、在留資格「外交」・「公用」の者を除く。）の雇用管理の改善や再就職支援などを目的とし、☐ D ☐ の事業主に、外国人労働者の雇入れ・離職時に、氏名、在留資格、在留期間などを確認し、厚生労働大臣（ハローワーク）へ届け出ることを義務付けている。平成28年10月末現在の「「外国人雇用状況」の届出状況まとめ（厚生労働省）」をみると、国籍別に最も多い外国人労働者は中国であり、☐ E ☐、フィリピンがそれに続いている。

選択肢

A	①	約3割	②	約5割	③	約7割	④	約9割
B	①	育成を行うための金銭的余裕がない						
	②	鍛えがいのある人材が集まらない						
	③	指導する人材が不足している						
	④	適切な教育訓練機関がない						
C	①	約2割	②	約4割	③	約6割	④	約8割
D	①	従業員数51人以上			②	従業員数101人以上		
	③	従業員数301人以上			④	すべて		
E	①	ネパール	②	ブラジル	③	ベトナム	④	ペルー

【解答】

A　③　約7割　（平成28年度能力開発基本調査）

B　③　指導する人材が不足している　（平成28年度能力開発基本調査）

C　④　約8割　（平成28年度能力開発基本調査）

D　④　すべて　（労働施策推進法28条1項ほか）

E　③　ベトナム　（「外国人雇用状況」の届出状況まとめ）

※「労働施策の総合的な推進並びに労働者の雇用の安定及び職業生活の充実等に関する法律（本問においては、「労働施策総合推進法」）」は、出題当時は「雇用対策法」という名称であったが、平成30年7月6日公布の「働き方改革を推進するための関係法律の整備に関する法律」により、その名称改正等の改正が施行された。

選択式

❷ 労務管理その他の労働に関する一般常識

次の文中の ☐☐☐ の部分を選択肢の中の最も適切な語句で埋め、完全な文章とせよ。

日本社会において、労働環境に大きな影響を与える問題の一つに少子高齢化がある。

厚生労働省の「人口動態統計」をみると、日本の合計特殊出生率は、2005年に ☐ A ☐ に低下し、第二次世界大戦後最低の水準になった。2015年の合計特殊出生率を都道府県別にみると、最も低いのは ☐ B ☐ であり、最も高いのは沖縄県になっている。

出生率を上げるには、女性が働きながら子どもを産み育てられるようになることが重要な条件の一つである。それを実現するための一施策として、☐ C ☐ が施行され、同法に基づいて、2011年4月からは、常時雇用する労働者が ☐ D ☐ 以上の企業に一般事業主行動計画の策定が義務化されている。

少子化と同時に進行しているのが高齢化である。日本の人口に占める65歳以上の割合は、2016年に27.3%になり、今後も急速に上昇していくと予想されている。総務省の人口統計では、15歳から64歳の層を ☐ E ☐ というが、この年齢層が65歳以上の人たちを支えるとすると将来的にさらに負担が大きくなると予想されている。

選択肢

① 1.16   ② 1.26   ③ 1.36   ④ 1.46

⑤ 101人   ⑥ 201人   ⑦ 301人   ⑧ 501人

⑨ 育児介護休業法

⑩ 大阪府

⑪ 子ども・子育て支援法

⑫ 次世代育成支援対策推進法

⑬ 就業人口

⑭ 生産年齢人口

⑮ 男女共同参画社会基本法

⑯ 東京都

⑰ 鳥取県

⑱ 北海道

⑲ 有業人口

⑳ 労働力人口

【解答】

A ② 1.26 （厚生労働省「人口動態統計」）

B ⑯ 東京都 （厚生労働省「人口動態統計」）

C ⑫ 次世代育成支援対策推進法 （次世代育成支援対策推進法附則1条ほか）

D ⑤ 101人 （次世代育成支援対策推進法12条）

E ⑭ 生産年齢人口 （総務省「人口統計」）

選択式

❷ 労務管理その他の労働に関する一般常識

次の文中の ☐☐☐ の部分を選択肢の中の最も適切な語句で埋め、完全な文章とせよ。

1 技能検定とは、働く上で身に付ける、又は必要とされる技能の習得レベルを評価する国家検定制度であり、試験に合格すると ☐ A ☐ と名乗ることができる。日本でのものづくり分野に従事する若者の確保・育成を目的として、☐ B ☐ 歳未満の者が技能検定を受ける際の受検料を一部減額するようになった。

2 女性活躍推進法に基づいて行動計画の策定・届出を行った企業のうち、女性の活躍推進に関する取組の実施状況等が優良な企業は、都道府県労働局への申請により、厚生労働大臣の認定を受けることができる。認定を受けた企業は、厚生労働大臣が定める認定マーク ☐ C ☐ を商品などに付すことができる。

3 我が国の就業・不就業の実態を調べた「就業構造基本調査（総務省）」をみると、平成29年の女性の年齢別有業率は、平成24年に比べて ☐ D ☐ した。また、平成29年調査で把握された起業者総数に占める女性の割合は約 ☐ E ☐ 割になっている。

選択肢

① 1 　　　　　　　　　　② 2
③ 3 　　　　　　　　　　④ 4
⑤ 23 　　　　　　　　　⑥ 30
⑦ 35 　　　　　　　　　⑧ 40
⑨ 20歳代以下の層のみ低下 　　⑩ 30歳代と40歳代で低下
⑪ 65歳以上の層のみ上昇 　　　⑫ えるぼし
⑬ 技術士 　　　　　　　⑭ 技能検定士
⑮ 技能士 　　　　　　　⑯ くるみん
⑰ 熟練工 　　　　　　　⑱ すべての年齢階級で上昇
⑲ プラチナくるみん 　　⑳ なでしこ応援企業

【解答】

A ⑮ 技能士 （職業能力開発促進法50条1項）

B ⑤ 23 （平14.6.11厚労告213号ほか）

C ⑫ えるぼし （女性活躍推進法9条ほか）

D ⑱ すべての年齢階級で上昇 （平成29年就業構造基本調査）

E ② 2 （平成29年就業構造基本調査）

次の文中の□□□の部分を選択肢の中の適当な語句で埋め、完全な文章とせよ。

1　我が国の労働の実態を知る上で、政府が発表している統計が有用である。年齢階級別の離職率を知るには　A　、年次有給休暇の取得率を知るには　B　、男性の育児休業取得率を知るには　C　が使われている。

2　労働時間の実態を知るには、　D　や　E　、毎月勤労統計調査がある。
　　　D　と　E　は世帯及びその世帯員を対象として実施される調査であり、毎月勤労統計調査は事業所を対象として実施される調査である。　D　は毎月実施されており、就業状態については、15歳以上人口について、毎月の末日に終わる1週間（ただし、12月は20日から26日までの1週間）の状態を調査している。　E　は、国民の就業の状態を調べるために、昭和57年以降は5年ごとに実施されており、有業者については、1週間当たりの就業時間が調査項目に含まれている。

選択肢

① 家計消費状況調査
② 家計調査
③ 経済センサス
④ 国勢調査
⑤ 国民生活基礎調査
⑥ 雇用均等基本調査
⑦ 雇用動向調査
⑧ 社会生活基本調査
⑨ 就業構造基本調査
⑩ 就労条件総合調査
⑪ 職業紹介事業報告
⑫ 女性活躍推進法への取組状況
⑬ 賃金構造基本統計調査
⑭ 賃金事情等総合調査
⑮ 有期労働契約に関する実態調査
⑯ 労働基準監督年報
⑰ 労働経済動向調査
⑱ 労働経済分析レポート
⑲ 労働保険の徴収適用状況
⑳ 労働力調査

【解答】

A ⑦ 雇用動向調査 （雇用動向調査（厚生労働省））

B ⑩ 就労条件総合調査 （就労条件総合調査（厚生労働省））

C ⑥ 雇用均等基本調査 （雇用均等基本調査（厚生労働省））

D ⑳ 労働力調査 （労働力調査（総務省））

E ⑨ 就業構造基本調査 （就業構造基本調査（総務省））

選択式

❷ 労務管理その他の労働に関する一般常識

次の文中の□□□の部分を選択肢の中の最も適切な語句で埋め、完全な文章とせよ。

1　労働施策総合推進法は、労働者の募集・採用の際に、原則として、年齢制限を禁止しているが、例外事由の一つとして、就職氷河期世代（　A　）の不安定就労者・無業者に限定した募集・採用を可能にしている。

2　生涯現役社会の実現に向けた環境を整備するため、65歳以降の定年延長や66歳以降の継続雇用延長、高年齢者の雇用管理制度の整備や定年年齢未満である高年齢の有期契約労働者の無期雇用への転換を行う事業主に対して、「　B　」を支給している。また、　C　において高年齢退職予定者の情報を登録して、その能力の活用を希望する事業者に対してこれを紹介する高年齢退職予定者キャリア人材バンク事業を実施している。一方、働きたい高年齢求職者の再就職支援のため、全国の主要なハローワークに「生涯現役支援窓口」を設置し、特に65歳以上の高年齢求職者に対して職業生活の再設計に係る支援や支援チームによる就労支援を重点的に行っている。ハローワーク等の紹介により60歳以上の高年齢者等を雇い入れた事業主に対しては、「　D　」を支給し、高年齢者の就職を促進している。既存の企業による雇用の拡大だけでなく、起業によって中高年齢者等の雇用を創出していくことも重要である。そのため、中高年齢者等（　E　）が起業を行う際に、従業員の募集・採用や教育訓練経費の一部を「中途採用等支援助成金（生涯現役起業支援コース）」により助成している。

選択肢

A	① 25歳以上50歳未満	② 30歳以上60歳未満
	③ 35歳以上50歳未満	④ 35歳以上55歳未満
B	① 65歳超雇用推進助成金	② キャリアアップ助成金
	③ 高年齢労働者処遇改善促進助成金	④ 産業雇用安定助成金
C	① （公財）産業雇用安定センター	② 職業能力開発促進センター
	③ 中央職業能力開発協会	④ ハローワーク
D	① 高年齢者雇用継続助成金	② 人材開発支援助成金
	③ 人材確保等支援助成金	④ 特定求職者雇用開発助成金
E	① 40歳以上	② 45歳以上
	③ 50歳以上	④ 55歳以上

【解答】

A　④　35歳以上55歳未満　（労働施策総合推進法9条、同法施行規則1条の3
　　ほか）

B　①　65歳超雇用推進助成金　（令和2年版厚生労働白書254頁）

C　①　（公財）産業雇用安定センター　（令和2年版厚生労働白書254頁）

D　④　特定求職者雇用開発助成金　（令和2年版厚生労働白書254頁）

E　①　40歳以上　（令和2年版厚生労働白書254頁）

次の文中の▢▢▢の部分を選択肢の中の適当な語句で埋め、完全な文章とせよ。

1　全ての事業主は、従業員の一定割合（＝法定雇用率）以上の障害者を雇用することが義務付けられており、これを「障害者雇用率制度」という。現在の民間企業に対する法定雇用率は▢A▢パーセントである。

　　障害者の雇用に関する事業主の社会連帯責任を果たすため、法定雇用率を満たしていない事業主（常用雇用労働者▢B▢の事業主に限る。）から納付金を徴収する一方、障害者を多く雇用している事業主に対しては調整金、報奨金や各種の助成金を支給している。

　　障害者を雇用した事業主は、障害者の職場適応のために、▢C▢による支援を受けることができる。▢C▢には、配置型、訪問型、企業在籍型の3つの形がある。

2　最高裁判所は、期間を定めて雇用される臨時員（上告人）の労働契約期間満了により、使用者（被上告人）が行った雇止めが問題となった事件において、次のように判示した。

　　「(1)上告人は、昭和45年12月1日から同月20日までの期間を定めて被上告人のP工場に雇用され、同月21日以降、期間2か月の本件労働契約が5回更新されて昭和46年10月20日に至った臨時員である。(2)P工場の臨時員制度は、景気変動に伴う受注の変動に応じて雇用量の調整を図る目的で設けられたものであり、臨時員の採用に当たっては、学科試験とか技能試験とかは行わず、面接において健康状態、経歴、趣味、家族構成などを尋ねるのみで採用を決定するという簡易な方法をとっている。(3)被上告人が昭和45年8月から12月までの間に採用したP工場の臨時員90名のうち、翌46年10月20日まで雇用関係が継続した者は、本工採用者を除けば、上告人を含む14名である。(4)P工場においては、臨時員に対し、例外はあるものの、一般的には前作業的要素の作業、単純な作業、精度がさほど重要視されていない作業に従事させる方針をとっており、上告人も比較的簡易な作業に従事していた。(5)被上告人は、臨時員の契約更新に当たっては、更新期間の約1週間前に本人の意思を確認し、

　　当初作成の労働契約書の「4雇用期間」欄に順次雇用期間を記入し、臨時員の印を押捺せしめていた（もっとも、上告人が属する機械組においては、本人の意思が確認されたときは、給料の受領のために預かつてある印章を庶務係が本人に代わって押捺していた。）ものであり、上告人と被上告人との間の5回にわたる本件労働契約の更新は、いずれも期間満了の都度新たな契約を締結する旨

を合意することによってされてきたものである。」「Ｐ工場の臨時員は、季節的労務や特定物の製作のような臨時的作業のために雇用されるものではなく、その雇用関係はある程度の　Ｄ　ものであり、上告人との間においても5回にわたり契約が更新されているのであるから、このような労働者を契約期間満了によって雇止めにするに当たっては、解雇に関する法理が類推され、解雇であれば解雇権の濫用、信義則違反又は不当労働行為などに該当して解雇無効とされるような事実関係の下に使用者が新契約を締結しなかったとするならば、期間満了後における使用者と労働者間の法律関係は　Ｅ　のと同様の法律関係となるものと解せられる。」

選択肢

① 2 　　② 2.3 　　③ 2.5 　　④ 2.6
⑤ 50人超 　⑥ 100人超 　⑦ 200人超 　⑧ 300人超
⑨ 安定性が合意されていた
⑩ 期間の定めのない労働契約が締結された
⑪ 継続が期待されていた 　　⑫ 厳格さが見込まれていた
⑬ 合理的理由が必要とされていた 　⑭ 採用内定通知がなされた
⑮ 従前の労働契約が更新された
⑯ 使用者が労働者に従前と同一の労働条件を内容とする労働契約の申込みをした
⑰ ジョブコーチ 　　⑱ ジョブサポーター
⑲ ジョブマネジャー 　　⑳ ジョブメンター

【解答】

A ③ 2.5 （障害者雇用促進法43条ほか）

B ⑥ 100人超 （障害者雇用促進法53条ほか）

C ⑰ ジョブコーチ （令和3年版厚生労働白書271頁）

D ⑪ 継続が期待されていた （最高裁第一小法廷判決 昭61.12.4 日立メディコ事件）

E ⑮ 従前の労働契約が更新された （最高裁第一小法廷判決 昭61.12.4 日立メディコ事件）

選択式

❷ 労務管理その他の労働に関する一般常識

019 □□□ 難

次の文中の□□□の部分を選択肢の中の適当な語句で埋め、完全な文章とせよ。

1 最高裁判所は、会社から採用内定を受けていた大学卒業予定者に対し、会社が行った採用内定取消は解約権の濫用に当たるか否かが問題となった事件において、次のように判示した。

　大学卒業予定者（被上告人）が、企業（上告人）の求人募集に応募し、その入社試験に合格して採用内定の通知（以下「本件採用内定通知」という。）を受け、企業からの求めに応じて、大学卒業のうえは間違いなく入社する旨及び一定の取消事由があるときは採用内定を取り消されても異存がない旨を記載した誓約書（以下「本件誓約書」という。）を提出し、その後、企業から会社の近況報告その他のパンフレットの送付を受けたり、企業からの指示により近況報告書を送付したなどのことがあり、他方、企業において、「　A　ことを考慮するとき、上告人からの募集（申込みの誘引）に対し、被上告人が応募したのは、労働契約の申込みであり、これに対する上告人からの採用内定通知は、右申込みに対する承諾であつて、被上告人の本件誓約書の提出とあいまつて、これにより、被上告人と上告人との間に、被上告人の就労の始期を昭和44年大学卒業直後とし、それまでの間、本件誓約書記載の5項目の採用内定取消事由に基づく解約権を留保した労働契約が成立したと解するのを相当とした原審の判断は正当であつて、原判決に所論の違法はない。」企業の留保解約権に基づく大学卒業予定者の「採用内定の取消事由は、採用内定当時　B　、これを理由として採用内定を取消すことが解約権留保の趣旨、目的に照らして客観的に合理的と認められ社会通念上相当として是認することができるものに限られると解するのが相当である。」

2 労働者派遣法第35条の3は、「派遣元事業主は、派遣先の事業所その他派遣就業の場所における組織単位ごとの業務について、　C　年を超える期間継続して同一の派遣労働者に係る労働者派遣（第40条の2第1項各号のいずれかに該当するものを除く。）を行つてはならない。」と定めている。

3 最低賃金制度とは、最低賃金法に基づき国が賃金の最低限度を定め、使用者は、その最低賃金額以上の賃金を支払わなければならないとする制度である。仮に最低賃金額より低い賃金を労働者、使用者双方の合意の上で定めても、それは法律によって無効とされ、最低賃金額と同額の定めをしたものとされる。したがって、最低賃金未満の賃金しか支払わなかった場合には、最低賃金額との差額を支払わなくてはならない。また、地域別最低賃金額以上の賃金を支払わな

い場合については、最低賃金法に罰則（50万円以下の罰金）が定められており、特定（産業別）最低賃金額以上の賃金を支払わない場合については、 D の罰則（30万円以下の罰金）が科せられる。

　なお、一般の労働者より著しく労働能力が低いなどの場合に、最低賃金を一律に適用するとかえって雇用機会を狭めるおそれなどがあるため、精神又は身体の障害により著しく労働能力の低い者、試の使用期間中の者等については、使用者が E の許可を受けることを条件として個別に最低賃金の減額の特例が認められている。

選択肢
① 1
② 2
③ 3
④ 5
⑤ 厚生労働省労働基準局長
⑥ 厚生労働大臣
⑦ 知ることができず、また事業の円滑な運営の観点から看過できないような事実であつて
⑧ 知ることができず、また知ることが期待できないような事実であつて
⑨ 知ることができたが、調査の結果を待つていた事実であつて
⑩ 知ることができたが、被上告人が自ら申告しなかつた事実であつて
⑪ 賃金の支払の確保等に関する法律
⑫ 都道府県労働局長
⑬ パートタイム・有期雇用労働法
⑭ 本件採用内定通知に上告人の就業規則を同封していた
⑮ 本件採用内定通知により労働契約が成立したとはいえない旨を記載していなかつた
⑯ 本件採用内定通知の記載に基づいて採用内定式を開催し、制服の採寸及び職務で使用する物品の支給を行つていた
⑰ 本件採用内定通知のほかには労働契約締結のための特段の意思表示をすることが予定されていなかつた
⑱ 労働契約法
⑲ 労働基準監督署長
⑳ 労働基準法

選択式　❷労務管理その他の労働に関する一般常識

【解答】

A　⑰　本件採用内定通知のほかには労働契約締結のための特段の意思表示をす
　　　ることが予定されていなかつた　（最高裁第二小法廷判決 昭54.7.20 大日
　　　本印刷事件）

B　⑧　知ることができず、また知ることが期待できないような事実であつて
　　　（最高裁第二小法廷判決 昭54.7.20 大日本印刷事件）

C　③　3　（労働者派遣法35条の3）

D　⑳　労働基準法　（最低賃金法6条2項、同法40条、労働基準法120条1項）

E　⑫　都道府県労働局長　（最低賃金法7条）

memo

次の文中の ▢▢▢ の部分を選択肢の中の適当な語句で埋め、完全な文章とせよ。なお、2については「令和5年版厚生労働白書（厚生労働省）」を参照しており、当該白書による用語及び統計等を利用している。

1　自動車運転者は、他の産業の労働者に比べて長時間労働の実態にあることから、「自動車運転者の労働時間等の改善のための基準」（平成元年労働省告示第7号。以下「改善基準告示」という。）において、全ての産業に適用される労働基準法では規制が難しい ▢ A ▢ 及び運転時間等の基準を設け、労働条件の改善を図ってきた。こうした中、過労死等の防止の観点から、労働政策審議会において改善基準告示の見直しの検討を行い、2022（令和4）年12月にその改正を行った。

2　総務省統計局「労働力調査（基本集計）」によると、2022（令和4）年の女性の雇用者数は2,765万人で、雇用者総数に占める女性の割合は ▢ B ▢ である。

3　最高裁判所は、労働協約上の基準が一部の点において未組織の同種労働者の労働条件よりも不利益である場合における労働協約の一般的拘束力が問題となった事件において、次のように判示した。「労働協約には、労働組合法17条により、一の工場事業場の4分の3以上の数の労働者が一の労働協約の適用を受けるに至ったときは、当該工場事業場に使用されている他の同種労働者に対しても右労働協約の ▢ C ▢ 的効力が及ぶ旨の一般的拘束力が認められている。ところで、同条の適用に当たっては、右労働協約上の基準が一部の点において未組織の同種労働者の労働条件よりも不利益とみられる場合であっても、そのことだけで右の不利益部分についてはその効力を未組織の同種労働者に対して及ぼし得ないものと解するのは相当でない。けだし、同条は、その文言上、同条に基づき労働協約の ▢ C ▢ 的効力が同種労働者にも及ぶ範囲について何らの限定もしていない上、労働協約の締結に当たっては、その時々の社会的経済的条件を考慮して、総合的に労働条件を定めていくのが通常であるから、その一部をとらえて有利、不利をいうことは適当でないからである。また、右規定の趣旨は、主として一の事業場の4分の3以上の同種労働者に適用される労働協約上の労働条件によって当該事業場の労働条件を統一し、労働組合の団結権の維持強化と当該事業場における公正妥当な労働条件の実現を図ることにあると解されるから、その趣旨からしても、未組織の同種労働者の労働条件が一部有利なものであることの故に、労働協約の ▢ C ▢ 的効力がこれに及ばないとするのは相当でない。

しかしながら他面、未組織労働者は、労働組合の意思決定に関与する立場になく、また逆に、労働組合は、未組織労働者の労働条件を改善し、その他の利益を擁護するために活動する立場にないことからすると、労働協約によって特定の未組織労働者にもたらされる不利益の程度・内容、労働協約が締結されるに至った経緯、当該労働者が労働組合の組合員資格を認められているかどうか等に照らし、当該労働協約を特定の未組織労働者に適用することが　D　と認められる特段の事情があるときは、労働協約の　C　的効力を当該労働者に及ぼすことはできないと解するのが相当である。」

4　男女雇用機会均等法第9条第4項本文は、「妊娠中の女性労働者及び出産後　E　を経過しない女性労働者に対してなされた解雇は、無効とする。」と定めている。

選択肢

① 25.8%　② 35.8%　③ 45.8%　④ 55.8%
⑤ 30日　⑥ 8週間　⑦ 6か月　⑧ 1年
⑨ 著しく不合理である
⑩ 一部の労働者を殊更不利益に取り扱うことを目的としたものである
⑪ 規範
⑫ 客観的に合理的な理由を欠き、社会通念上相当でない
⑬ 強行　⑭ 拘束時間、休息期間
⑮ 拘束時間、総実労働時間　⑯ 債務
⑰ 直律　⑱ 手待時間、休息期間
⑲ 手待時間、総実労働時間
⑳ 労働協約の目的を逸脱したものである

【解答】

A　⑭　拘束時間、休息期間　（令和5年版厚生労働白書177頁）
B　③　45.8%　（労働力調査（基本集計 2022年（令和4年）平均））
C　⑪　規範　（最高裁第三小法廷判決 平8.3.26朝日火災海上保険（高田）事件）
D　⑨　著しく不合理である　（最高裁第三小法廷判決 平8.3.26朝日火災海上保険（高田）事件）
E　⑧　1年　（男女雇用機会均等法9条4項）

本試験問題番号対照表

◆雇用保険法

●令和6年度

問題番号	頁数	備考
R6.1-A	4	
R6.1-B	4	
R6.1-C	8	
R6.1-D	6	
R6.1-E	12	
R6.2-A	−	
R6.2-B	32	
R6.2-C		
R6.2-D	−	
R6.2-E	−	
R6.3-A	76	
R6.3-B	74	
R6.3-C	74	
R6.3-D	76	
R6.3-E	74	
R6.4-A	16	
R6.4-B	16	
R6.4-C	16	
R6.4-D	132	
R6.4-E	16	
R6.5-ア	50	
R6.5-イ	26	
R6.5-ウ	26	
R6.5-エ	126	
R6.5-オ	66	
R6.6-A	108	
R6.6-B	110	
R6.6-C	110	
R6.6-D	102	
R6.6-E	104	
R6.7-A	124	
R6.7-B	124	
R6.7-C	124	
R6.7-D	124	
R6.7-E	−	

●令和5年度

問題番号	頁数	備考
R5.1-A	4	
R5.1-B	6	
R5.1-C	6	
R5.1-D	8	
R5.1-E	8	
R5.2-A	42	
R5.2-B	44	
R5.2-C	40	
R5.2-D	46	
R5.2-E	40	
R5.3-A	48	
R5.3-B	48	
R5.3-C	50	
R5.3-D	50	
R5.3-E	48	
R5.4-A	62	
R5.4-B	60	
R5.4-C	60	
R5.4-D	62	
R5.4-E	60	
R5.5-ア	88	
R5.5-イ	88	
R5.5-ウ	90	
R5.5-エ		
R5.5-オ	90	
R5.6-A	−	
R5.6-B	−	
R5.6-C	−	
R5.6-D	120	
R5.6-E	−	
R5.7-A	96	
R5.7-B	96	
R5.7-C	98	
R5.7-D	96	
R5.7-E	98	

●令和4年度

問題番号	頁数	備考
R4.1-A	78	
R4.1-B	80	
R4.1-C	78	
R4.1-D	80	
R4.1-E	78	
R4.2-A	2	
R4.2-B	18	
R4.2-C	4	
R4.2-D	2	
R4.2-E	2	
R4.3-A	18	
R4.3-B	20	
R4.3-C	14	
R4.3-D	18	
R4.3-E	16	
R4.4-A	−	
R4.4-B	−	
R4.4-C	56	
R4.4-D	−	
R4.4-E	−	
R4.5-A	102	
R4.5-B	104	
R4.5-C	108	
R4.5-D	102	
R4.5-E	108	
R4.6-ア	116	
R4.6-イ	118	
R4.6-ウ	116	
R4.6-エ	118	
R4.6-オ	116	
R4.7-A	136	
R4.7-B	134	
R4.7-C	134	
R4.7-D	134	
R4.7-E	20	

●令和3年度

問題番号	頁数	備考
R 3.1-A	10	
R 3.1-B	10	
R 3.1-C	10	
R 3.1-D	10	
R 3.1-E	10	
R 3.2-A	24	
R 3.2-B	24	
R 3.2-C	26	
R 3.2-D	26	
R 3.2-E	24	
R 3.3-A	122	
R 3.3-B	56	
R 3.3-C	54	
R 3.3-D	54	
R 3.3-E	54	
R 3.4-A	36	
R 3.4-B	34	
R 3.4-C	38	
R 3.4-D	36	
R 3.4-E	36	
R 3.5-A	82	
R 3.5-B	82	
R 3.5-C	82	
R 3.5-D	82	
R 3.5-E	82	
R 3.6-A	96	
R 3.6-B	94	
R 3.6-C	100	
R 3.6-D	100	
R 3.6-E	94	
R 3.7-A	118	
R 3.7-B	120	
R 3.7-C	120	
R 3.7-D	－	
R 3.7-E	118	

●令和2年度

問題番号	頁数	備考
R 2.1-A	136	
R 2.1-B	22	
R 2.1-C	12	
R 2.1-D	14	
R 2.1-E	14	
R 2.2-A	44	
R 2.2-B	38	
R 2.2-C	38	
R 2.2-D	40	
R 2.2-E	44	
R 2.3-A	60	
R 2.3-B	60	
R 2.3-C	62	
R 2.3-D	62	
R 2.3-E	64	
R 2.4-A	72	
R 2.4-B	72	
R 2.4-C	74	
R 2.4-D	72	
R 2.4-E	72	
R 2.5-A	84	
R 2.5-B	66	
R 2.5-C	－	
R 2.5-D	122	
R 2.5-E	110	
R 2.6-A	136	
R 2.6-B	136	
R 2.6-C	134	
R 2.6-D	132	
R 2.6-E	132	
R 2.7-A	128	
R 2.7-B	－	
R 2.7-C	128	
R 2.7-D	128	
R 2.7-E	130	

●令和元年度

問題番号	頁数	備考
R元.1-A	34	
R元.1-B	34	
R元.1-C	34	
R元.1-D	32	
R元.1-E	34	
R元.2-ア	48	
R元.2-イ	46	
R元.2-ウ	48	
R元.2-エ	50	
R元.2-オ	50	
R元.3-A	58	
R元.3-B	40	
R元.3-C	42	
R元.3-D	42	
R元.3-E	132	
R元.4-A	2	
R元.4-B	114	
R元.4-C	96	
R元.4-D	20	
R元.4-E	24	
R元.5-A	86	
R元.5-B	90	
R元.5-C	86	
R元.5-D	86	
R元.5-E	90	
R元.6-A	102	
R元.6-B	106	
R元.6-C	106	
R元.6-D	108	
R元.6-E	110	
R元.7-A	124	
R元.7-B	126	
R元.7-C	126	
R元.7-D	126	
R元.7-E	130	

◆労働保険の保険料の徴収等に関する法律

●令和元年度

問題番号	頁数	備考
R元.災8-A	172	
R元.災8-B	172	
R元.災8-C	176	
R元.災8-D	186	
R元.災8-E	198	
R元.災9-A	178	
R元.災9-B	208	
R元.災9-C	212	
R元.災9-D	210	
R元.災9-E	210	
R元.災10-ア	148	
R元.災10-イ	150	
R元.災10-ウ	152	
R元.災10-エ	156	
R元.災10-オ	148	
R元.雇8-A	236	
R元.雇8-B	238	
R元.雇8-C	238	
R元.雇8-D	240	
R元.雇8-E	238	
R元.雇9-A	246	
R元.雇9-B	248	
R元.雇9-C	246	
R元.雇9-D	248	
R元.雇9-E	250	
R元.雇10-A	242	
R元.雇10-B	262	
R元.雇10-C	140	
R元.雇10-D	258	
R元.雇10-E	260	

●平成30年度

問題番号	頁数	備考
H30.災8-A	168	
H30.災8-B	170	
H30.災8-C	170	
H30.災8-D	160	
H30.災8-E	170	
H30.災9-ア	192	
H30.災9-イ	194	
H30.災9-ウ	194	
H30.災9-エ	204	
H30.災9-オ	190	
H30.災10-A	216	
H30.災10-B	218	
H30.災10-C	216	
H30.災10-D	214	
H30.災10-E	216	
H30.雇8-A	226	
H30.雇8-B	172	
H30.雇8-C	176	
H30.雇8-D	178	
H30.雇8-E	178	
H30.雇9-ア	172	
H30.雇9-イ	210	
H30.雇9-ウ	186	
H30.雇9-エ	196	
H30.雇9-オ	196	
H30.雇10-A	252	
H30.雇10-B	252	
H30.雇10-C	254	
H30.雇10-D	252	
H30.雇10-E	252	

●平成29年度

問題番号	頁数	備考
H29.災8-A	140	
H29.災8-B	140	
H29.災8-C	142	
H29.災8-D	142	
H29.災8-E	140	
H29.災9-A	154	
H29.災9-B	152	
H29.災9-C	152	
H29.災9-D	148	
H29.災9-E	156	
H29.災10-ア	198	
H29.災10-イ	202	
H29.災10-ウ	198	
H29.災10-エ	202	
H29.災10-オ	196	
H29.雇8-ア	242	
H29.雇8-イ	214	
H29.雇8-ウ	210	
H29.雇8-エ	210	
H29.雇8-オ	188	
H29.雇9-A	240	
H29.雇9-B	240	
H29.雇9-C	240	
H29.雇9-D	240	
H29.雇9-E	240	
H29.雇10-A	244	
H29.雇10-B	246	
H29.雇10-C	244	
H29.雇10-D	246	
H29.雇10-E	250	

●平成28年度

問題番号	頁数	備考
H28.1-ア	268	
H28.1-イ	270	
H28.1-ウ	276	
H28.1-エ	278	
H28.1-オ	266	
H28.2-A	312	
H28.2-B	294	
H28.2-C	318	
H28.2-D	306	
H28.2-E	318	
H28.3-A	326	
H28.3-B	336	
H28.3-C	332	
H28.3-D	334	
H28.3-E	338	
H28.4-A	352	
H28.4-B	354	
H28.4-C	354	
H28.4-D	352	
H28.4-E	352	
H28.5-A	362	
H28.5-B	362	
H28.5-C	362	
H28.5-D	364	
H28.5-E	364	

●平成27年度

問題番号	頁数	備考
H27.1-A	266	
H27.1-B	266	
H27.1-C	268	
H27.1-D	278	
H27.1-E	270	
H27.2-A	288	
H27.2-B	268	
H27.2-C	314	
H27.2-D	292	
H27.2-E	284	
H27.3-ア	324	
H27.3-イ	326	
H27.3-ウ	336	
H27.3-エ	336	
H27.3-オ	336	
H27.4-A	348	
H27.4-B	348	
H27.4-C	350	
H27.4-D	350	
H27.4-E	350	
H27.5-A	384	
H27.5-B	384	
H27.5-C	384	
H27.5-D	384	
H27.5-E	386	

◆選択式

●雇用保険法

問題番号	頁数	備考
R6-選択	410	
R5-選択	408	
R4-選択	406	
R3-選択	404	
R2-選択	402	
R元-選択	400	
H30-選択	398	
H29-選択	396	
H28-選択	394	
H27-選択	392	

●労務管理その他の労働に関する一般常識

問題番号	頁数	備考
R6-選択	432	
R5-選択	428	
R4-選択	426	
R3-選択	424	
R2-選択	422	
R元-選択	420	
H30-選択	418	
H29-選択	416	
H28-選択	414	
H27-選択	412	

出る順社労士シリーズ

2025年版 出る順社労士 一問一答過去10年問題集
②雇用保険法・労働保険の保険料の徴収等に関する法律・労務管理その他の労働に関する一般常識

2016年11月15日　第1版　第1刷発行
2024年11月20日　第9版　第1刷発行

編著者●株式会社　東京リーガルマインド
LEC総合研究所　社会保険労務士試験部

発行所●株式会社　東京リーガルマインド
〒164-0001　東京都中野区中野4-11-10
アーバンネット中野ビル
LECコールセンター　☎ 0570-064-464
受付時間　平日9：30～19：30/土・日・祝10：00～18：00
※このナビダイヤルは通話料お客様ご負担となります。
書店様専用受注センター　TEL 048-999-7581 / FAX 048-999-7591
受付時間　平日9：00～17：00/土・日・祝休み
www.lec-jp.com/

印刷・製本●倉敷印刷株式会社

限りなく合格に近い模試が、ここにある。
全日本社労士公開模試

第2回 6/27金 28土 29日　　　**第3回** 7/25金 26土 27日

鍛 え る

仕 上 げ る

本試験前 約2ヵ月

学習内容の確認第1段階

いよいよ佳境にさしかかる時期です。

ここからは基本事項の習熟度を確認すると共に、残ってしまった弱点をあぶり出してください。

残りの2ヶ月間で弱点を克服し万全の体制を整えましょう。

今までのインプットの学習では暗記重視でしたがここからは徹底的なアウトプットの訓練を積んでください。

本試験前 約1ヵ月

学習内容の確認最終段階

本試験まであとわずか…最後の追い込みをかけると共に、最終確認をして仕上げていきます。

また、夜中心に学習を進めてきた人も、本試験は昼間に行われるので、朝・昼型に直す時期でもあります。

本試験の予行演習として会場に足を運び、本番の雰囲気をつかみましょう。

申込3大特典

試験に役立つ学習ツールをお申込みの方全員にプレゼント！

1. ピックアップ 解説動画

解説冊子＋講師の解説で苦手科目の補強をしていきます。

2. 直前チェック ポイント集

超頻出事項を表を中心に整理してあります。

3. 選択式予想 問題

LEC講師陣が選択式問題を徹底予想！

模試解説冊子の巻末に掲載予定
（第1回：労働編、第2回：社会保険編、第3回：一般常識編）

※特典内容・タイトルにつきましては事前の予告なしに変更する場合がございます。予めご了承ください。

大好評

公開模試が、Web（スコアオンライン）でも受験できます！

従来の、「会場受験」「自宅受験（マークシート郵送）」に加えて、「Web（スコアオンライン）」でも受験ができます！スコアオンライン上でマークシートフォームに解答を入力して提出することができ、マークシートを郵送する手間を省くことができます。会場受験の都合がつかなくなった場合にもご活用ください。

※会場受験でお申込の方、自宅受験でお申込の方ともに、Web（スコアオンライン）受験をご利用いただけます。

2025年 合格目標 社 労 士 合 格

2024年**9**月〜

2025年**5**月〜

合格講座本論編 [全57回]

Zoom
通学⇔通信
オールフリー!

改正法 攻略講座 [全2回]

実戦

合格講座本論編　全57回（2.5H／本論編48回＋確認テスト9回）

各科目の修了時に確認テストを実施します。（確認テスト全9回）
■労働基準法　■労働安全衛生法　■労働者災害補償保険法　■雇用保険法　■労働保険徴収法　■労働一般常識
■健康保険法　■国民年金法　■厚生年金保険法　■社会保険一般常識

本論編（2.5H×48回）
社労士試験合格のカギは「理解と記憶」そして「判断」にあります。まずは理解促進のための講義を展開しながらも、記憶にのこるフレーズや覚え方のヒントをどんどん提供していきます。そして本試験でどこが出るのか、何が試されるのか、その選別と判断方法をお伝えします。
その他、単にインプット講義だけではなくアウトプット（演習）も行います。合格のカギは"解答力"と"処理能力"です。これらの力は、アウトプットトレーニングを日頃から行っていなければ養成できるものではありません。インプットが固まってからというのではなく、積極的にトレーニングするため、各科目の終了時に確認テストを行います。インプット内容がどのように出題されるのかを知り"解答力"と"処理能力"を身に付けていきます。

確認テスト（9回）
■労基安衛　■労災　■雇用　■徴収　■労働一般　■健保　■国年　■厚年　■社会一般
各科目ごと演習50分＋解説90分（成績処理はありません）　選択式問題2問＋択一式問題15問
※科目により問題数が変わる場合があります。

改正法攻略講座　全2回（2.5H×2回）

本試験で出題可能性が高い2年分の改正点について、解答力を養成します

横断攻略講座　全2回（2.5H×2回）

各試験科目に共通する項目を、わかりやすく図表で整理して横断的に学習し、違いを本質的に理解しながら、確実な知識を修得します。

白書・統計攻略講座　全2回（2.5H×2回）

本試験で出題の可能性が高い用語や白書・統計情報をチェックします。最新の労働経済白書、厚生労働白書の内容を集約し、試験対策上重要な項目にポイントを絞って、効率よく学習します。

実戦答練〜選択式・択一式〜　全7回（答練50分／解説90分）

社労士受験指導 実績39年のLECが誇る本試験傾向を徹底分析した予想問題を出題！

全日本社労士公開模試　全3回

3回受験で、①本試験に出題される可能性が高い主要論点をカバーできる！②解答力を合格レベルにアップできる！

コース［全73回］

6月 ／ 7月 ／ 8月

横断攻略講座［全2回］

白書・統計攻略講座［全2回］

答練 ～選択式・択一式～［全7回］

全日本社労士公開模試［全3回］

社会保険労務士試験

Message

澤井講師からのメッセージ

社労士試験の合格基準は択一式・選択式それぞれの総合点と各科目の基準点をクリアーすることが必要です。そのためには本論編でしっかりとした知識を取り込み、答案練習や模試のアウトプットにつなげていくことが大切です。通学の方も通信の方も不得意科目をつくらずコンスタントに学習を進めていきましょう。

工藤講師からのメッセージ

社労士試験に合格するためには、乗り越えなければならない大変な困難があります。膨大な条文の理解のみならず時には試験テクニックも必要とされます、仕事や家庭との両立の悩みなど、とても独学で乗り越えられるものではありません。私は皆さんに、学習は苦痛ではなく、知らなかったことが理解できた時の嬉しさを感じて頂き、むしろもっと知りたい!と思う気持ちを伝えたいと思っています。メンタル面も含め、これから私が皆さんのサポーターです!

合格講座ガイダンス動画はこちらから

さらに直前対策を強化したい方向け別売オプション

別売 直前対策強化パック［全8回］

選択式予想講座	全2回（2.5H×2回）
選択式問題の出題傾向を徹底分析⇒必要な知識の解説、解き方のコツを伝授します!	

年金横断講座	全4回（2.5H×4回）
「年金の壁」を乗り越え、得点源にしよう!	

判例マスター講座	全2回（2.5H×2回）
出題可能性の高い重要判例を効率よくかつ丁寧に学習し、得点力を強化します。	

法律のLECだから創ることができた、最強の
2025年 年金キーパー⊕中上級コー

2024年9月〜

年金は、忘れる
前にキープせよ!

中上級講座 [全61回／2.5時間] [リニューアル]

労働編

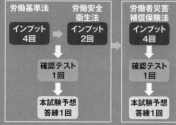

労働基準法	労働安全 衛生法	労働者災害 補償保険法	雇用保険法	労働保険 徴収法
インプット 4回	インプット 2回	インプット 4回	インプット 4回	インプット 2回
確認テスト 1回		確認テスト 1回	確認テスト 1回	確認テスト 1回
本試験予想 答練1回		本試験予想 答練1回	本試験予想 答練1回	本試験予想 答練1回

社会保険編

健康保険法	国民年金法	厚生年金 保険法	社会保険 一般常識	実力確認模試(社保編)
インプット 5回	インプット 5回	インプット 5回	インプット 4回	
確認テスト 1回	確認テスト 1回	確認テスト 1回	確認テスト 1回	
本試験予想 答練1回	本試験予想 答練1回	本試験予想 答練1回	本試験予想 答練1回	1回

[リニューアル]

LEC コース生限定オプション講座で、さらに実力アップ!

レベルアップオプション講座	椛島克彦講師
澤井の厳選!過去問セレクト	澤井清治講師
山下塾 過去10年分 過去問分析と解き方講座	山下良一講師
大野の主要科目過去問特訓ゼミ	大野公一講師
華ちゃんチョイス 過去問ナビ	西園寺華講師
一般常識徹底解説講座	滝則茂講師
早川の過去問ポイント攻略講座	早川秀市講師
吉田の過去問×肢ピックアップ講座	吉田達生講師
実力完成講座OPUSシリーズ	工藤寿年講師

中上級プログラム。狙いは1つ、本試験で合格点を取ること。

ス［全85回］／中上級コース［全77回］

▲詳細はこちら

2025年5月〜　　　　　　　　　　　　　　　　　　　2025年8月

充実の直前対策［全16回］

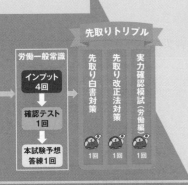

先取りトリプル

労働一般常識
- インプット 4回
- 確認テスト 1回
- 本試験予想答練1回

先取り白書対策	先取り改正法対策	実力確認模試（労働編）
1回	1回	1回

改正法攻略講座	白書・統計攻略講座	横断攻略講座	実戦答練〜選択式・択一式〜	全日本社労士公開模試
全2回 (2.5時間×2)	全2回 (2.5時間×2)	全2回 (2.5時間×2)	全7回 (答練50分/解説90分)	全3回

☑ 科目毎の確認テストと本試験予想答練で
　アウトプット力を鍛える

☑ 始めからの科目間横断学習で
　効率的な総復習

☑ 先取りトリプルで、知識を先取りし、
　直前期の詰め込みを回避！

☑ 実力確認模試（労働編・社保編）で
　アウトプット力完成

☑ 一問一答過去問BOOK
　（自習用教材）で徹底的な
　過去問対策

直前対策強化パック
［全8回］別売

年金横断講座	選択式予想講座	判例マスター講座
全4回 (2.5時間×4)	全2回 (2.5時間×2)	全2回 (2.5時間×2)

中上級コースはこんな人にオススメ

- ● 一通りのインプット講義を履修した方
- ● 模試や本試験の択一式で、半分程度は正答できて
　いる方
- ● これまでの学習で、過去問対策・横断学習・選択
　式対策が不十分だったと考えている方
- ● 独学や予備校での学習で、点が伸び悩んでいる方
- ● 似たような概念や要件に、頭を悩ませている方

LEC （れっく） Webサイト ▷▷▷ **www.lec-jp.com/**

🖱 情報盛りだくさん！

 資格を選ぶときも，
講座を選ぶときも，
最新情報でサポートします！

≫**最**新情報

各試験の試験日程や法改正情報，対策
講座，模擬試験の最新情報を日々更新
しています。

≫**資**料請求

講座案内など無料でお届けいたします。

≫**受**講・受験相談

メールでのご質問を随時受付けており
ます。

≫**よ**くある質問

LECのシステムから，資格試験につい
てまで，よくある質問をまとめまし
た。疑問を今すぐ解決したいなら，ま
ずチェック！

≫**書**籍・問題集（LEC書籍部）

LECが出版している書籍・問題集・レ
ジュメをこちらで紹介しています。

🖱 充実の動画コンテンツ！

 ガイダンスや講演会動画，
講義の無料試聴まで
Webで今すぐCheck！

≫**動**画視聴OK

パンフレットやWebサイトを見て
もわかりづらいところを動画で説
明。いつでもすぐに問題解決！

≫**W**eb無料試聴

講座の第1回目を動画で無料試聴！
気になる講義内容をすぐに確認で
きます。

LEC 全国学校案内

＊講座のお問合せ，受講相談は最寄りのLEC各校へ

LEC本校

■ 北海道・東北

札 幌本校 ☎011(210)5002
〒060-0004 北海道札幌市中央区北4条西5-1 アスティ45ビル

仙 台本校 ☎022(380)7001
〒980-0022 宮城県仙台市青葉区五橋1-1-10 第二河北ビル

■ 関東

渋谷駅前本校 ☎03(3464)5001
〒150-0043 東京都渋谷区道玄坂2-6-17 渋東シネタワー

池 袋本校 ☎03(3984)5001
〒171-0022 東京都豊島区南池袋1-25-11 第15野萩ビル

水道橋本校 ☎03(3265)5001
〒101-0061 東京都千代田区神田三崎町2-2-15 Daiwa三崎町ビル

新宿エルタワー本校 ☎03(5325)6001
〒163-1518 東京都新宿区西新宿1-6-1 新宿エルタワー

早稲田本校 ☎03(5155)5501
〒162-0045 東京都新宿区馬場下町62 三朝庵ビル

中 野本校 ☎03(5913)6005
〒164-0001 東京都中野区中野4-11-10 アーバンネット中野ビル

立 川本校 ☎042(524)5001
〒190-0012 東京都立川市曙町1-14-13 立川MKビル

町 田本校 ☎042(709)0581
〒194-0013 東京都町田市原町田4-5-8 MIキューブ町田イースト

横 浜本校 ☎045(311)5001
〒220-0004 神奈川県横浜市西区北幸2-4-3 北幸GM21ビル

千 葉本校 ☎043(222)5009
〒260-0015 千葉県千葉市中央区富士見2-3-1 塚本大千葉ビル

大 宮本校 ☎048(740)5501
〒330-0802 埼玉県さいたま市大宮区宮町1-24 大宮GSビル

■ 東海

名古屋駅前本校 ☎052(586)5001
〒450-0002 愛知県名古屋市中村区名駅4-6-23 第三堀内ビル

静 岡本校 ☎054(255)5001
〒420-0857 静岡県静岡市葵区御幸町3-21 ペガサート

■ 北陸

富 山本校 ☎076(443)5810
〒930-0002 富山県富山市新富町2-4-25 カーニープレイス富山

■ 関西

梅田駅前本校 ☎06(6374)5001
〒530-0013 大阪府大阪市北区茶屋町1-27 ABC-MART梅田ビル

難波駅前本校 ☎06(6646)6911
〒556－0017 大阪府大阪市浪速区湊町1-4-1
大阪シティエアターミナルビル

京都駅前本校 ☎075(353)9531
〒600-8216 京都府京都市下京区東洞院通七条下ル2丁目
東塩小路町680-2 木村食品ビル

四条烏丸本校 ☎075(353)2531
〒600-8413 京都府京都市下京区烏丸通仏光寺下ル
大政所町680-1 第八長谷ビル

神 戸本校 ☎078(325)0511
〒650-0021 兵庫県神戸市中央区三宮町1-1-2 三宮セントラルビル

■ 中国・四国

岡 山本校 ☎086(227)5001
〒700-0901 岡山県岡山市北区本町10-22 本町ビル

広 島本校 ☎082(511)7001
〒730-0011 広島県広島市中区基町11-13 合人社広島紙屋町アネクス

山 口本校 ☎083(921)8911
〒753-0814 山口県山口市吉敷下東 3-4-7 リアライズⅢ

高 松本校 ☎087(851)3411
〒760-0023 香川県高松市寿町2-4-20 高松センタービル

松 山本校 ☎089(961)1333
〒790-0003 愛媛県松山市三番町7-13-13 ミツネビルディング

■ 九州・沖縄

福 岡本校 ☎092(715)5001
〒810-0001 福岡県福岡市中央区天神4-4-11
天神ショッパーズ福岡

那 覇本校 ☎098(867)5001
〒902-0067 沖縄県那覇市安里2-9-10 丸姫産業第2ビル

■ EYE関西

EYE 大阪本校 ☎06(7222)3655
〒530-0013 大阪府大阪市北区茶屋町1-27 ABC-MART梅田ビル

EYE 京都本校 ☎075(353)2531
〒600-8413 京都府京都市下京区烏丸通仏光寺下ル
大政所町680-1 第八長谷ビル

LEC提携校

＊提携校はLECとは別の経営母体が運営をしております。
＊提携校は実施講座およびサービスにおいてLECと異なる部分がございます。

■ 北海道・東北 ■

八戸中央校 【提携校】　　☎0178(47)5011
〒031-0035　青森県八戸市寺横町13　第1朋友ビル
新教育センター内

弘前校 【提携校】　　☎0172(55)8831
〒036-8093　青森県弘前市城東中央1-5-2
まなびの森　弘前城東予備校内

秋田校 【提携校】　　☎018(863)9341
〒010-0964　秋田県秋田市八橋鯲沼町1-60
株式会社アキタシステムマネジメント内

■ 関東 ■

水戸校 【提携校】　　☎029(297)6611
〒310-0912　茨城県水戸市見川2-3079-5

所沢校 【提携校】　　☎050(6865)6996
〒359-0037　埼玉県所沢市くすのき台3-18-4　所沢K・Sビル
合同会社LPエデュケーション内

日本橋校 【提携校】　　☎03(6661)1188
〒103-0025　東京都中央区日本橋茅場町2-5-6　日本橋大江戸ビル
株式会社大江戸コンサルタント内

■ 北陸 ■

新潟校 【提携校】　　☎025(240)7781
〒950-0901　新潟県新潟市中央区弁天3-2-20　弁天501ビル
株式会社大江戸コンサルタント内

金沢校 【提携校】　　☎076(237)3925
〒920-8217　石川県金沢市近岡町845-1
株式会社アイ・アイ・ピー金沢内

福井南校 【提携校】　　☎0776(35)8230
〒918-8114　福井県福井市羽水2-701
株式会社ヒューマン・デザイン内

■ 中国・四国 ■

松江殿町校 【提携校】　　☎0852(31)1661
〒690-0887　島根県松江市殿町517　アルファステイツ殿町
山路イングリッシュスクール内

岩国駅前校 【提携校】　　☎0827(23)7424
〒740-0018　山口県岩国市麻里布町1-3-3　岡村ビル　英光学院内

新居浜駅前校 【提携校】　　☎0897(32)5356
〒792-0812　愛媛県新居浜市坂井町2-3-8
パルティフジ新居浜駅前店内

■ 九州・沖縄 ■

佐世保駅前校 【提携校】　　☎0956(22)8623
〒857-0862　長崎県佐世保市白南風町5-15　智翔館内

日野校 【提携校】　　☎0956(48)2239
〒858-0925　長崎県佐世保市椎木町336-1　智翔館日野校内

長崎駅前校 【提携校】　　☎095(895)5917
〒850-0057 長崎県長崎市大黒町10-10　KoKoRoビル
minatoコワーキングスペース内

高原校 【提携校】　　☎098(989)8009
〒904-2163　沖縄県沖縄市大里2-24-1
有限会社スキップヒューマンワーク内

※上記は2024年10月1日現在のものです。

書籍の訂正情報について

このたびは，弊社発行書籍をご購入いただき，誠にありがとうございます。
万が一誤りの箇所がございましたら，以下の方法にてご確認ください。

1 訂正情報の確認方法

書籍発行後に判明した訂正情報を順次掲載しております。
下記Webサイトよりご確認ください。

www.lec-jp.com/system/correct/

2 ご連絡方法

上記Webサイトに訂正情報の掲載がない場合は，下記Webサイトの
入力フォームよりご連絡ください。

lec.jp/system/soudan/web.html

フォームのご入力にあたりましては，「Web教材・サービスのご利用について」の
最下部の「ご質問内容」に下記事項をご記載ください。

> ・対象書籍名（○○年版，第○版の記載がある書籍は併せてご記載ください）
> ・ご指摘箇所（具体的にページ数と内容の記載をお願いいたします）

ご連絡期限は，次の改訂版の発行日までとさせていただきます。
また，改訂版を発行しない書籍は，販売終了日までとさせていただきます。

※上記「2 ご連絡方法」のフォームをご利用になれない場合は，①書籍名，②発行年月日，③ご指摘箇所，を記載の上，郵送
にて下記送付先にご送付ください。確認した上で，内容理解の妨げとなる誤りについては，訂正情報として掲載させてい
ただきます。なお，郵送でご連絡いただいた場合は個別に返信しておりません。

　　送付先：〒164-0001 東京都中野区中野4-11-10 アーバンネット中野ビル
　　　　　　株式会社東京リーガルマインド 出版部 訂正情報係

> ・誤りの箇所のご連絡以外の書籍の内容に関する質問は受け付けておりません。
> 　また，書籍の内容に関する解説，受験指導等は一切行っておりませんので，あらかじめ
> 　ご了承ください。
> ・お電話でのお問合せは受け付けておりません。

講座・資料のお問合せ・お申込み

LECコールセンター ☎ 0570-064-464

受付時間：平日9：30〜19：30/土・日・祝10：00〜18：00

※このナビダイヤルの通話料はお客様のご負担となります。
※このナビダイヤルは講座のお申込みや資料のご請求に関するお問合せ専用ですので，書籍の正誤に関
　するご質問をいただいた場合，上記「2 ご連絡方法」のフォームをご案内させていただきます。